Un époux pour Ella

CHERYL ST. JOHN

Un époux pour Ella

Les Historiques

éditions ✦ HARLEQUIN

Collection : LES HISTORIQUES

Titre original : HER WYOMING MAN

Traduction française de CAROL MONROE

HARLEQUIN®
est une marque déposée par le Groupe Harlequin

LES HISTORIQUES®
est une marque déposée par Harlequin S.A.

Photo de couverture
Sceau : © ROYALTY FREE/FOTOLIA

© 2011, Cheryl Ludwigs. © 2012, Harlequin S.A.
83-85, boulevard Vincent-Auriol, 75646 PARIS CEDEX 13.
Service Lectrices — Tél. : 01 45 82 47 47
www.harlequin.fr
ISBN 978-2-2802-4531-9 — ISSN 1159-5981

Chapitre 1

Une domestique introduisit le visiteur dans la salle à manger. Ella se leva et tendit une main gantée, que l'homme serra brièvement avant de lui avancer une chaise pour l'inviter à s'asseoir.

Le sourire un peu tendu et la raideur inhabituelle de l'homme trahissaient sa préoccupation, mais Ella s'appliqua à ne montrer ni curiosité ni inquiétude.

Elle s'assit à la table élégamment dressée d'assiettes de porcelaine fine, de verres en cristal et de couverts en argent, où cinq autres couples étaient déjà absorbés dans leurs conversations respectives.

— La température a été exceptionnellement douce, aujourd'hui, déclara-t-elle avec l'accent français qui lui était devenu aussi naturel que s'il avait été inné. J'ai passé une partie de l'après-midi à lire dans le jardin.

— Elle est encore très douce ce soir, répondit l'homme sobrement.

Cela faisait maintenant trois ans que ce gentleman lui rendait visite deux fois par semaine et leurs conversations s'étaient toujours limitées à des considérations sur le temps et autres généralités en usage dans les dîners en ville. Ella avait compris qu'il était marié — quoiqu'il n'eût jamais mentionné ni le nom de sa femme ni quoi que ce soit d'autre concernant sa famille.

Ansel Murdoch devait être âgé d'une quarantaine d'années, et elle ne connaissait de lui que son métier — courtier en bétail — et son appartenance à l'unique cercle local, le Cercle de Dodge City, ainsi qu'à la communauté paroissiale. Chaque lundi et vendredi soir, il rendait visite à Ella… ou du moins à Gabrielle Dubois, le nom qui lui avait été attribué dès l'âge de 10 ans.

Ils dînèrent d'un velouté d'asperges et de canard aux pêches. Lorsque le dessert fut servi — une superbe mousse au chocolat — Ella se contenta de boire son café à petites gorgées tandis que son visiteur dégustait l'appétissante mousse. Enfin, le repas prit fin et la domestique servit du sherry dans de petits verres en cristal taillé. Ella emportait généralement le sien dans sa chambre pour le savourer plus tard.

Lorsqu'ils se levèrent de table, Ansel Murdoch la suivit à l'étage jusqu'à sa chambre dont il verrouilla la porte derrière eux. Ella posa son verre sur la petite table basse disposée devant le canapé de velours prune.

— Voudriez-vous que je remonte le phonographe ? lui suggéra-t-elle. J'ai reçu un nouveau cylindre Edison.

— Gabrielle, j'ai une nouvelle… difficile à vous annoncer.

Elle s'assit sur le canapé, arrangeant avec élégance les plis de son ample jupe longue autour de ses jambes.

— Qu'y a-t-il, Ansel, seriez-vous souffrant ? demanda-t-elle, en s'efforçant de ne pas trahir son inquiétude.

— Non, je vous remercie de vous en inquiéter, mais ma santé est excellente. Le fait est que… je vais quitter Dodge City. On m'a fait une offre très intéressante que je serais fou de refuser et… et de toute façon ma femme aimerait retourner sur la côte Est, maintenant que nos fils sont partis pour l'université.

Ella s'appliqua à garder un visage souriant et calme, alors que cette nouvelle l'anéantissait.

— Je vois.

C'était grâce à la fortune d'Ansel Murdoch, et à sa

générosité, que Mme Fairchild acceptait qu'il soit l'unique « visiteur » d'Ella. Hélas, lorsqu'il serait parti, on attribuerait aussitôt un nouveau « visiteur » à Ella. Et si celui-ci n'était pas assez riche, ou simplement pas désireux de s'assurer l'exclusivité de ses services, alors on lui imposerait plusieurs visiteurs.

Comme s'il avait pu lire dans ses pensées, Ansel Murdoch reprit la parole.

— Vous êtes jeune, Gabrielle. Vous êtes de loin la plus jolie jeune femme de Dodge City. Et sans doute même de tout le Texas. Vous ne manquerez pas d'attention.

Elle n'en doutait pas un instant : plusieurs gentilshommes avaient déjà tenté d'obtenir ses faveurs. Mais Ansel Murdoch s'était montré intraitable et Mme Fairchild avait donc toujours maintenu l'exclusivité de ses relations avec Ella.

— J'espère que ce déménagement se montrera bénéfique pour toutes les personnes concernées, répondit-elle d'un ton égal.

Depuis son plus jeune âge, on lui avait appris à s'exprimer d'un ton toujours affable, sans jamais aucune trace d'agressivité, de façon à ne surtout jamais causer la moindre contrariété à un interlocuteur masculin, quel qu'il fût.

C'est ainsi que rien sur son visage ni dans son langage corporel ne trahissait l'inquiétude qui lui nouait à présent l'estomac. Ou encore les dizaines de questions qui se bousculaient soudain dans sa tête.

Ansel s'avança et lui posa une main sur la joue, un geste démonstratif très inhabituel chez lui.

— Vous êtes un trésor rare, Gabrielle. Nos soirées me manqueront cruellement.

— Elles me manqueront à moi aussi. Je crains demain autant que je regrette hier, ajouta-t-elle avec son délicieux accent français.

— Comme c'est aimable à vous de me le dire si gentiment, mon petit. Je vous ai apporté quelque chose.

Il lui avait souvent offert des parfums ou même des bijoux, mais ce soir elle ne lui avait vu porter aucun paquet.

Il plongea une main dans la poche intérieure de son gilet et en sortit un étroit portefeuille en cuir très fin. Il l'ouvrit et le tourna vers Ella pour le lui montrer. Elle vit alors qu'il s'agissait d'un livret de banque. Et le montant de la somme inscrite lui coupa le souffle un instant.

— Je vous ai ouvert un compte en banque, Gabrielle. J'ai d'abord envisagé de vous donner du liquide, pour davantage de discrétion. Puis j'ai jugé plus sûr de procéder de cette façon. Votre argent se trouvera ainsi en sûreté et personne ne pourra vous le voler.

Ella leva vers lui des yeux étonnés. Il n'avait jamais été question d'argent entre eux, puisque c'était Mme Fairchild qui gérait l'aspect « financier » de leur relation. Elle payait Ella comme toutes les autres pensionnaires de l'établissement, après avoir prélevé une somme forfaitaire pour leurs frais de nourriture et d'habillement. Ella savait juste que les sommes facturées aux « visiteurs » étaient exorbitantes. Mais la réputation de l'établissement de Mme Fairchild dépassait les frontières de l'Etat. On y servait une cuisine raffinée dans un décor élégant et les robes qu'Ella portait étaient confectionnées par une authentique couturière française.

Ella vivait donc dans l'opulence, nourrie de mets exquis et logée dans un décor sophistiqué, tout en ne possédant que fort peu d'argent malgré ses quatre ans d'activité au sein de cette maison.

— Cela représente de quoi assurer votre avenir, poursuivit Ansel Murdoch. Quelque chose qui vous appartienne en propre. Et dont — j'insiste — personne ne doit connaître l'existence.

Il referma le portefeuille et le lui mit dans la main.

— Vous m'avez bien compris, Gabrielle ?

Elle hocha la tête d'un air grave. Elle n'avait jamais possédé davantage que quelques dollars. Et cette manne soudaine lui faisait tourner la tête.

— Cet argent vous permettra un jour de subvenir à vos propres besoins. Alors conservez ce portefeuille bien à l'abri.

Ella sera le portefeuille contre sa poitrine dans laquelle son cœur s'était mis à battre follement. Sentant ses yeux se voiler de larmes, elle détourna la tête pour les dissimuler à Ansel.

— Gabrielle…

Il lui souleva le menton du bout des doigts pour l'obliger à le regarder dans les yeux.

— Partez d'ici tant que vous pouvez encore prendre un nouveau départ. Pour le moment, vous êtes très jeune et très belle, mais un jour viendra…

Il laissa sa phrase en suspens, mais Gabrielle savait ce à quoi il faisait allusion.

Sa mère n'avait même pas quarante ans lorsqu'elle était morte. Pourtant, on aurait pu la prendre pour la grand-mère de sa fille. Ella avait entendu parler de ces femmes vieillissantes qu'on envoyait finir leurs jours dans des bordels sordides. Et elle vivait avec la terreur de connaître elle aussi un sort si peu enviable.

— Vous m'avez bien compris, Gabrielle ? répéta Ansel avec insistance

— Je vous ai bien compris, répondit Ella en soutenant son regard, impressionnée par la gravité de l'instant et par la portée de ce geste qui lui ouvrait soudain des horizons jusque-là insoupçonnés.

Visiblement satisfait d'avoir soulagé sa conscience pour ce qui la concernait, Ansel se dirigea vers les porte-habits d'acajou et commença à retirer sa veste.

— Oui, mon petit, vous allez vraiment me manquer…

** **

Installée dans un fauteuil près de la cheminée, Ella fixait sans les voir les flammes qui dansaient dans l'âtre. Ansel Murdoch était parti depuis plus d'une heure déjà. Dès qu'il avait quitté la pièce, Ella avait soigneusement cousu le portefeuille dans l'ourlet de son long manteau de voyage avant de prendre un bain brûlant pour se détendre. A présent, elle essayait de se concentrer sur son livre, sans vraiment y parvenir. Tout à coup, on frappa un coup léger à la porte. Heureuse de la distraction, Ella s'empressa d'aller ouvrir.

— Céleste ?

La jeune femme toute menue qui se tenait sur le seuil jeta un coup d'œil timide par-dessus l'épaule d'Ella.

— Je peux entrer, Gabrielle ?

Ella ouvrit la porte en grand et s'écarta pour la laisser passer. C'était la première fois que Céleste entrait dans sa chambre. Elle engloba la pièce d'un coup d'œil surpris, visiblement impressionnée par le luxe du décor, mais ne fit aucun commentaire.

Ella referma la porte avant d'aller rejoindre son amie sur le canapé. Céleste avait fait sa toilette pour la nuit et Ella ne put retenir un petit gémissement étouffé en voyant la lèvre et le nez tuméfiés que la jeune femme avait dissimulés sous un épais maquillage depuis le week-end précédent. Elle avait relevé en un chignon lâche ses longs cheveux lisses, teints en noir parce que Mme Fairchild avait décrété que sa couleur naturelle — un roux flamboyant — faisait trop commun pour le standing de son établissement.

— Tu as encore très mal ? s'enquit Ella.

Il arrivait parfois que, dans le feu de l'action, des clients se laissent aller à quelques gifles. Certaines plus violentes que d'autres. Dans ces cas-là, une domestique se chargeait de prodiguer les soins nécessaires — compresses et onguents — pour résorber les ecchymoses.

— Ça s'atténue, répondit Céleste d'une voix sourde, mais elle l'a laissé revenir. Comme si rien ne s'était produit la semaine dernière. Ni celle d'avant non plus. Je savais bien qu'elle le laisserait revenir.

Ella hocha la tête en silence. Elle aussi s'était doutée que Mme Fairchild laisserait revenir ce client régulier, hélas connu pour ses débordements violents.

Céleste plongea une main dans la poche de sa jupe et en sortit une coupure de journal qu'elle tendit à Ella

— Regarde un peu ça.

Ella déplia le morceau de papier froissé et lut à voix haute.

« Messieurs bien sous tous rapports, demeurant dans le Wyoming, cherchent, en vue mariage, jeunes femmes sérieuses, travailleuses et affectueuses. Billet de train envoyé dès acceptation du dossier par notre agent de liaison. »

— Tu sais ce qu'est un agent de liaison ? demanda Céleste d'un air intrigué.

— Une personne qui agit comme intermédiaire.

— J'en ai plus qu'assez de recevoir des coups, déclara tout à coup Céleste d'un ton déterminé. J'ai décidé de partir.

Ella dévisagea un moment son amie, incrédule.

— Tu veux… partir d'ici ?

— Absolument. Et sans une once de regret, tu peux me croire. Tu sais, Gabrielle, j'ai grandi avec un père et une mère. J'ai eu une famille. Je suis allée à l'école. J'ai fait des choses comme les autres gens. Alors je sais que cette maison n'est pas un endroit « normal ». Je sais qu'on peut mener une autre vie, attendre beaucoup mieux de l'existence. Tant pis si le chemin pour y parvenir doit être semé d'embûches, je vais partir d'ici. Toutes les coupes de champagne du monde ne suffiraient pas à racheter un œil au beurre noir ou une côte fêlée chaque vendredi soir.

J'ai déjà envoyé un télégramme au journal pour proposer ma candidature.

Ella fixa la coupure qu'elle tenait encore à la main jusqu'à ce que ses doigts en tremblent.

Pour la première fois, la possibilité de partir devenait une réalité tangible pour elle. Avec le départ d'Ansel Murdoch, son statut jusque-là si privilégié allait changer du tout au tout. Et ses craintes de finir un jour comme sa mère avaient aussitôt refait surface.

Il lui était arrivé, à quelques rares occasions, de sortir des murs de l'établissement pour se rendre en ville. Et cela lui avait suffi pour comprendre qu'elle n'était pas de taille à supporter le mépris affiché par les gens « convenables ». Elle avait compris que, si la société admettait très bien qu'un homme puisse fréquenter une maison de tolérance, elle condamnait en revanche sans appel qu'une femme en soit pensionnaire.

Et maintenant… Eh bien, maintenant, elle possédait un compte en banque très généreusement garni.

— Ella, dit-elle soudain d'une voix ferme.

Céleste fronça les sourcils.

— Pardon ?

— Je m'appelle Ella.

Sweetwater, Wyoming, mai 1873.

Nathan s'efforça de contenir son malaise. Il éprouvait encore quelques réticences à propos de cette idée de petite annonce. D'autant plus que c'était son statut personnel de veuf qui avait été à l'origine de l'affaire. Il comptait en effet se présenter aux élections cet automne pour briguer le poste de gouverneur de l'Etat. Et c'était au cours d'une réunion du conseil municipal que l'un des membres avait décrété que la présence d'une femme à ses côtés représenterait un atout essentiel pour sa candidature. Les autres membres avaient opiné et tous s'étaient aussitôt unis pour l'encourager fortement à se trouver une nouvelle épouse… afin de peaufiner son image de candidat.

La conversation avait ensuite évolué et il avait été décidé de faire paraître une annonce dans les journaux des différents Etats voisins, afin de rechercher des jeunes femmes désireuses de venir se marier dans le Wyoming.

C'est ainsi que Nathan se retrouvait aujourd'hui, bien malgré lui, sous l'œil scrutateur de ses pairs et supporters.

L'assemblée avait longuement délibéré pour savoir où se tiendrait la réception au cours de laquelle les célibataires concernés rencontreraient leurs prétendantes. Il avait été décidé à l'unanimité que la maison de Leland Howard était la seule — à part celle de Nathan, bien sûr — assez vaste pour recevoir les candidats au mariage. Ainsi que les membres du conseil municipal et leurs épouses.

— La petite là-bas est plutôt jolie, non ? lui murmura Tom Bradbury à l'oreille.

Nathan suivit son regard. La jeune femme dont son ami parlait était en effet très petite, avec de longs cheveux noirs et un fort joli visage. A cet instant elle leva les yeux pour balayer la foule du regard et il parut alors évident qu'elle se sentait mal à l'aise.

Trop timide pour devenir la femme d'un gouverneur, jugea Nathan.

Il n'était pas encore gouverneur, soit. Mais à la limite peu importait : le mariage était un engagement à long terme. Il lui fallait, certes, une jeune femme qui l'épaule pendant sa campagne mais aussi tout au long de sa carrière politique. Et puis, d'abord et avant tout, il lui fallait une compagne de vie qui lui convienne.

Il scrutait la foule des personnes présentes lorsque son

attention fut attirée par un groupe d'hommes qui se tenaient coude à coude, visiblement engagés dans une discussion passionnante, autour de quelqu'un qu'il ne pouvait pas voir d'où il se trouvait. Poussé par la curiosité, il décida d'aller se joindre à eux.

En le voyant approcher, l'un des hommes s'écarta avec déférence, un autre fit de même, et il put ainsi s'avancer jusqu'au centre du petit groupe. Il découvrit alors l'une des plus superbes créatures qu'il eût jamais vues.

Elle portait une robe de satin rose foncé, décolletée aux épaules, qui dévoilait une peau d'une blancheur d'albâtre. Ses longs cheveux blonds étaient ramenés sur le côté droit du visage, cascadant en boucles soyeuses sur son épaule.

Elle était en train de répondre à une question que l'un des hommes venait de lui poser lorsqu'elle dut percevoir un changement d'atmosphère. Elle regarda l'un après l'autre les visages qui l'entouraient jusqu'au moment où elle s'arrêta sur celui de Nathan.

Leland le prit alors par le bras.

— Nathan, je te présente Mlle Ella Reed, qui nous arrive d'Illinois. Mademoiselle Reed, je vous présente M. Lantry.

La jeune femme lui offrit sa main gantée.

— Charmée de faire votre connaissance, monsieur Lantry.

Elle s'exprimait d'une voix plus grave que ce à quoi il se serait attendu, avec une élocution parfaite et un ton chaleureux, sans être pour autant aguichant.

Il prit la main qu'elle lui tendait et se surprit à imaginer, à travers le tissu du gant, une peau douce et chaude.

— Ravi de faire votre connaissance, mademoiselle Reed.

Il jeta un coup d'œil aux hommes qui l'entouraient et qui, de toute évidence, ne s'étaient pas encore préoccupés de lui faire les honneurs du buffet.

— Vous êtes-vous déjà restaurée ?

— Pas encore, non. Et je vous avoue que je commence à avoir un peu faim.

— Dans ce cas permettez-moi de vous accompagner jusqu'au buffet. Messieurs, si vous voulez bien nous excuser un instant…

Il prit le bras d'Ella pour lui faire traverser la pièce en direction du long buffet chargé de victuailles.

— Il faut que vous excusiez ces messieurs d'avoir manqué à leurs devoirs d'hôtes, lui dit-il avec un sourire. La présence de séduisantes jeunes femmes est une rareté dans cette partie du pays. Et ils auraient sans doute monopolisé votre attention pour la soirée entière, si vous les aviez laissés faire.

— Oh ! je ne m'en plains pas, bien au contraire : tout le monde s'est montré tout à fait charmant avec nous jusqu'à présent. On nous a donné de superbes chambres à l'hôtel. Le personnel est très aimable et la nourriture excellente.

Nathan lui tendit une assiette avant d'en prendre une pour lui-même. Il lui laissa le temps de choisir ce dont elle avait envie tandis que lui-même se servait un assortiment de viandes froides et de tourtes salées. Il ne put s'empêcher de remarquer que la jeune femme ne sélectionnait que des mets sucrés.

Lorsqu'elle eut rempli son assiette, elle se tourna vers lui.

— Voilà qui devrait amplement suffire à satisfaire mon penchant coupable pour les douceurs, dit-elle avec un petit sourire d'autodérision.

Nathan lui tendit une fourchette en argent.

— Aimeriez-vous que nous allions nous asseoir un instant dehors pour déguster tout cela ?

— Très volontiers.

Il la conduisit par une porte-fenêtre dans le vaste jardin éclairé par de hautes torches allumées et lui désigna un banc de pierre un peu plus loin.

Elle le suivit et s'y assit, disposant son ample jupe autour de ses jambes avec des gestes d'une grande élégance.

Il aimait vraiment beaucoup la façon dont elle se comportait, avec autant de grâce que d'assurance. En fait, tout en elle lui plaisait : son cou gracile, sa peau veloutée que dénudait — modestement — le corsage de sa robe, et l'extraordinaire finesse de sa taille.

Elle prit une petite bouchée de son gâteau et ferma les yeux.

— Exquis, murmura-t-elle avec un soupir de ravissement.

Il ne put s'empêcher de sourire, attendri par la candeur presque enfantine avec laquelle elle exprimait tant de plaisir pour une simple mignardise.

— Aimez-vous cuisiner, mademoiselle Reed ?

L'expression ravie de la jeune femme s'évanouit aussitôt et un pli d'inquiétude barra brièvement son joli front.

— Je regrette de devoir vous dire que la cuisine ne figurait pas au programme de l'institution dont mes camarades et moi-même avons suivi les cours. Mais j'apprends vite, vous savez, et je ne doute pas de pouvoir acquérir rapidement les connaissances requises… si toutefois cela devait s'avérer nécessaire. Attend-on d'une épouse qu'elle excelle en cuisine, à Sweetwater ?

— Je vous prie de m'excuser, mademoiselle Reed, croyez bien que je ne doute pas un instant que vous puissiez apprendre à cuisiner. Je suis d'ailleurs convaincu que la plupart des hommes ici présents se préoccupent fort peu des talents culinaires d'une future épouse.

La jeune femme posa son assiette sur ses genoux et observa Nathan un instant d'un œil perplexe.

— Dites-moi, monsieur Lantry, envisagez-vous vous-même de vous trouver une épouse ?

Chapitre 2

Nathan s'était laissé embarquer dans cette aventure parce qu'il était indéniable qu'à Sweetwater on manquait cruellement de jeunes femmes à marier. Il avait donc suivi les recommandations de son conseil municipal, mais sans toutefois s'engager de façon ferme pour ce qui le concernait personnellement.

Il avait déjà été marié et n'avait jusqu'à présent pas envisagé de renouveler l'opération. Ou, plus exactement, il n'avait jamais vraiment pris le temps d'y réfléchir au cours des deux années qui venaient de s'écouler.

Mais c'était avant qu'il ne rencontre Ella Reed.

— Les membres du conseil municipal considèrent qu'une épouse serait bénéfique à mon image de candidat, lorsque je me présenterai aux élections.

Les yeux clairs de la jeune femme le scrutèrent avec un intérêt non dissimulé. Il soutint son regard sans rien ajouter jusqu'au moment où elle reprit la parole.

— Et de quelle élection s'agirait-il ?

— Gouverneur du Territoire. Peut-être même un jour gouverneur de l'Etat.

Elle marqua une pause avant de reprendre.

— Vous m'avez donné le point de vue des membres du conseil municipal, monsieur Lantry, mais vous ne m'avez pas encore donné le vôtre. Vous avez bien une opinion sur la question, n'est-ce pas ?

— J'ai des enfants… Et il ne fait aucun doute qu'une présence féminine leur serait profitable à eux aussi.

— Des enfants ? Vous êtes veuf ?

— Oui.

— Permettez-moi tout d'abord de vous présenter mes très sincères condoléances. Combien d'enfants avez-vous, monsieur Lantry ?

— Trois.

Décidément, pensa Nathan pour lui-même, cette conversation commençait à ressembler à un interrogatoire en règle. Et quoi d'étonnant, après tout : c'en était bien un, non ?

Il semblait évident que cette jeune femme n'aurait qu'à choisir parmi tous les hommes présents ce soir, il était donc normal qu'elle prenne tous les renseignements possibles avant de faire son choix.

— Veuillez excuser ma curiosité, mademoiselle Reed, mais comment se fait-il qu'une jeune femme aussi séduisante que vous ait répondu à une annonce pour venir se marier si loin de chez elle ? Vous ne me paraissez pourtant pas l'archétype de l'aventurière intrépide.

— Sans doute pas, en effet, admit-elle avec un léger sourire. En fait, lorsque mon amie Céleste m'a raconté cette histoire d'annonce à laquelle elle venait de répondre, eh bien, j'ai tout à coup eu envie de la suivre. Un nouveau départ m'a soudain paru beaucoup plus tentant que ce qui m'attendait dans ma ville natale.

Nathan fut surpris, mais n'osa toutefois pas la questionner davantage de peur de se montrer trop indiscret.

— Vous avez laissé de la famille là-bas ?

— Non. Ma mère… et mon père sont morts tous les deux. Je n'ai plus aucune famille.

— Quelle tristesse, murmura-t-il d'un ton plein de compassion, sincèrement navré de voir une femme si jeune confrontée à des choix de vie qu'elle devait assumer seule.

Il trouvait néanmoins qu'elle témoignait d'une assurance et d'une maturité étonnantes pour son âge. Sans doute était-ce à mettre au compte de son éducation dans un établissement huppé d'une grande ville.

— Vous êtes de toute évidence une citadine, mademoiselle Reed. Je crains que vous ne soyez déçue par la… rusticité de notre vie sociale : nos dîners entre amis n'ont sans doute rien à voir avec ce à quoi vous avez été habituée jusqu'à présent.

Elle baissa les yeux.

— Vous seriez surpris d'apprendre ce à quoi j'ai été habituée, murmura-t-elle d'une voix à peine audible, comme pour elle-même.

Elle prit ensuite une profonde inspiration, attirant sans le vouloir le regard de Nathan sur son corsage.

— J'ai le sens des chiffres, dit-elle d'un ton posé. Je peux tout à fait tenir des livres de comptes. J'ai appris la broderie et la tapisserie. J'ai étudié le solfège et je joue du piano. Je parle le français couramment. Je pourrais aisément faire office de préceptrice dans un certain nombre de matières.

Cette énumération de compétences ne fit que renforcer les convictions de Nathan : en matière de maris, cette jeune femme aussi belle qu'intelligente devait avoir eu l'embarras du choix dans sa ville natale. Il n'en était que plus étonnant qu'elle eût décidé de quitter un environnement familier pour se rendre jusque dans le Wyoming avec l'intention de s'y marier.

— Je suis impardonnable, mademoiselle Reed, déclara-t-il avec un sourire. Je vous empêche de vous restaurer alors que c'est pour vous permettre de le faire que j'ai voulu vous libérer de tous ces hommes qui vous accaparaient. Je vous en prie, savourez en paix cet assortiment de pâtisseries.

Elle le remercia d'un sourire, mordit délicatement dans un éclair et en rosit aussitôt de plaisir.

— Exquis, murmura-t-elle. Tout simplement exquis.

Il la laissa quelques instants déguster son assiette de mignardises, amusé une fois encore de cette candeur avec laquelle elle exprimait sa gourmandise.

— Aimeriez-vous une tasse de thé ? lui demanda-t-il.

— Volontiers mais… il m'avait semblé voir du champagne, non ?

Nathan réprima de justesse un haussement de sourcils étonné. Voilà qui changeait agréablement de la plupart des femmes de sa connaissance, pensa-t-il. Les jeunes filles qu'il fréquentait habituellement auraient jugé dégradant d'absorber la moindre goutte d'alcool.

Il se leva d'un bond.

— Je vais vous en chercher une coupe tout de suite.

Quelques minutes plus tard, il revint avec deux flûtes et lui tendit l'une d'elles.

— Je crains de vous apparaître comme une véritable gloutonne, dit-elle avec un sourire, mais je n'ai jamais eu l'occasion de satisfaire mon goût pour les desserts.

— Les éclairs ne figuraient pas au menu, alors ? fit-il mine de s'étonner d'un ton gentiment moqueur.

— La directrice de l'institution éliminait des menus tout ce qui pouvait — pour reprendre son expression — « mettre nos silhouettes en péril ».

Maintenant qu'il y pensait, Nathan devait reconnaître que les jeunes femmes qu'il avait vues ce soir étaient toutes extrêmement minces.

— Je la trouve bien sévère, votre directrice, protesta-t-il avec un sourire amusé.

Ella dégustait son champagne à petites gorgées. Elle semblait habituée à en boire.

— Vous aviez commencé à me parler de vos enfants, tout à l'heure. Quel âge ont-ils ? Ce sont des filles ou des garçons ?

— Christopher, l'aîné, vient juste d'avoir six ans. Et Grace...

— Ah ! vous voilà enfin, mademoiselle Reed !

William Pickering venait d'apparaître à la porte, escorté d'un petit groupe de gentlemen.

— Nathan gardait notre invitée captive, à ce que je vois ! s'exclama le petit homme d'un ton jovial.

Ella jeta à Nathan un coup d'œil d'excuse avant de se lever. Nathan crut déceler une note suppliante dans son regard, mais il n'eut pas le temps de réagir : elle avait déjà rejoint le petit groupe qui l'attendait.

Lorsque William Pickering la prit par le coude pour l'escorter, Nathan frémit, surpris lui-même par la vivacité de sa réaction à ce geste pourtant innocent.

William présenta deux jeunes gens à Ella, puis ils rentrèrent tous dans la maison et il se retrouva seul. Etonné, encore une fois, de se sentir si profondément affecté par le départ d'une jeune femme qu'il connaissait à peine.

— Superbe soirée, dit soudain près de lui une voix féminine.

Cette voix le tira tout à coup de sa rêverie. Il se rendit alors compte qu'il avait gardé les yeux rivés sur la porte par laquelle Ella venait de disparaître.

— Je n'ai jamais vu tant d'étoiles dans le ciel, poursuivit la voix. Sans doute parce que je n'ai jamais passé beaucoup de temps dehors à les contempler. Et puis, peut-être qu'en ville elles semblent moins brillantes à cause des lumières des rues.

Nathan se retourna pour faire face à son interlocutrice. La chevelure brune de la jeune femme était relevée en un chignon dont s'échappaient quelques boucles qui lui retombaient de chaque côté du visage. Elle portait une robe d'un tissu beige soyeux que la flamme de la torche faisait chatoyer. Elle leva vers lui ses yeux sombres. Un regard étonnamment direct qui ne faisait pas mystère de son intention de séduire.

— Vous êtes Nathan Lantry, n'est-ce pas ?

— Tout à fait.

Nathan lança un regard impatient en direction de l'entrée. Il aurait préféré suivre Ella pour s'assurer que la meute ne la dévore pas plutôt que de faire la conversation à cette inconnue. Mais la plus élémentaire politesse lui interdisait de planter là cette jeune femme sans au moins s'enquérir de son identité.

— Et vous êtes…

— Lena Kellie.

— Enchanté de vous rencontrer, mademoiselle Kellie.

— Votre ville semble manquer cruellement de jeunes femmes à marier, monsieur Lantry.

— Que voulez-vous, mademoiselle, c'est sans doute parce que seules certaines fleurs peuvent s'épanouir sous nos climats.

— Pensez-vous que ce sera le cas des jeunes femmes de l'institution de Miss Haversham ?

— Les hommes présents ce soir semblent le croire, en tout cas.

— Et vous ?

La jeune femme se tourna face à lui et planta son regard dans le sien.

— Etes-vous, vous aussi, à la recherche d'une future épouse ?

Il ne l'avait pas été lorsqu'il était arrivé à cette soirée… Mais il prit tout à coup conscience que les choses venaient peut-être de changer.

— C'est possible, mademoiselle Kellie.

Elle lui posa une main sur l'avant-bras et le défia de ses grands yeux noirs.

— Et avez-vous vu… quelque chose qui vous a plu,

jusqu'à présent ? demanda-t-elle d'un ton outrageusement langoureux.

Oui, il avait vu « quelque chose » qui lui avait beaucoup plu. Mais il préféra éluder la question de l'entreprenante Mlle Kellie.

— Aimeriez-vous une coupe de champagne ?

— Volontiers, merci.

— Dans ce cas retournons donc à l'intérieur, suggéra-t-il avant de la précéder en direction des portes-fenêtres du salon.

Cela faisait près d'une heure qu'Ella se sentait littéralement oppressée. Depuis qu'elle avait quitté le jardin, elle s'était trouvée entourée de plusieurs messieurs de genres très divers qui l'avaient dévorée des yeux, soûlée de compliments et — lorsqu'ils avaient découvert son goût pour le sucré — lui avaient fait ingurgiter une telle quantité d'éclairs qu'elle craignait que les coutures de sa robe ne lâchent d'une seconde à l'autre.

Combien de temps allait encore durer cette version civilisée d'une vulgaire foire aux bestiaux ?

Deux messieurs s'étaient déclarés à l'instant même où ils s'étaient présentés et trois autres lui avaient demandé sa main après seulement quelques minutes de conversation. Jamais elle n'aurait cru qu'il serait si facile de trouver un mari.

Mais comment diable allait-elle pouvoir faire son choix ?

Elle les regarda l'un après l'autre une nouvelle fois. Le plus jeune d'entre eux — sourire timide et cheveux blond pâle — lui paraissait le plus sûr... et le plus séduisant en même temps. Il semblait très jeune, presque gamin en fait. Mais c'était précisément sa jeunesse et son air innocent qui faisaient son charme. A l'opposé, le plus âgé des prétendants semblait, pour sa part, le plus fortuné. Un aspect du problème qui valait que l'on s'y attarde. Après tout, peu importait l'âge d'un mari, à partir du moment où c'était un homme bon. Quoique… Celui-ci avait un tic nerveux qui lui contractait la joue droite toutes les deux ou trois minutes. Et Ella se rendait bien compte que, quelle que soit la richesse du monsieur en question, il y avait de fortes chances qu'elle trouve très vite insupportable la perspective de devoir dîner face à lui pour les trente ou quarante ans à venir.

Céleste, de son côté, semblait très intéressée par un grand type dégingandé dont Ella venait d'apprendre qu'il était rancher. Il avait un bon regard et un sourire chaleureux, mais elle savait combien les apparences pouvaient être trompeuses. Il fallait à tout prix que Céleste trouve quelqu'un de gentil. Mais comment s'enquérir discrètement du caractère de l'homme ?

Elle balaya la pièce du regard. Il fallait qu'elle trouve un moyen de s'esquiver. Ses oreilles commençaient à bourdonner et la chaleur devenait insupportable. Elle réfléchissait donc à un prétexte crédible lorsqu'elle aperçut Nathan Lantry.

Il se tenait près du buffet, dominant l'assistance de sa stature imposante. Les hommes présents étaient tous vêtus de façon similaire et, pourtant, Nathan portait son costume sombre et sa chemise blanche avec une élégance et une prestance qui accentuaient encore sa haute taille et sa large carrure. Ella remarqua alors que la bonté qu'exprimait son regard adoucissait l'impression presque austère que lui conféraient sa mâchoire volontaire, ses pommettes marquées et ses sourcils sombres.

Elle s'excusa auprès de ses prétendants et se fraya un chemin à travers la foule jusqu'à Nathan Lantry. Lorsqu'elle fut tout près, Ella découvrit que Lena se tenait près de lui. Le visage de la jeune femme se crispa d'ailleurs de contrariété lorsqu'elle parvint à leur hauteur.

— Tout va bien ? s'enquit-elle d'un ton calme.

— Parfaitement bien, répondit Lena en détournant les yeux.

— J'aurais voulu poser une question à M. Lantry, dit Ella en se tournant vers lui. Monsieur, pourriez-vous m'accorder quelques secondes ?

— Mais très certainement.

Nathan se tourna vers Lena.

— Si vous voulez bien nous excuser un instant…

Il entraîna ensuite Ella jusqu'à un autre salon, plus petit, dont les murs recouverts de boiseries étaient décorés de tableaux de grande taille représentant des paysages et des scènes de chasse. Des chandeliers disposés sur de petites tables juponnées nimbaient la pièce d'une lumière chaude et douce.

— Que vouliez-vous me demander, mademoiselle Reed ? s'enquit Nathan en se tournant vers Ella.

— Le rancher nommé Adams, le connaissez-vous ?

— Paul Adams ? Oui, je le connais. Envisageriez-vous de l'épouser ?

— Non, en revanche mon amie Céleste semble envisager favorablement la demande en mariage qu'il lui a faite tout à l'heure.

Ella s'efforça de ne pas prêter attention à l'expression de soulagement qu'elle avait cru deviner sur les traits de l'élégant M. Lantry.

— Je voudrais être tout à fait certaine qu'il s'agit bien d'un homme en qui on puisse avoir confiance. Et qui, par exemple…, ne soit pas sujet à des accès de violence, poursuivit-elle.

Nathan la regarda avec étonnement mais répondit immédiatement.

— Paul est un bon garçon, honnête et travailleur. D'après ce que j'en sais, il traite fort bien ses employés. Il a construit l'été dernier une grande maison sur la partie sud-ouest de sa propriété, non loin de la ville.

— Pensez-vous qu'il ferait un époux attentionné ?

Il soutint son regard un moment avant de lui répondre.

Ella avait toujours su deviner l'attirance qu'elle pouvait susciter chez un homme, mais elle se rendit compte, à cet instant précis, que c'était la première fois qu'elle réagissait positivement à ce genre d'intérêt.

— Je ne vois rien qui me permette de pouvoir penser le contraire, dit-il enfin d'une voix grave.

— Merci, murmura-t-elle.

Il la regarda encore un moment sans rien dire. Il semblait indécis, ou bien mal à l'aise. Mais comme il n'ajoutait toujours rien Ella eut un doute. Peut-être s'était-elle trompée sur l'intérêt qu'elle avait cru déceler en lui. Elle le salua d'un lent hochement de tête et tourna les talons pour repartir vers la porte.

Nathan la suivit des yeux, étonné de se sentir soudain si désemparé. Pourquoi diable était-il déçu qu'elle eût seulement voulu se renseigner pour son amie ? A quoi s'était-il attendu ?

Outre sa beauté, Ella Reed était une jeune femme cultivée, gracieuse, et aux manières irréprochables. Il aurait fallu être fou pour ne pas se rendre compte qu'elle représentait vraiment la partenaire idéale pour un homme dans sa position. De plus, elle semblait se préoccuper du sort des autres, à en croire son inquiétude pour son amie. Cette nature compatissante présenterait indéniablement un atout de taille pour les enfants de Nathan. Une influence bénéfique et inestimable.

— Et vous ? lança-t-il soudain d'une voix forte, juste avant qu'elle ne quitte la pièce.

Elle s'arrêta sur le seuil et se tourna vers lui.

— Et moi ?

— Avez-vous choisi quelqu'un ? Ne voudriez-vous pas me poser des questions sur un candidat qui pourrait vous intéresser ?

Elle fit quelques pas vers lui sans répondre.

— Quelqu'un vous a-t-il déjà demandé votre main ? insista-t-il.

Elle inclina la tête en guise de réponse.

— Qui ?

— Le journaliste.

— Lewis Frost.

Elle inclina la tête de nouveau.

— Et le rancher de South Pass. Il m'a dit que son territoire dominait la vallée.

Nathan éprouvait des difficultés à imaginer la jeune femme dans un ranch.

— Et un certain M. Pickering.

Déjà trois, donc, remarqua Nathan pour lui-même. William Pickering n'était pas un mauvais bougre, bien sûr... malgré sa fâcheuse habitude de passer ses soirées de week-end au saloon.

— Ainsi que quelques autres.

Ce qui faisait quoi ? Six ? Huit au total ? Oh ! cela ne le surprenait pas. N'importe quel homme était à même de remarquer les très nombreuses qualités de Mlle Reed. On ne rencontrait pas tous les jours une femme de cette valeur. C'était plutôt le style de femme qu'on pouvait s'estimer heureux de croiser une fois dans une vie.

Nathan n'avait jamais voulu se précipiter dans un second mariage... Et risquer de décevoir une autre femme aussi cruellement qu'il avait déçu la première.

Lorsqu'elle l'avait suivi à Sweetwater, Deborah avait totalement sous-estimé la dureté de la vie dans l'Ouest.

Il avait aujourd'hui la certitude qu'elle ne l'aurait jamais épousé si elle avait su ce que cela impliquait.

Bien sûr, elle avait fait de son mieux pour s'adapter. Mais Nathan avait toujours été parfaitement conscient du fait que Deborah n'était pas heureuse avec lui.

Ella Reed, en revanche, était venue dans l'Ouest de son plein gré. Elle avait l'intention d'épouser l'un des hommes qui lui avaient demandé sa main ce soir. Il ignorait ce que ses prétendants étaient prêts à lui offrir, mais de son côté il était certain de pouvoir la traiter comme elle le méritait. Elle aurait tout à gagner en l'épousant. Elle apprendrait à aimer ses enfants. Tout comme eux apprendraient à la connaître.

Il sentit tout à coup son cœur battre plus fort dans sa poitrine. Il chercha quelques secondes les mots justes pour exprimer ce qu'il voulait dire.

— Je serais honoré, mademoiselle Reed, déclara-t-il d'une voix très grave, si vous acceptiez de m'ajouter à votre liste de prétendants.

Il eut tout à coup l'impression qu'il venait de sauter dans le vide depuis le haut d'une falaise.

— Vous, monsieur Lantry ?

— Oui, mademoiselle Reed. Je vous demande votre main. Je vous assure que je serai un excellent mari. Je suis très bien aidé dans ma demeure, aussi bien pour les enfants que pour l'entretien de la maison. J'ai même une excellente cuisinière. Ce n'est donc pas parce que j'ai besoin que vous assuriez les tâches domestiques que je vous demande en mariage.

Elle continua à l'écouter sans manifester de réaction.

— Si je vous demande en mariage c'est parce que je suis convaincu que nous pourrions construire ensemble une relation mutuellement satisfaisante.

— Je comprends…

En avait-il dit assez pour la convaincre qu'il était bien le meilleur choix possible pour elle ?

— Je suis le seul juriste de cette ville, reprit-il. Je possède par ailleurs trois entreprises prospères. Mes enfants et moi-même fréquentons de façon régulière la paroisse de Mount Cavalry. Je suis membre du conseil municipal et je ne…

— J'accepte.

Chapitre 3

Nathan cligna des yeux, un instant décontenancé, conscient du fait qu'il devait paraître un peu ridicule.

— Euh… Comme ça, sans même prendre le temps de la réflexion ?

— Ce n'est pas vraiment une décision difficile à prendre.

Nathan prit une profonde inspiration, le temps de reprendre ses esprits. Son soulagement était excessif, d'autant plus surprenant qu'il venait tout juste de rencontrer cette jeune femme. Bien sûr, il n'aurait pas eu le cœur brisé si elle lui avait préféré Lewis Frost ou William Pickering. Mais il s'en serait toujours voulu d'avoir laissé passer l'occasion sans avoir tenté — lui aussi — de la demander en mariage.

— Je vous donne ma parole que je ne vous décevrai pas.

Elle lui adressa un sourire légèrement forcé tandis qu'une légère inquiétude se devinait dans son regard. Mais, lorsqu'elle prit la parole, sa voix était calme et déterminée.

— Je n'en doute pas un instant.

— Le conseil municipal assume les frais d'hébergement de votre groupe à l'hôtel jusqu'à la fin de la semaine. Mais si vous avez besoin d'un peu plus de temps pour organiser le mariage — ou tout simplement pour vous acclimater — je m'assurerai que vous puissiez garder votre chambre aussi longtemps que vous le souhaiterez.

— Oh ! Je connais en tout et pour tout quatre personnes que je souhaiterais inviter à mon mariage. Quant à l'organisation de la cérémonie en elle-même… Je vous assure que je n'ai pas la plus petite idée de la façon de procéder. Je peux toutefois m'en charger si vous le désirez. Mais surtout ne vous compliquez pas la vie pour moi. Je vous assure que je me satisferais pleinement d'une cérémonie très discrète.

— Parfait ! Dans ce cas, je m'occupe de tout. Je suppose que le pasteur va être un peu débordé ces jours-ci…

Ella sourit à ces derniers mots, mais son esprit était ailleurs. Contrairement aux autres jeunes filles, elle n'avait jamais rêvé d'un grand mariage à l'église, en robe de satin d'un blanc virginal, suivi d'une réception fastueuse. La vie qu'elle avait connue lui permettait simplement d'apprécier les avantages qu'il y aurait à devenir la femme de Nathan Lantry. C'était pour elle la façon la plus satisfaisante — et la plus sûre — d'assurer enfin son avenir. Elle aurait prononcé ses vœux debout sur un cageot en pleine tempête de sable s'il l'avait fallu.

On entendit des pas approcher et Lena Kellie apparut dans l'embrasure de la porte. Elle fixa Nathan de son regard intense et fonça droit sur lui.

— Je vous retrouve enfin ! Vous me manquiez déjà !

Nathan jeta un coup d'œil à Ella.

— Voulez-vous que nous annoncions la nouvelle dès maintenant ?

Ella acquiesça d'un hochement de tête comme Lena la dévisageait d'un regard soupçonneux.

— Quelle nouvelle ? demanda-t-elle d'un ton impérieux.

— Je viens d'accepter la demande en mariage de M. Lantry, lui répondit Ella dans un murmure.

— J'aurais dû m'en douter ! vociféra Lena.

Puis elle foudroya Ella du regard, releva le bas de sa jupe et quitta la pièce d'un pas rageur.

Sans même paraître avoir remarqué l'animosité de Lena, Nathan posa une main dans le dos d'Ella pour la conduire jusqu'au grand salon. A la fois émue et réconfortée par l'instinct de propriété qu'exprimait ce simple geste, elle le suivit sans protester.

Nathan scruta l'assemblée du regard à la recherche de Leland Howard, puis traversa la grande pièce pour arriver jusqu'à lui, tout en maintenant Ella près de lui. Lorsqu'ils le rejoignirent, il se pencha vers son ami pour lui murmurer quelque chose à l'oreille.

Leland leva un sourcil surpris puis gratifia Ella d'un large sourire avant de se tourner vers les invités.

— Pourrais-je avoir votre attention, s'il vous plaît ? demanda-t-il d'une voix forte.

La cacophonie ambiante s'apaisa peu à peu et le silence se fit.

— J'ai le plaisir de vous annoncer la conclusion heureuse de la première demande en mariage qui ait été faite ce soir.

Des murmures excités parcoururent la foule.

Leland se tourna à cet instant vers Nathan qu'il encouragea d'un petit signe de tête. Celui-ci s'avança.

— Je suis donc le premier, dit-il en balayant son auditoire du regard. Alors voilà : j'ai demandé à Mlle Reed de devenir ma femme…

Il marqua une pause tandis que le silence s'abattait sur la pièce.

— … et elle a accepté.

Une salve d'applaudissements et de vivats enthousiastes salua cette annonce. Elle aperçut alors Céleste qui se frayait un chemin parmi la foule. Dès qu'elle l'eut rejointe, son amie lui jeta les bras autour du cou avec un petit cri joyeux.

— Je suis tellement heureuse pour toi, Ella !

Le grand rancher dégingandé, dont Nathan lui avait dit qu'il s'appelait Paul Adams, s'avança à son tour.

— Moi aussi, j'ai une annonce à faire, dit-il à Leland.

— Eh bien, vas-y donc, Paul ! répliqua Leland avec une vigoureuse tape dans le dos.

Le visage du jeune homme se colora joliment et on le vit distinctement prendre une profonde inspiration pour se donner du courage.

— Je vous annonce que je vais épouser Céleste, ici présente.

Il se tourna, cherchant la jeune femme du regard, et celle-ci le rejoignit alors pour lui prendre la main, le visage éclairé d'un sourire radieux.

Dans l'heure qui suivit, on n'annonça pas moins de quatre nouvelles unions contractées entre des jeunes femmes de l'institution de Mlle Haversham et des messieurs célibataires locaux. En fait, presque tout le monde avait trouvé son partenaire lors de cette soirée. Tout le monde… sauf Lena.

Il ne faisait aucun doute qu'elle avait déjà reçu plusieurs offres. On ne pouvait donc en déduire qu'une seule chose : elle réservait sa réponse en attendant de trouver mieux.

Ella, quant à elle, savait bien que jamais au grand jamais elle n'aurait pu trouver opportunité meilleure que celle qui venait de s'offrir à elle ce soir.

Le futur époux d'Ella avait organisé une cérémonie pour le samedi après-midi. Deux autres couples avaient aussi choisi de se marier à cette même date, mais le matin.

Elle assista donc aux deux célébrations, l'une dans les bureaux du juge — un petit bâtiment situé près du bureau du shérif — et l'autre à l'église méthodiste.

Après une réception informelle qui réunissait les deux mariages, Ella se dépêcha de retourner à l'hôtel se préparer pour sa propre célébration.

Quoique mariés depuis quelques heures à peine, Céleste

et Paul avaient prévu de rester en ville pour assister au mariage d'Ella, qui aurait lieu dans la paroisse de Nathan.

Ella se rendit compte de l'importance de la présence de son amie lorsqu'elle lui ouvrit la porte de sa chambre, quelques heures avant la cérémonie. Céleste la distrairait et lui changerait les idées.

— Tu te rends compte ? s'exclama son amie d'une voix surexcitée, tandis qu'elle s'attaquait à l'interminable rangée de petits boutons ronds qui fermait le dos de la longue robe de satin d'Ella. Qui aurait pu imaginer, même dans ses rêves les plus fous, qu'on se marierait un jour toi et moi ?

— Et qu'on se marierait à deux messieurs respectables, renchérit Ella. Et qu'on pourrait donc se promener en ville la tête haute, sans devoir supporter les regards méprisants des citoyens bien-pensants. Rends-toi compte que rien que ce matin, en me rendant à ton mariage, j'ai été saluée par au moins une demi-douzaine de personnes !

— Et on a même reçu des cadeaux de mariage ! poursuivit Céleste avec un enthousiasme presque enfantin. Paul a de la famille dans les environs et ils nous ont offert de jolies assiettes, de beaux verres et un superbe couvre-lit ! Mais assez parlé de moi, s'exclama-t-elle en riant, et encore un peu de patience : j'ai presque fini de boutonner les derniers boutons de ta robe. Voilà… C'est fait. Tourne-toi donc un peu que je t'admire. Ella, tu es tout simplement sublime ! Et je suis si heureuse pour toi et pour nous deux !

Ella lui sourit tout en fixant à son cou le rang de perles qu'elle avait apporté dans ses bagages.

Elle aussi était très heureuse et pourtant elle ne pouvait s'empêcher de s'inquiéter pour Céleste, malgré les éloges que Nathan avait faits de Paul Adams.

Elle prit les deux mains de son amie dans les siennes et la regarda droit dans les yeux.

— Tu me promets que tu viendras me voir si ton mari

se montre… dur, n'est-ce pas ? J'ai de l'argent et je pourrai sans problème te payer une chambre à l'hôtel si…

— Ne t'inquiète pas, l'interrompit Céleste avec son bon sourire, Paul est un vrai gentil, j'en suis certaine. Bien sûr, il n'est pas aussi fortuné que Nathan, mais à partir du moment où il est de tempérament paisible… je ne vois aucun inconvénient à faire la cuisine ou le ménage, ni même à aider aux travaux du ranch.

Son sourire s'effaça et elle poursuivit d'un ton grave :

— Je suis bien décidée à profiter au maximum de cette chance inespérée qui vient de s'offrir à nous. Une fois cette première nuit passée, je suis sûre que je pourrai gérer tout le reste sans problème.

— Que veux-tu dire ?

— Nous sommes censées être de jeunes vierges innocentes, tu te souviens bien ?

— Oui… bien sûr.

Elle aussi avait pensé à la nuit qui l'attendait, mais elle avait refusé de s'inquiéter à ce sujet : chaque chose en son temps.

— Tu ne crois pas que quelques larmes seraient les bienvenues ? suggéra Céleste. En tout cas, une chose est sûre, on ne doit surtout pas paraître trop enthousiastes : c'est censé être notre première fois et nous sommes maintenant des jeunes femmes respectables. Donc — par définition — réservées et… sans doute assez peu portées sur les choses du sexe.

— Je m'en souviendrai, ne t'en fais pas.

— D'après toi, demanda Céleste en changeant brusquement de sujet, comment se fait-il que Lena n'ait encore accepté aucun des candidats qui l'ont demandée en mariage ?

— Je ne sais pas si cela peut suffire à répondre à ta question, mais je dois dire qu'elle était furieuse que Nathan me demande de l'épouser.

— Le fait que ton homme soit l'un des plus riches de la région a dû lui rester en travers de la gorge, ça, c'est sûr !

Ella se rendit compte qu'elle ressentait un petit pincement de plaisir en entendant Céleste parler de Nathan comme de « son homme ».

— Et, puisqu'il lui est passé sous le nez, alors elle cherche sans doute le deuxième plus riche de la région, conclut Céleste avec un haussement d'épaules désabusé. Grand bien lui fasse. Pour moi, la seule chose qui compte est que mon mari soit gentil. Allez, ma belle, il est l'heure. Paul nous attend en bas dans le hall.

Paul les attendait en effet dans le hall de l'hôtel, son chapeau à la main.

— M. Lantry a envoyé une calèche pour vous, annonça-t-il en désignant la porte. Pour nous trois, en fait. Il a dit que vous préféreriez sans doute que nous arrivions ensemble à l'église.

Ella hocha la tête, émue par la délicatesse de l'attention de son futur mari.

Ils sortirent et trouvèrent en bas des marches une superbe calèche tirée par deux beaux chevaux alezans. Ils s'y installèrent tous les trois et le cocher prit la direction de l'église.

Ella luttait pour tenter de dissiper sa nervosité tandis que Céleste commentait la traversée de la ville avec son animation habituelle, sans se formaliser le moins du monde du fait qu'elle était la seule à parler et que personne ne lui répondait.

Grâce à elle, Ella avait recouvré son calme lorsque la calèche s'arrêta devant l'église et que Paul en descendit avant de lui tendre la main.

A l'intérieur du bâtiment le soleil de fin d'après-midi

illuminait les vitraux représentant différentes scènes de la vie du Christ.

Nathan se tenait au bout de l'allée centrale, tourné vers l'entrée. Il était flanqué de trois enfants blonds revêtus de leurs plus beaux atours qui se tenaient au garde-à-vous… tout en tendant le cou pour regarder Ella approcher.

Elle gratifia chacun d'un sourire un peu hésitant, consciente que sa nervosité venait brusquement de remonter en flèche. Elle se sentait un peu étourdie par l'importance de l'enjeu qu'allait représenter cette étape décisive : c'était le plus beau jour de sa vie, certes, mais elle ne connaissait rien aux enfants. Ni à la vie maritale, d'ailleurs.

Nathan portait un pantalon gris à rayures, une redingote noire et une chemise blanche à lavallière. Le voir si élégamment vêtu accentuait la solennité de l'instant.

Ella s'apprêtait à s'unir pour la vie à cet homme si extraordinairement séduisant, qui n'était pourtant pour elle qu'un parfait inconnu.

Tout comme lui, de son côté, s'apprêtait à unir pour la vie lui-même et ses trois jeunes enfants à une femme dont il ne savait absolument rien.

A cet instant précis, Ella se jura qu'elle ferait tout son possible pour se montrer digne de la confiance qu'il mettait en elle. Elle se jura de consacrer tous ses efforts et toute son énergie à faire en sorte que ce mariage réussisse.

Cet homme venait de la sauver d'une vie de servitude et d'une vieillesse sordide. Jamais, elle en faisait le serment, il ne regretterait de l'avoir choisie pour épouse.

Elle allait faire de Nathan Lantry un homme heureux.

Ella resta immobile devant sa nouvelle demeure, le souffle littéralement coupé. L'imposante construction en brique à deux étages se découpait sur un bois de chênes majestueux, au bout d'une grande pelouse impeccablement entretenue. Sur le côté de la maison principale, un peu en retrait, se trouvait le bâtiment dans lequel on remisait la calèche, éclairé de grosses lanternes à ses deux extrémités. Toutes les fenêtres du rez-de-chaussée de la vaste demeure étaient éclairées, projetant sur la pelouse de longs rectangles de lumière.

Plusieurs autres buggys et calèches les avaient précédés, leurs occupants étant déjà entrés dans les salons.

Une petite dame toute ronde au visage souriant, sans doute âgée d'une quarantaine d'années, s'avança alors à leur rencontre et Nathan la présenta à Ella comme Virginia Shippen, expliquant qu'elle avait la charge des enfants.

Virginia prit la main du jeune Robby et ils se dirigèrent tous ensemble vers la porte d'entrée de la maison. Ella ne put s'empêcher d'être attendrie par la façon dont le petit garçon de trois ans la fixait de ses grands yeux bleus, mais détournait le regard dès qu'elle lui souriait.

Grace, âgée de quatre ans, observait sa nouvelle belle-mère avec une curiosité silencieuse. Pendant toute la durée du trajet en calèche, la petite fille avait gardé les yeux rivés sur la petite aumônière en tissu qu'elle tenait sur ses genoux. Elle portait ses cheveux blonds en deux longues tresses qui retombaient sagement sur les manches à volants de sa robe.

Quant à Christopher, l'aîné des enfants de Nathan, il arborait une expression grave depuis le début de la journée. Il prit la tête de leur petit groupe pour être le premier à ouvrir la porte et inviter Ella à entrer.

— Voici notre maison, annonça-t-il d'un ton solennel.

Ses cheveux étaient plus sombres que ceux des deux autres enfants, séparés par une raie qui accentuait encore son air sérieux.

Lorsque Ella lui sourit en passant devant lui, les joues

du jeune garçon s'empourprèrent et il détourna vivement le regard.

Une dame en robe noire et tablier blanc s'avança pour les débarrasser de leurs chapeaux et manteaux. Ella choisit de garder son voile court en dentelle de Venise, fixé à ses cheveux par un peigne en nacre.

Le grand hall d'entrée était éclairé par plusieurs appliques murales en cuivre alimentées au gaz. Une haute porte à double battant ouvrait à droite sur le salon d'où provenait, sur fond de musique, un brouhaha de conversations.

— Papa, demanda Christopher, nous autorises-tu à rester debout un peu plus tard, ce soir ?

— Bien sûr, lui répondit son père. Aujourd'hui est un jour très spécial. Alors je vous accorde une heure pour venir saluer nos invités et goûter au buffet. Après cela, Mlle Shippen vous emmènera vous coucher et je passerai vous souhaiter bonne nuit.

Le visage de Christopher s'éclaira d'un large sourire, révélant de charmantes fossettes dans chacune de ses deux joues.

Robby tendit ses petits bras à Nathan et son père se baissa pour le soulever de terre et le serrer contre lui.

— Je suppose que tu es un peu perturbé par tout ce remue-ménage, n'est-ce pas ?

L'enfant blottit son visage dans le cou de son père et celui-ci lui tapota le dos tout en appuyant son menton sur la tête du petit garçon, tandis qu'Ella observait avec intérêt cette démonstration d'amour paternel.

C'était la première fois qu'elle se trouvait témoin d'une scène de famille entre un père et ses enfants. Et elle se surprit à en éprouver tout à coup un étrange sentiment de nostalgie. Elle n'avait jamais connu l'amour d'un père. Elle doutait même que sa mère eût jamais su qui était vraiment son père. De toute façon, même si elle l'avait su, l'homme en question ne l'aurait sans doute jamais reconnue.

Oui, décidément, les enfants de Nathan étaient privilégiés dans bien d'autres domaines que le seul domaine financier. Leur père les aimait. Leur père avait choisi volontairement de s'impliquer dans leurs vies et de les protéger.

Et elle-même venait, par son mariage, de devenir bénéficiaire de l'attention et de la protection de cet homme. Quelle perspective inouïe, quelle notion enivrante…

— Tout va bien ? lui demanda Nathan, la tirant brusquement de sa rêverie.

— Oui. Parfaitement bien, merci.

— Alors allons saluer nos invités, vous voulez bien ?

Au-delà de la tendresse de Nathan pour ses enfants, Ella avait encore ce soir tant de choses à découvrir que la tête lui en tournait presque : la taille de la demeure de Nathan et son décor raffiné, les invités vêtus avec élégance qui venaient leur présenter leurs vœux de bonheur, la façon dont ses pairs semblaient respecter Nathan…

A l'exception d'une seule, toutes les jeunes femmes avec qui Ella avait fait le voyage étaient présentes ici ce soir. Il semblait évident qu'indépendamment de la position de leurs nouveaux maris dans la communauté elles avaient toutes été invitées et acceptées en tant qu'amies d'Ella. Et elle en fut d'autant plus touchée que Nathan avait été seul responsable de l'organisation de cette réception.

— Merci infiniment d'avoir convié Céleste et toutes les autres, lui dit-elle en profitant d'un bref instant où elle se retrouvait seule avec lui.

Il venait de lui tendre un verre de champagne et lui sourit.

— Vos amies sont les bienvenues chez nous, lui dit-il d'une voix grave.

Ella sentit son visage s'empourprer, étonnée par l'intensité soudaine du trouble qu'elle ressentait. Cela faisait une éternité qu'elle n'avait pas rougi et Nathan n'avait rien fait d'autre que de lui sourire.

— Je… je n'ai pas vu Lena.

— Je lui ai pourtant envoyé une invitation, en précisant même qu'elle pouvait venir accompagnée de qui elle souhaitait. Mais elle a décliné. J'en suis désolé si cela vous attriste.

Ella eut un imperceptible haussement d'épaules.

— Ne soyez pas désolé, je vous en prie. Nous n'avons jamais été très amies.

— A propos d'amies proches, justement : vous savez que votre amie Céleste va se trouver à moins d'une heure de cheval de Sweetwater. Alors, dès que vous aurez envie d'aller lui rendre visite, faites-le-moi savoir et je vous y ferai conduire en buggy. Le fait de vous retrouver ainsi dans une région étrangère va sans doute nécessiter pour vous comme pour elle une certaine période d'adaptation. Et je suis sûr que cela vous ferait beaucoup de bien de vous retrouver toutes les deux.

— C'est vraiment très gentil de votre part, approuva-t-elle dans un murmure.

— Je veux que vous soyez heureuse, Ella.

Une fois encore, elle se trouva étonnamment troublée par le timbre chaud et grave de la voix de Nathan. Par l'intimité que créaient entre eux ces mots prononcés à voix basse pour elle seule.

Elle sentit son cœur se serrer dans sa poitrine à lui en faire presque mal. Personne ne lui avait jamais parlé avec une telle douceur. Personne ne s'était jamais préoccupé de son bonheur. Elle ne savait pas comment réagir. Elle ne savait même pas si elle pouvait vraiment le croire. Et pourtant elle en mourait d'envie. Elle voulait s'enivrer du bonheur d'être ainsi choyée.

Même si les mots lui étaient venus à l'esprit, elle n'aurait pu les prononcer tant sa gorge était contractée par l'émotion. Pour la première fois, elle se surprit à se poser des questions sur la défunte épouse de Nathan. Cette femme qu'il avait aimée. S'il était capable de se montrer si bon envers elle, une femme qu'il venait à peine de rencontrer, alors elle n'imaginait pas l'amour dont il pouvait être capable envers un être cher…

Elle se reprit vivement, s'interdisant de se laisser entraîner dans des divagations romanesques. Elle était venue à Sweetwater pour fuir des conditions de vie avilissantes qui ne lui laissaient entrevoir pour seul avenir qu'une fin de vie sordide. Elle était venue à Sweetwater avec l'intention de s'assurer une position respectable dans la société. Son mariage avec Nathan lui avait assuré cette position au-delà de ses espoirs les plus fous. Dorénavant elle ne devait avoir qu'un seul objectif, une seule ambition : se montrer digne de son mari. Mériter la confiance qu'il avait placée en elle.

Un couple s'approcha, que Nathan lui présenta comme étant Eldon et Rowena Templeton.

— J'ai entendu dire que vous veniez de l'Illinois, dit Eldon. A quoi ressemble le paysage, dans cette région ?

— C'est très verdoyant, avec de vastes prairies dans lesquelles serpentent des rivières en méandres, répondit-elle d'un ton suave, comme si elle avait personnellement connu cette région.

En fait, elle n'avait entendu parler des paysages de l'Illinois que par l'un des clients qui fréquentaient assidûment la maison de Mme Fairchild, lors de dîners dans la salle à manger. Pour sa part, le seul paysage qu'elle connaissait était la terre sèche et poussiéreuse du Kansas, martelée inlassablement par les sabots des troupeaux de bovins qu'on conduisait des pâturages aux enclos. Encore qu'elle n'eût jamais vu ces scènes qu'à travers des fenêtres fermées et protégées par des barreaux.

— Ce doit être ravissant, dit Rowena Templeton. Je sais que Nathan est très heureux que vous ayez choisi de venir jusqu'au Wyoming, mais cela doit représenter un rude changement pour vous.

— C'est un grand changement, en effet. Un changement positif.

— Décidément, Nathan, dit Rowena en riant, j'ai l'impression que vous êtes un homme très heureux.

— Très heureux, répéta-t-il en riant à son tour.

Il baissa les yeux sur Ella et celle-ci lui adressa le sourire que ses amis attendaient. Il lui enroula alors un bras autour de la taille et elle s'appuya contre lui. Ils demeurèrent ainsi un instant, serrés l'un contre l'autre, et ce fut elle qui détourna le regard la première.

Elle commençait à se sentir très fatiguée, après cette longue journée et toutes ces nouvelles rencontres. Pourtant, elle s'appliquait à dissimuler sa fatigue autant que ses émotions. Lorsque les invités commencèrent enfin à s'en aller, par petits groupes, Nathan lui assura qu'il était à présent tout à fait acceptable qu'elle s'éclipse pour monter dans ses appartements.

— La dernière chambre sur la droite au premier étage, lui dit-il. Je crains que vos bagages n'aient pas encore été défaits mais vous aurez amplement le temps de vous installer au cours des jours à venir.

Elle trouva la chambre qu'il lui avait désignée, une vaste pièce éclairée de plusieurs lampes à huile disposées sur les différents meubles. Ses six énormes malles avaient été alignées le long de l'un des murs et elle entreprit d'ouvrir celle dans laquelle elle savait trouver ses affaires de toilette et ses tenues de nuit.

Un paravent peint de fleurs orientales de couleurs vives dissimulait un broc à eau et une cuvette en porcelaine, ainsi que des serviettes de toilette.

Elle se hâta de se dévêtir, se lava avec un savon parfumé et se sécha. Après s'être appliqué une crème adoucissante sur les bras, les mains et les pieds, elle se nimba le corps d'un voile de talc. Puis elle enfila une longue chemise de nuit de soie arachnéenne et s'assit devant sa coiffeuse pour prendre le temps de brosser longuement ses cheveux.

Elle se mit une touche de parfum derrière le lobe de chaque oreille, au creux des genoux, au creux des coudes ainsi qu'entre les seins, puis elle examina son reflet dans le miroir.

Tout dans cette nouvelle vie était étrange pour elle. Tout… à l'exception de ce qui allait venir maintenant.

La seule chose qu'elle maîtrisait parfaitement, c'était la façon de satisfaire Nathan lorsqu'il viendrait la rejoindre dans leur chambre.

Chapitre 4

Elle se détourna du miroir de sa coiffeuse pour mieux examiner la chambre autour d'elle et c'est alors qu'elle prit conscience de quelque chose d'étrange : nulle part dans cette pièce on ne décelait la moindre trace d'une présence masculine. Aucun détail apparent, en tout cas. Ni livre, ni même objet de toilette. Elle s'avança jusqu'à la haute armoire qui occupait le fond de la pièce et en ouvrit les battants. Aucun vêtement n'était pendu à l'intérieur. Elle alla vérifier les tiroirs de la commode. Rien là non plus. Jusqu'au tiroir du bureau qui, lui non plus, ne contenait aucun objet personnel.

Nathan lui avait donc apparemment attribué une chambre pour elle seule. Rien de très étonnant, après tout : il possédait une maison immense et pouvait donc se le permettre. Et puis, peut-être était-ce un arrangement habituel entre époux ? Elle n'avait pas la moindre notion de ce qui pouvait être usuel dans ce domaine entre mari et femme.

Pour passer le temps, elle décida de ranger sa lingerie dans les tiroirs de la commode, et accrocha même quelques robes dans la penderie. Mais, comme elle se sentait vraiment très fatiguée, elle finit par aller s'asseoir sur le petit canapé placé face à la cheminée, laissant son regard vagabonder autour de la pièce, s'arrêtant par instants sur une peinture, sur le trumeau, ou sur les flammes qui dansaient dans l'âtre.

Elle sentait ses paupières s'alourdir et luttait pour ne pas s'endormir quand elle entendit enfin frapper à sa porte.

Elle se leva et alla ouvrir.

Nathan se tenait sur le seuil, sa large carrure et ses cheveux sombres éclairés par les appliques murales. Il était encore vêtu de la tenue qu'il avait portée pour la cérémonie et pour la réception. Elle l'accueillit d'un sourire et recula d'un pas pour le laisser entrer.

Il engloba d'un regard sa chemise de nuit, s'attardant une fraction de seconde sur l'échancrure de son décolleté avant de s'éclaircir la gorge. Ella perçut aussitôt son malaise et retrouva aussitôt les réflexes qu'on lui avait inculqués chez Mme Fairchild.

D'abord, rompre la glace.

— C'était vraiment une soirée délicieuse, Nathan, lui dit-elle d'une voix douce. Je vous remercie infiniment de l'avoir si bien organisée, dans les moindres détails.

— Tout le plaisir était pour moi.

L'accueillir chaleureusement.

— Je vous attendais avec impatience.

Il entra dans la chambre et referma la porte derrière lui, mais sans tourner la clé dans le verrou. Ella attendit qu'il ait avancé de quelques pas pour prendre l'initiative de verrouiller elle-même la porte.

Le léger froncement de sourcils de Nathan lui confirma ce qu'elle avait perçu dès le départ : il ne se sentait décidément pas très à l'aise.

— J'aimerais vous parler, lui dit-il d'une voix grave.

— J'ai hâte d'entendre ce que vous avez à me dire, Nathan. Ne voudriez-vous pas vous asseoir ? Laissez-moi d'abord vous aider à retirer votre redingote.

Il se tenait debout, toujours aussi raide, s'empêchant visiblement de regarder dans la direction du lit.

— Après vous, je vous en prie.

Il attendit qu'elle se soit assise sur le canapé pour avancer une chaise et s'asseoir en face d'elle.

— J'ai pleinement conscience du caractère… peu conventionnel de notre mariage, indiqua-t-il d'une voix hésitante.

Ella n'avait aucune expérience du mariage, conventionnel ou pas.

— Soyez assuré que je serai pour vous une bonne épouse, Nathan.

— Je n'en doute pas un instant et croyez bien que j'en suis ravi, répondit-il. Mais, plus que toute autre chose, j'aimerais que vous vous sentiez heureuse et épanouie ici. Tout est si nouveau pour vous. Le territoire. Ce mariage. En raison des circonstances, nous avons été obligés de prendre notre décision très rapidement et ce n'est pas vraiment idéal comme façon de procéder. D'ordinaire, la période durant laquelle l'homme fait sa cour laisse aux futurs époux le temps d'apprendre à se connaître, de se sentir peu à peu à l'aise l'un avec l'autre.

— Ne vous inquiétez pas pour moi, Nathan, je n'ai aucunement l'impression d'avoir été lésée en quoi que ce soit, même s'il nous a en effet manqué cette période d'adaptation dont vous parlez. Je me sens tout à fait prête à devenir votre épouse.

— Il n'en reste pas moins, Ella, qu'il y a dans le mariage certains aspects qui ne devraient pas être abordés dans la précipitation. Vous êtes jeune, sensible, et je refuse de profiter de votre vulnérabilité en consommant notre union alors que vous n'y êtes pas vraiment préparée.

Ella comprit ce à quoi il voulait faire référence derrière toutes ces circonvolutions de langage.

— Vous ne comptez pas coucher avec moi ce soir.

— Non.

— Allez-vous dormir dans une autre chambre ?

— Absolument. Le fait d'avoir chacun notre chambre nous permet à tous les deux de garder la possibilité de nous isoler chaque fois que nous le désirons.

Ella éprouva tout à coup un sentiment d'angoisse. Alors il n'avait pas envie d'elle ? Elle s'appliqua à conserver un visage impassible, alors même qu'elle se sentait complètement ébranlée. Dans quelle situation insensée se retrouvait-elle ? Une demi-douzaine d'hommes l'avaient dévorée des yeux lors de cette soirée de rencontre et elle avait choisi d'épouser le seul qui ne la désirait pas ?

Comment diable allait-elle pouvoir le séduire ? Se l'attacher ? Comment espérer sceller leur union ?

— J'ai décidé de bousculer l'ordre établi. Pour que vous ne vous trouviez pas privée de la période d'acclimatation que vous étiez en droit d'attendre. Je vais vous faire la cour, Ella. Comme je l'aurais fait si nous nous étions rencontrés dans d'autres circonstances. Si nous avions procédé de façon plus conventionnelle, conclut-il avec un demi-sourire.

Ella était tellement abasourdie qu'elle eut l'impression d'avoir un instant cessé de respirer.

— Pendant combien de temps comptez-vous… me faire votre cour ?

— J'ai réfléchi et j'ai arrêté ma décision sur six mois.

Six mois !

— Et… que ferons-nous pendant ces six mois ?

— Nous ferons connaissance.

Ella se remémora les paroles que Nathan avait employées lorsqu'il l'avait demandée en mariage : « Ce n'est pas parce que j'ai besoin que vous assuriez les tâches domestiques que je vous demande en mariage. C'est parce que je suis convaincu que nous pourrions construire ensemble une relation mutuellement satisfaisante. »

A l'époque elle avait parfaitement compris ce que cela signifiait. Il n'avait besoin d'elle ni pour les tâches domestiques ni même pour s'occuper de ses enfants. Il voulait donc l'épouser parce qu'il avait besoin d'une femme à ses côtés en public, et dans son lit en privé. C'était bien cela, n'est-ce pas ?

Mais, comme il était convaincu qu'elle venait d'un milieu préservé et était semblable à n'importe quelle autre jeune femme célibataire de son âge, il croyait qu'elle avait besoin d'être ménagée. D'être lentement et tendrement initiée à certains aspects des relations entre hommes et femmes qui auraient pu effaroucher son esprit innocent.

Une fois encore, elle fut profondément touchée par la délicatesse des attentions de son mari. Mais elle ne s'en sentit que plus déterminée encore à gagner ses faveurs.

— Comptez-vous m'embrasser ?

— Je…

Il n'acheva pas, ayant visiblement du mal à trouver une réponse.

— Les baisers sont-ils admis dans ce processus de cour que vous évoquez ?

— Euh… très certainement, oui.

Ella se leva.

— Alors j'aimerais beaucoup que vous m'embrassiez.

Il se leva à son tour et s'avança vers elle. Mais sans toutefois franchir toute la distance qui les séparait. Ce fut elle qui fit le pas qui l'amena contre lui. Elle posa une main à plat sur le revers de sa redingote et leva son visage vers le sien, attendant.

Au lieu de se pencher en avant et de couvrir ses lèvres des siennes, comme elle s'y attendait, il leva une main jusqu'à sa joue qu'il effleura d'une caresse très douce. Puis, avec une infinie lenteur, il lui glissa le bout des doigts dans les cheveux, à la base du cou. Ella se sentit alors parcourue d'un frémissement délicieux, tout à fait inattendu, qui lui courut de la nuque aux épaules et descendit jusqu'à sa poitrine, tendant ses seins sous la fine soie de la chemise de nuit.

Nathan lui posa alors très doucement son autre main au

creux des reins. Son regard sombre lui parcourut le visage, des yeux aux lèvres, et elle vit son expression changer. Il lui parut enfin se détendre.

Oui. Cette fois-ci, elle en était sûre : il avait envie d'elle.

Elle se sentit soudain submergée d'un immense soulagement.

— Vous êtes une fleur exquise, Ella, murmura-t-il d'une voix rauque. Une fleur précieuse et rare…

Il inclina la tête et elle sentit son souffle sur son menton. Son cœur bondit dans sa poitrine.

Elle avait envie qu'il l'embrasse. Elle prit conscience à cet instant précis qu'il ne s'agissait plus maintenant d'une entreprise de séduction. Ni davantage de l'élaboration d'un plan précis. Non. A présent, elle avait tout simplement envie que cet homme l'embrasse. Follement envie. C'est alors qu'elle sentit, stupéfaite, les larmes lui monter aux yeux.

Elle baissa les paupières pour dissimuler son trouble, mais Nathan lui souleva délicatement le visage et posa ses lèvres sur les siennes avec une infinie douceur. Alors elle lui enroula les bras autour du cou pour se plaquer plus étroitement contre lui.

Il sentait bon, un accord raffiné d'odeurs de linge frais, de menthe et de champagne. Elle se rendit tout à coup compte que la tête lui tournait, comme si elle avait bu trop de champagne alors qu'elle était certaine de n'en avoir bu que deux coupes. Elle comprit qu'il lui fallait se rendre à l'évidence et cesser de se mentir à elle-même : c'était son mari qui lui donnait le vertige.

Jamais elle n'aurait imaginé qu'il pût exister de tels baisers. Pour la première fois de son existence, elle se surprit à embrasser un homme parce qu'elle en avait envie, parce que l'acte en soi lui procurait du plaisir à elle. La nouveauté de la chose accrut encore son trouble.

Peut-être cette période de « cour » ne serait-elle pas si désagréable que cela, après tout…

Il s'écarta d'un pas et elle ouvrit les yeux pour le regarder. Se pouvait-il qu'il eût déjà changé d'avis ? Ce baiser avait-il eu raison de ses belles résolutions ?

— Je ferais mieux de partir, murmura-t-il d'une voix sourde.

Elle recula d'un pas elle aussi, sentant ses jambes trembler sous le coup de l'émotion. Jamais auparavant elle n'avait ressenti de déception aussi intense, aussi physique.

Elle n'était ni naïve, ni crédule, ni non plus romanesque. La vie qu'elle avait vécue jusqu'à présent lui avait hélas révélé la véritable nature des hommes. Elle avait acquis une résignation et un désenchantement qui lui avaient très tôt interdit de s'inventer des rêves fous d'amour et de fidélité éternels.

Il n'y avait donc qu'une seule explication possible à l'intensité de sa déception : la frustration, et rien de plus. Elle avait échafaudé le plan de séduire Nathan et lui-même venait de contrer ce plan en inventant cette période de « cour » qu'il leur imposait à tous les deux.

Elle soutint le regard brûlant de Nathan jusqu'au moment où, sans la quitter des yeux, il la salua d'un lent hochement de tête, tout en reculant de nouveau d'un pas. Elle ne le quitta pas des yeux, lui souriant avec toute la douceur et la modestie qu'on était en droit d'attendre d'une jeune épouse chaste et pure.

Alors il tourna vivement les talons et sortit de la chambre, refermant la porte derrière lui sans prononcer un mot de plus.

Ella garda un instant les yeux rivés sur la porte close, tandis que son petit sourire s'élargissait peu à peu.

D'ici moins d'une semaine, elle en était certaine, son beau mari serait revenu sur sa décision.

Pour le moment, elle n'était absolument pas déstabilisée

par le fait de se retrouver seule dans sa chambre. Après tout, elle avait vécu seule toute sa vie, cela ne changeait pas beaucoup.

Ce ne fut qu'au matin qu'elle ressentit un changement majeur, lorsqu'elle ouvrit les lourdes draperies de sa fenêtre pour laisser entrer le soleil. Un ravissant panorama s'étendait devant elle. La magnifique pelouse plantée de bosquets et de massifs fleuris, les toits des bâtiments annexes de la propriété, et surtout le ciel. Bleu. Immense.

Et sans barreaux.

Jusqu'à présent elle avait toujours vécu dans une maison aux fenêtres condamnées par des barreaux de fer. Barreaux installés, selon Mme Fairchild, pour la protection des « pensionnaires » de l'établissement. La ville tirait sa principale richesse du commerce du bétail et les hommes qui la fréquentent pouvaient souvent se montrer très rustres, et parfois même violents.

Ella et ses compagnes avaient beau tenir cet argument pour recevable, cela ne les empêchait néanmoins pas de comprendre que ces barreaux aux fenêtres avaient sans doute aussi — surtout ? — été installés pour dissuader les jeunes pensionnaires de s'enfuir.

Elle balaya du regard les maisons alentour. La veille, elle avait entendu l'un des invités mentionner que d'importantes améliorations avaient été apportées aux artères de circulation et aux principaux bâtiments de la ville ces derniers temps. Selon lui, ces travaux avaient été effectués dans l'espoir de voir un résident de Sweetwater élu au poste de gouverneur. Elle tourna la tête en entendant des bruits de sabots et de roues sur les pavés de briques et vit passer un buggy dans la rue.

Ce fut à cet instant précis qu'elle prit la pleine mesure de ce que son mariage avec Nathan Lantry lui avait apporté.

La liberté d'aller et venir comme bon lui semblait. La

liberté de déambuler dans les rues de la ville et d'entrer dans les magasins en gardant la tête haute. La liberté de profiter de la vie sans se sentir oppressée. Sans devoir subir le mépris des autres citoyens.

D'ailleurs, elle avait la ferme intention de devenir la femme que Nathan croyait avoir épousée. Et elle ferait tout ce qui était humainement possible pour y parvenir. Maintenant que la possibilité venait de lui en être offerte, elle allait s'intégrer à cette communauté et non seulement s'y fondre, mais encore en devenir l'un des membres les plus éminents.

Elle se toiletta à la hâte, releva ses cheveux en chignon et enfila une robe de jour en satin de coton vert pâle. Par chance, Mme Fairchild faisait réaliser les vêtements des pensionnaires par une excellente couturière dont elle s'était attaché les services. La femme, une authentique Française, se rendait à Paris au moins une fois par an pour se tenir au fait des dernières tendances en matière de mode et acheter les étoffes dont elle avait besoin. Ainsi, Ella avait pu quitter le Kansas avec une quantité impressionnante de robes toutes plus belles les unes que les autres.

Ni Nathan ni personne n'en avait fait mention devant elle, mais Ella devinait qu'il lui fallait s'habiller en accord avec ce que l'on était en droit d'attendre de l'épouse d'un candidat au poste de gouverneur.

Elle paracheva sa tenue par un rang de perles et une broche en jade.

En arrivant sur le palier du premier étage elle entendit des bruits de conversation provenant du rez-de-chaussée. Elle descendit l'escalier et, se guidant au son des voix, parvint sur le seuil d'une grande salle à manger. Nathan et ses enfants étaient installés autour d'une longue table et conversaient gaiement. Son mari se leva aussitôt et lui avança une chaise près de lui pour l'inviter à s'y asseoir.

— Bonjour, Ella. Avez-vous bien dormi ?

— Fort bien, merci.

Elle salua d'un sourire les enfants qui l'observaient en silence.

— Bonjour à tous, leur dit-elle.

Tous répondirent d'un même bonjour timide.

Ella remarqua alors qu'un couvert supplémentaire avait été dressé. Qui allait les rejoindre ?

A sa grande surprise, Mme Shippen entra quelques minutes plus tard, un pichet de lait à la main. Elle en versa dans la tasse de chacun des enfants avant de venir s'asseoir à la place restée vide.

On entendit alors des pas et une robuste femme vêtue d'un tablier blanc arriva de la cuisine. Elle portait un grand plateau sur lequel étaient disposés un plat de jambon fumant et un autre d'œufs au plat.

Elle donna le plat de jambon à Nathan et plaça le plat des œufs devant son assiette.

— Ella, je vous présente Charlotte Miller, notre cuisinière.

Il servit Christopher et lui-même avant de passer le plat à Ella.

— Charlotte, je vous présente ma nouvelle épouse.

— Très honorée, madame Lantry, dit Charlotte avec un bon sourire.

— Enchantée de faire votre connaissance, madame Miller, répondit Ella en souriant à son tour.

— Oh ! je vous en prie, se récria la cuisinière, appelez-moi juste Charlotte, comme tout le monde dans la maison.

Ella se servit des deux plats avant de les passer à Mme Shippen, qui servit les deux plus jeunes enfants et se mit à couper leur jambon en petits morceaux.

— Charlotte est une excellente cuisinière, déclara Nathan. Elle assure son service tous les jours jusqu'au petit déjeuner du dimanche matin. Elle laisse généralement un repas dans le four pour le déjeuner. Et nous nous contentons d'une soupe et d'une salade pour le repas du dimanche soir.

A cet instant, le jeune Robby s'affala sur le dossier de sa chaise avec une moue boudeuse.

— Que se passe-t-il, Robby ? lui demanda son père.

— Il n'y a pas de sirop d'érable avec le jambon.

Nathan jeta un coup d'œil à la cuisinière.

— Avez-vous du sirop d'érable en cuisine ?

Charlotte acquiesça d'un signe de tête.

Ella s'appliqua à garder les yeux baissés sur ses mains jointes, ne voulant surtout pas intervenir dans cet échange entre le père et le fils. Ni même montrer ce qu'elle en pensait. C'était la première fois qu'elle prenait part à un repas de famille et elle ne souhaitait pas être témoin ni encore moins partie prenante d'un éventuel affrontement entre générations. Elle avait toujours cru, pour sa part, que les enfants mangeaient ce qu'on mettait dans leur assiette, sans qu'on leur demande leur avis.

Nathan se leva et posa sa serviette à côté de son assiette.

— Je reviens tout de suite, annonça-t-il à la cantonade.

Ella inclina la tête pour lui signifier qu'elle avait entendu, continuant à fixer le contenu de son assiette tout en jetant subrepticement des coups d'œil aux autres convives pour voir leurs réactions.

Robby boudait toujours, affaissé sur sa chaise. Quant à Mme Shippen, elle ne semblait pas se sentir le moins du monde concernée : elle se servit deux œufs et prit sa fourchette.

Nathan revint bientôt et Robby se redressa aussitôt sur sa chaise, le visage éclairé d'un large sourire.

— Voici le sirop d'érable, mon fils, dit Nathan en en versant sur le jambon de Robby. Mais cela ne te dispense pas de prendre aussi un œuf, nous sommes bien d'accord ?

Le garçon acquiesça avec enthousiasme avant de s'attaquer à son assiette.

Nathan retourna s'asseoir et jeta un coup d'œil perplexe à l'assiette d'Ella.

— Il y a quelque chose qui ne vous convient pas ?

— Non, pas du tout, au contraire, répondit-elle, heureuse que la tension se soit dissipée.

Elle commença à étaler de la confiture sur son toast avec un air gourmand et Nathan ne put réprimer un petit sourire.

— Il n'y avait pas de confiture non plus, chez Miss Haversham ?

— Pas de confiture non plus, répéta-t-elle en lui souriant à son tour. Juste du pain sec et du thé.

— Quelle tristesse, alors que le petit déjeuner peut être un moment si agréable !

— C'est ce que je constate, oui. Mais dites-moi : est-ce ainsi tous les matins ou bien s'agit-il d'une occasion spéciale ?

— Votre premier jour parmi nous représente bien sûr une occasion spéciale, mais ce petit déjeuner est très normal. Lorsque Charlotte a besoin d'un jour de congé, alors nous nous débrouillons. Mme Shippen fait d'ailleurs des œufs brouillés tout à fait exquis.

Virginia Shippen prit alors la parole pour la première fois.

— Monsieur se charge toujours du porridge et il le réussit à merveille.

— Je n'en doute pas un instant, lui répondit Ella avec un sourire. Ce doit être une aide précieuse que de l'avoir en cuisine.

— A propos d'aide précieuse, lança Nathan, Mme Shippen m'a demandé si elle pourrait se voir octroyer un jour de congé par semaine maintenant que vous êtes là.

— Et… devrai-je m'occuper des enfants ce jour-là ?

— J'espérais que vous le pourriez, en effet, admit Nathan avec un sourire.

— J'en serai tout à fait ravie. De même que je serai ravie d'aider tout à l'heure à débarrasser après le petit déjeuner.

— Je doute que vous en ayez le temps aujourd'hui, dit Mme Shippen.

— Et pourquoi pas ?

— Vous avez sans doute oublié, expliqua Nathan, mais nous sommes aujourd'hui dimanche. Le fils de Mme Shippen va venir la chercher pour la journée et c'est Charlotte qui se chargera de débarrasser avant de partir de son côté. Quant à nous, nous partons pour la messe dans — il sortit sa montre de la poche de son gilet et l'ouvrit — dans environ vingt-cinq minutes.

— Oh ! oui, bien sûr.

Ella absorba cet élément d'information avec le même sourire calme qu'elle avait appris à afficher en toutes circonstances. Mais oui, on était dimanche. C'était la raison pour laquelle tout le monde s'était levé tôt et habillé avec soin pour aller à la messe. Elle regarda la robe de sa toute jeune belle-fille, en tissu écossais bleu, et les chemises blanches des garçons, accessoirisées de cravates miniatures.

— Et ma tenue convient-elle pour la messe ? demanda-t-elle à Nathan.

Il regarda d'abord sa coiffure, puis sa robe, avant d'incliner la tête avec un sourire approbateur.

— Vous êtes ravissante, murmura-t-il.

Elle crispa nerveusement les doigts sur sa serviette de table. Elle possédait une collection impressionnante de robes du soir, quelques robes de jour et des jupes et corsages, mais elle aurait été incapable de dire ce qui convenait comme tenue pour se rendre à l'église. Pour la bonne et simple raison que cela ne lui était jamais arrivé.

— Je ne voudrais surtout pas faire mauvaise impression. Peut-être ferais-je mieux de porter une veste par-dessus ma robe ?

— Vous auriez trop chaud. J'aime beaucoup la tenue que vous portez.

— Alors je vais chercher un chapeau, annonça-t-elle en se levant.

— Mais vous n'avez pratiquement rien mangé.

— C'est délicieux, je vous assure, mais j'ai suffisamment mangé. Je redescends dans quelques minutes à peine, pour ne pas vous retarder.

Elle se dépêcha de monter au premier étage et, une fois dans sa chambre, tira au milieu de la pièce une pile de boîtes à chapeaux qu'elle se mit à ouvrir l'une après l'autre, le plus vite possible.

L'annonce de ce départ à la messe venait brusquement de raviver toutes ses inquiétudes. Comment avait-elle pu oublier d'une part que l'on était dimanche, et d'autre part que les gens « convenables » se rendaient tous à l'office du dimanche ? Cette messe allait marquer ses débuts en tant que Mme Nathan Lantry dans la société locale et il fallait absolument qu'elle se montre à la hauteur. Et qu'elle ne laisse en aucun cas paraître sa nervosité.

Elle fixa son choix sur un chapeau de paille noire — élégant tout en restant discret — et alla fourrager dans l'une de ses malles jusqu'à ce qu'elle y trouve ce qu'elle cherchait : une paire de gants en fil blanc. Elle fixa le chapeau sur sa tête au moyen de deux longues épingles à tête de perle avant de venir se planter devant sa glace pour juger de l'effet global de la tenue. Elle en déduisit aussitôt que la robe n'allait pas du tout avec le chapeau. Elle retira donc l'ensemble pour pouvoir se changer, et choisit cette fois-ci une jupe gris perle avec une blouse blanche et une veste cintrée en velours prune. Elle jugea ensuite que la couleur de la veste exigeait un autre chapeau…

Nathan était en train d'aider les enfants à monter dans le buggy lorsqu'elle sortit enfin sur le perron.

— Vous êtes absolument ravissante, lui dit-il de sa belle voix grave, tout en lui tendant le bras pour l'aider à monter à son tour.

Elle lui sourit et prit place près des enfants.

Elle commençait à reprendre confiance en elle, malgré sa nervosité. De toute façon, elle n'avait pas le choix : ce matin, nerveuse ou pas, elle allait devoir se montrer digne de Nathan. Pour ne surtout pas qu'il puisse regretter d'avoir choisi sa nouvelle épouse de façon si précipitée.

Chapitre 5

Les hautes portes en chêne étaient déjà fermées, aussi Nathan dut-il pousser l'un des lourds battants. Il fit signe à Ella de passer devant lui avec les enfants et, à l'instant même où ils entrèrent, l'organiste plaqua les premiers accords du chant qui marquait le début de l'office. Tous les paroissiens étaient déjà assis et plusieurs têtes se tournèrent vers l'entrée lorsqu'on entendit claquer sur le plancher sonore les talons des bottines d'Ella. Très gênée de se trouver ainsi le point de mire de toute l'assemblée, elle s'efforça de marcher stoïquement, se demandant quand Nathan allait enfin les faire asseoir pour les soustraire à l'attention de tous. C'est avec un immense soulagement qu'elle aperçut soudain dans la foule de ces visages inconnus son amie Céleste qui lui souriait. Elle lui sourit à son tour et reprit courage jusqu'à ce qu'enfin Nathan lui fasse signe de prendre place au premier rang de l'assemblée.

Il s'assit à côté d'elle, posant entre eux un missel à la couverture de cuir patinée par le temps, et installa son plus jeune fils sur ses genoux. Puis il prit dans sa poche une petite boîte qu'il donna à l'enfant. Robby l'ouvrit et en sortit deux petites figurines de bois, l'une représentant un mouton, et l'autre une girafe.

Le révérend Kane, qui les avait mariés la veille, annonça alors le nom d'un psaume et un numéro de page. Tout le monde se leva. Ella imita aussitôt son mari qui venait de se lever en tenant toujours Robby dans ses bras.

Il fallut un moment à Ella pour comprendre ce que Nathan voulait lorsqu'il lui désigna le prie-Dieu devant lui, mais elle finit par comprendre qu'il voulait qu'elle prenne pour elle le livre de messe qui y était rangé. Elle jeta un discret coup d'œil à la personne qui se trouvait sur sa droite et ouvrit son livre à la bonne page.

Comme elle avait étudié le solfège, elle n'eut aucune difficulté à suivre le psaume que le révérend Kane venait d'entonner. C'était la première fois qu'elle chantait dans une assemblée et elle trouva que c'était une expérience très agréable. A ses côtés, Nathan chantait d'une belle voix de basse et elle fut étonnée de se sentir si émue lorsqu'il se tourna vers elle pour lui sourire, à plusieurs reprises, tandis qu'autour d'eux les fidèles chantaient leur foi. Elle se rendit compte que cette émotion tenait à ce sentiment d'« appartenance » qu'elle éprouvait soudain. Un sentiment que, là encore, elle n'avait jamais eu l'occasion d'éprouver au cours de l'existence qu'elle avait menée jusqu'à présent.

Un peu plus tard, elle vit qu'on faisait passer dans les rangs des petits plateaux en cuivre et que les membres de l'assemblée y déposaient des pièces ou des billets. Un peu gênée, elle se pencha pour murmurer à l'oreille de Nathan.

— Je suis désolée, mais j'ai oublié de prendre mon porte-monnaie.

— Ne vous inquiétez pas : je fais une offrande au nom de toute la famille. Je vais d'ailleurs vous laisser le soin de le faire à ma place.

Il plongea la main dans la poche intérieure de sa veste et en sortit quelques billets qu'il lui tendit. Elle les ajouta à la pile d'offrandes lorsque le plateau passa devant elle.

Après que le pasteur eut signifié la fin de l'office, il demanda à l'assemblée de lui accorder quelques instants supplémentaires pour faire les annonces du jour.

— J'ai le grand plaisir d'accueillir aujourd'hui deux

nouveaux membres dans notre communauté, déclara-t-il de sa voix de stentor. Mme Paul Adams, pour commencer. Au nom de nous tous ici présents, madame Adams, je suis heureux de vous souhaiter la bienvenue à Sweetwater.

Tous les visages, y compris celui d'Ella, se tournèrent alors vers Céleste qui gratifia l'assemblée d'un beau sourire en dépit de la rougeur de ses joues. Debout à côté d'elle, son mari rayonnait de fierté.

— Nous accueillons également parmi nous, ce matin pour la première fois, Mme Nathan Lantry. En notre nom à tous, madame Lantry, permettez-moi de vous souhaiter la bienvenue à Sweetwater.

Cette fois-ci tous les regards se tournèrent vers Ella. Elle sentit ses joues s'empourprer, comme celles de son amie quelques secondes plus tôt. Comme Céleste, elle parvint à sourire tout en inclinant doucement la tête, à droite puis à gauche, pour saluer autour d'elle tous ces gens qui l'accueillaient. Une fois encore, l'intensité de l'émotion qui lui étreignait la poitrine la décontenança.

— Eh bien, il ne me reste plus qu'à vous souhaiter un excellent dimanche à tous, conclut le révérend.

Tout le monde se leva d'un même mouvement et Ella se retrouva dans le flot des gens qui remontaient l'allée centrale pour se diriger vers la sortie. Plusieurs personnes lui adressèrent quelques mots, d'autres se contentèrent d'un petit salut de la tête.

Elle se rendit compte en sortant sur le parvis que la congrégation comptait beaucoup plus d'hommes que de femmes — cela allait presque du simple au double — et ne put s'empêcher de penser que cela expliquait sans doute en partie pourquoi leur petit groupe de femmes avait été accueilli à bras ouverts par toute cette communauté.

— Madame Lantry ?

En sentant une main sur son épaule elle se retourna.

Une femme d'âge moyen, élégamment vêtue d'une robe bleu ciel et d'un chapeau assorti, la gratifia d'un sourire avenant.

— Je suis Betsy Iverson, se présenta-t-elle, et je n'ai pu m'empêcher d'admirer votre voix pendant les chants tout à l'heure.

— Oh… merci beaucoup, répondit Ella, surprise.

— Avec les fidèles de la paroisse, nous avons formé une petite chorale qui anime les célébrations particulières et nous aimerions beaucoup que vous vous joigniez à nous. Nous nous réunissons ici même, à la salle paroissiale, chaque jeudi après-midi à 2 heures. Après quoi nous nous rendons chez Minnie Oliver pour prendre le thé.

Ella interrogea son mari du regard. Qu'était-elle censée répondre à cette femme ? Nathan vint aussitôt à son secours.

— Voilà qui vous offrira une excellente occasion de lier connaissance avec ces dames, répondit-il d'une voix grave à sa question muette.

— En effet, renchérit Ella en adressant un sourire à son interlocutrice, je serai ravie de me joindre à vous.

— Parfait. Nous nous réjouissons à l'avance de pouvoir mieux vous connaître.

Nathan fit un hochement de tête approbateur, visiblement satisfait que sa nouvelle épouse ait été enrôlée dans ce qui devait représenter l'une des activités majeures des dames de la société locale.

A cet instant, Ella aperçut Céleste, flanquée de son tout nouveau mari. La jeune femme se frayait un chemin parmi la foule pour venir jusqu'à elle. Elle se précipita à sa rencontre et lui serra la main à lui en broyer les os tant elle se sentait soulagée de la retrouver.

— Quelle matinée ! souffla-t-elle, pour n'être entendue que d'elle seule.

— On a vraiment l'impression d'être des animaux de

foire, répliqua son amie en pouffant, à voix basse elle aussi, avec tous ces gens qui nous dévisagent !

— J'espère que vous viendrez souvent rendre visite à Céleste, lança alors Paul Adams. Je sais qu'elle sera vraiment heureuse de vous recevoir.

— Je viendrai bien volontiers, promit Ella. Et très bientôt, croyez-moi.

Elle lâcha à regret la main de son amie et le jeune couple s'éloigna.

— Pourriez-vous prendre Grace par la main, je vous prie ? lui demanda alors Nathan. Elle est si petite qu'elle pourrait aisément se perdre dans cette foule.

— Bien sûr !

Elle se tourna vivement et tendit la main à l'enfant qui la serra avec cette gravité qu'elle semblait mettre en toutes choses.

Lorsqu'ils parvinrent au buggy, Nathan les aida toutes les deux à monter. Une fois qu'Ella fut assise, il lui tendit Robby pour qu'elle le prenne sur ses genoux. Le petit garçon s'était endormi et elle cala sa tête au creux de son épaule pour l'installer confortablement. Christopher monta ensuite, puis Nathan, qui ramena l'équipage jusqu'à leur maison.

Ella avait été bien trop occupée la veille au soir pour prêter attention aux rues qu'elle avait traversées en se rendant à la réception de mariage organisée par Nathan dans ce qui était à présent sa demeure. Elle fut séduite par l'harmonie des maisons qui bordaient la rue pavée. La plupart étaient plus modestes que celle de Nathan, mais quelques-unes étaient presque aussi imposantes. Toutes étaient bien entretenues, peintes en blanc ou en couleurs vives, avec des jardins joliment fleuris et de beaux massifs d'arbres.

Un univers aux antipodes de Dodge City, avec ses rues poussiéreuses, ses maisons disparates et ses saloons omniprésents.

Mme Fairchild décrivait souvent son établissement comme une oasis de sophistication dans un environnement de rustres. Jusqu'à ce jour, Ella n'avait jamais mesuré à quel point elle avait raison. La région tirant sa seule richesse du commerce lié à l'élevage, la clientèle qui fréquentait l'établissement se recrutait parmi le petit nombre d'hommes d'affaires ayant élu résidence dans la ville pour gérer les transactions et parmi le nombre encore plus restreint de notables nécessairement présents dans une agglomération de cette taille.

La voix de son mari tira Ella de ses pensées.

— Dès que nous serons changés, nous nous occuperons du repas, lui dit-il. Après quoi, les enfants iront faire une sieste, ce qui nous permettra de passer tous les deux quelques moments tranquilles.

Elle acquiesça avec un sourire.

Tout le monde se retrouva un peu plus tard dans la cuisine après s'être changé. Les enfants prirent place à la table où la cuisinière avait déjà mis le couvert et Nathan tendit à Ella un tablier de coton blanc.

— Je présume que vous n'avez pas apporté ce genre d'article dans vos malles, n'est-ce pas ? Alors voici l'un des tabliers de Charlotte, cela vous évitera de tacher vos vêtements.

Elle le remercia, prit le tablier et en enfila la partie haute par la tête avant de croiser les pans de la ceinture derrière sa taille. Nathan vint alors se placer derrière elle et lui prit les pans des mains pour les nouer à sa place. Lorsque leurs mains s'effleurèrent, elle ne put retenir un petit frémissement. Il dut le percevoir car il resta un court instant immobile derrière elle, sans rien dire, avant de s'écarter pour se diriger vers le four.

— Charlotte a laissé une note pour indiquer que nous n'avions plus qu'à sortir le plat du four — apparemment, il s'agit d'un poulet en cocotte — et à couper le pain en tranches.

— Je me charge du pain, annonça Ella.

Elle coupa quelques tranches et les disposa dans une corbeille pour les apporter à table où elle servit chacun des enfants avant de s'asseoir.

Ils partagèrent un dîner informel. La cuisine était plus chaleureuse, et en tout cas moins impressionnante pour Ella, que les autres pièces de cette grande maison.

Robby s'était rendormi à peine assis, roulé en boule dans le fauteuil à hauts accoudoirs qui lui était réservé.

— Il fait la même chose chaque dimanche, expliqua son père avec un petit sourire attendri. Il ne se réveille même pas au moment où on le porte dans son lit pour la sieste. En revanche, il crie famine à la seconde où il ouvre un œil.

— Je peux lui garder une assiette au four, si vous voulez, suggéra Ella.

— Jimmy Evans dit que maintenant vous allez devenir notre mère, déclara soudain Christopher.

Nathan posa sa fourchette et Ella fit de même.

— Jimmy est un de tes amis ? demanda-t-elle au jeune garçon.

Christopher eut un haussement d'épaules hésitant.

— Un peu, oui.

— Et toi, Christopher, qu'en dis-tu : as-tu envie que je devienne ta mère ?

Nathan parut surpris par cette question. Grace se contenta de les regarder l'un après l'autre en continuant à mâcher son poulet.

— J'sais pas…, répondit Christopher en haussant les épaules de nouveau. La mère de Richard Crandall crie tout le temps après lui et elle ne le laisse presque jamais jouer parce qu'elle dit toujours qu'il est de corvée d'un tas de trucs.

— Je peux en tout cas t'assurer une chose, Christopher : je n'ai aucunement l'intention de crier, pas davantage après toi qu'après ton frère ou ta sœur.

Elle se tourna ensuite vers Nathan.

— Avez-vous attribué des corvées domestiques à vos enfants, de quelque nature qu'elles soient ?

Nathan hocha la tête tout en s'adressant à son fils.

— Je pensais justement te confier, à partir de cette année, la responsabilité de déneiger le devant de la maison durant la mauvaise saison. Maintenant que tu es un grand garçon solide.

— Waouh, c'est super de déneiger !

— Heureux de te voir montrer tant d'enthousiasme, mon fils. Le problème des corvées pour cet hiver est donc réglé. A présent, pour ce qui concerne la place d'Ella dans notre famille… j'espère que tu es bien conscient du fait qu'en règle générale on ne peut pas choisir ses parents. Ni ses enfants d'ailleurs. Toi et Ella, en revanche, allez pouvoir décider vous-même du type de relation que vous souhaitez voir s'instaurer entre vous. Et je voudrais que tu comprennes bien que personne ne va t'obliger à appeler Ella « maman », ni même à l'aimer. Ce sera à toi seul de décider. En revanche, tu devras toujours te montrer aimable et respectueux envers elle, c'est bien entendu ?

— Oui, papa, répondit le garçon, visiblement pas très préoccupé par la question. Je pourrai lire avant ma sieste ?

— Bien sûr, répondit son père, tant que tu ne fais pas de bruit et que tu n'empêches ni ton frère ni ta sœur de dormir.

Ella avait suivi l'échange en silence, beaucoup plus perturbée que ne semblait l'être Christopher par ce nouvel aspect des choses. Elle n'avait déjà pas la moindre idée de ce que l'on pouvait attendre d'une épouse… Elle se rendait compte tout à coup qu'elle allait en plus devoir gérer les problèmes inhérents à sa nouvelle position de belle-mère.

— Parfait, déclara Nathan pour clore la conversation, alors maintenant on monte pour la sieste. Vous nous accompagnez, Ella ?

Tout le monde se leva en même temps, à l'exception bien sûr de Robby qui dormait toujours profondément. Son père le prit dans ses bras avec précaution et le porta jusqu'à l'étage des chambres, suivi par ses enfants et Ella, qui fermait la marche.

Elle fut surprise de découvrir que les trois enfants partageaient une seule et très grande chambre, tout en longueur. Nathan posa le petit garçon dans son lit puis entreprit de fermer les volets de bois des trois fenêtres, en laissant toutefois entrouverts ceux de la fenêtre qui se trouvait près du lit de Christopher, pour qu'il puisse lire. Le garçon retira ses chaussures, choisit un livre sur sa table de chevet et s'installa confortablement.

Nathan alla ensuite retirer les petites bottes de Grace avant qu'elle ne se glisse sous la couverture qu'il lui remonta jusqu'au menton. Elle lui tendit ses deux petits bras et il se pencha pour l'embrasser en la serrant contre lui.

— Repose-toi bien, ma petite poupée, lui dit-il d'une voix douce.

Elle ferma les yeux aussitôt. Nathan fit alors un petit signe à Ella pour lui signifier de le suivre et ils sortirent tous les deux sur la pointe des pieds.

Une fois dans le couloir, il referma la porte de la grande chambre avant de se tourner vers Ella.

— Qu'aimeriez-vous faire maintenant ? lui demanda-t-il.

Elle réfléchit un court instant.

— Avez-vous un piano ?

— Hélas non.

— Dommage, j'aurais aimé jouer pour vous.

— Je pourrais en acheter un. Les enfants pourraient ainsi apprendre à en jouer.

— Tout à fait, approuva-t-elle avec enthousiasme, je pourrais le leur enseigner.

— Voilà qui me paraît une excellente idée.

— J'ai apporté un phonographe dans l'une des malles que je vous ai demandé de ne pas monter dans ma chambre.. J'ignore où elles ont été entreposées.

— Je les ai fait mettre dans le jardin d'hiver, venez avec moi.

Il l'entraîna à l'arrière de la maison, jusqu'à une grande pièce dont le mur extérieur tout entier était vitré, formant ainsi une sorte de véranda. Cette baie vitrée ouvrait par une porte à moustiquaire sur une galerie à arcades de bois. Ella s'avança près de la vitre. L'arrière de la maison donnait sur une vaste pelouse qui descendait en pente douce jusqu'à un ruisseau, aisément repérable grâce au chemin de verdure qui en suivait les méandres.

— Quel endroit merveilleux ! s'exclama-t-elle en portant une main à son cœur.

Elle se sentit aussitôt un peu honteuse de s'être montrée si troublée par un simple paysage, mais se rasséréna lorsqu'elle vit que Nathan semblait touché de la voir si émue.

— C'est un très bel endroit, n'est-ce pas ? approuva-t-il avec un sourire. Lorsque j'ai choisi de faire construire une maison ici, Sweetwater se limitait encore à une unique rue bordée de tentes et de quelques baraques en rondins et bardeaux. Mais j'ai tout de suite été séduit par cet endroit. J'ai eu envie de m'y installer et d'y fonder une famille…

Il laissa sa phrase en suspens et détourna le regard pour le laisser errer au loin vers la rivière.

— C'est étrange, n'est-ce pas, reprit-il d'une voix sourde, à quel point l'existence ne se déroule jamais de la façon dont on l'avait prévu…

Comprenant qu'il pensait à la mort de sa femme, Ella hocha lentement la tête en signe de compassion.

Puis elle s'avança jusqu'à la porte à moustiquaire qui ouvrait sur le jardin. Elle n'en revenait toujours pas de penser qu'il lui suffirait d'ouvrir cette porte pour pouvoir sortir dans le jardin. Et que personne ne songerait à l'en empêcher.

Elle testa sa toute nouvelle liberté en relevant le simple loquet métallique qui maintenait la porte fermée. Elle se retourna ensuite pour regarder derrière elle et constata que la porte reliant le jardin d'hiver au reste de la maison pouvait être verrouillée.

— Quelque chose semble vous préoccuper ? lui demanda son mari.

— Non, pas du tout.

— Ne vous inquiétez pas, voulut-il la rassurer, si quelqu'un s'avisait de vouloir briser ce loquet pour entrer dans le jardin d'hiver, il ne pourrait pas pénétrer dans la maison pour autant.

— Je vois, oui. Je pense juste que ce doit être bien agréable de pouvoir sortir si facilement dans le jardin, pour descendre se promener le long de la rivière.

— C'est précisément la raison pour laquelle j'ai fait installer ce loquet aussi haut. Pour que ni Grace ni Robby ne puissent l'atteindre. Christopher, lui, a déjà l'âge de comprendre qu'il peut être dangereux de s'aventurer seul près de l'eau.

Bien sûr, se dit Ella, Nathan avait pensé à la sécurité de ses enfants. Alors qu'elle n'avait pensé qu'à cette liberté extraordinaire qui s'ouvrait soudain à elle.

— Je peux donc sortir me promener dès que l'envie m'en prend ?

— Tout à fait. Mais, je vous en conjure, ne commettez pas d'imprudence : les berges de la rivière sont boueuses par endroits et vous pourriez glisser. Bien, maintenant occupons-nous de ce phonographe. Dans laquelle de ces deux caisses pensez-vous qu'il se trouve ?

— La plus petite. Vous y trouverez également un assortiment de cylindres Edison, individuellement rangés dans des tubes en carton.

— Parfait, j'ai tout trouvé, annonça Nathan quelques secondes plus tard. Je peux vous l'installer ici plutôt que dans le salon, puisque vous semblez tant aimer cette pièce.

Ella n'avait pas bougé de sa place près de la porte.

— Très volontiers, merci, lui répondit-elle avec un sourire.

Il libéra un espace sur une table et y plaça le phonographe.

— J'ai vu des instruments comme celui-ci lors d'une exposition l'été dernier et j'ai même envisagé d'en acheter un. Vous avez trouvé celui-ci dans l'Illinois ?

— Non, je l'ai commandé sur catalogue.

Elle alla jusqu'à la malle où se trouvaient encore les cylindres, en choisit un et revint le positionner sur le mandrin du phonographe. Puis elle remonta la machine et les premières notes d'une valse émanèrent de l'instrument.

Nathan regarda sa ravissante épouse tandis qu'elle écoutait la musique, le regard de nouveau perdu vers l'horizon. Elle était retournée à la porte et le soleil découpait sa silhouette mince en ombre chinoise sur le vert de la pelouse qui s'étendait derrière elle.

Une brise légère apportait jusqu'à lui le parfum de cannelle et de rose musquée que portait la jeune femme.

Elle lui apparaissait comme une vision exquise de perfection et de féminité. Il pensa un instant l'inviter à danser, puis y renonça. Il ne fallait surtout pas la brusquer.

Il redoutait tant de voir s'éteindre l'étincelle qui brillait dans ses yeux, s'assombrir la joie de l'attente qu'exprimait son visage. Il savait, hélas mieux que personne, les dégâts irréversibles que pouvait provoquer chez une femme un contact trop brutal avec la réalité.

La musique s'arrêta et le silence les enveloppa. Ella se tourna alors vers Nathan et rencontra son regard. Il sentit son cœur bondir dans sa poitrine avec une violence qui lui coupa littéralement le souffle.

Chapitre 6

Nathan ne connaissait son épouse que depuis une semaine et, pourtant, elle lui faisait déjà perdre la raison. A cet instant précis, elle lui évoquait l'image d'un papillon, tout juste émergé de sa chrysalide, dont les jeunes ailes fragiles frémissaient dans la brise.

Elle lui sourit et il sentit sa poitrine se contracter. Il était vraiment grotesque de réagir avec une telle intensité, comme un adolescent à ses premiers émois.

— Allons donc marcher le long de la rivière, suggéra-t-il, puisque cela semble vous tenter.

Elle accepta avec empressement, comme il savait qu'elle allait le faire, et il lui prit la main pour l'entraîner dehors. Elle avait des doigts fins et délicats, il retourna sa paume pour en étudier la peau douce et nacrée. Celle d'une femme qui n'avait jamais travaillé de ses mains.

Elle leva les yeux vers lui, ses grands yeux bleus innocents et confiants. Elle avait placé en lui tous ses espoirs et ses rêves. Il se sentait responsable de son bonheur. C'était une responsabilité qu'il redoutait et qu'il chérissait à la fois. Une mission qu'il se réjouissait déjà d'assumer.

Lorsqu'ils approchèrent des berges de la rivière, Ella s'arrêta pour contempler l'eau limpide, visiblement fascinée.

— Regardez, dit-elle en lui lâchant la main pour s'approcher plus près encore, l'eau est si claire que l'on distingue parfaitement chacune des pierres qui couvrent le lit de la rivière.

— Elle est très pure, en effet.

— Oh ! Vous voyez tous ces petits poissons qui se faufilent entre les herbes du bord ?

Il hocha la tête, sans pouvoir retenir un petit sourire attendri. Elle semblait si émerveillée qu'elle lui rappela ses enfants lorsque, au matin de Noël, ils entraient dans le grand salon et découvraient enfin leurs cadeaux sous le sapin. Il n'avait rien fait d'autre que de lui faire traverser la pelouse pour descendre jusqu'à la rivière et elle se comportait comme s'il l'avait emmenée au bout du monde, dans un pays merveilleux.

— Vous n'aviez jamais vu de poissons auparavant ? s'étonna-t-il d'un ton amusé.

— Jamais autrement que sur une assiette et nappés de sauce, répondit-elle.

Il eut un petit rire et elle tourna vivement les yeux vers lui.

— Où donc avez-vous vécu, Ella, pour ne jamais avoir vu de poissons ?

Elle détourna les yeux sans lui répondre, le regard de nouveau rivé sur l'eau claire.

— Dans un endroit très différent d'ici, dit-elle enfin d'une voix sourde.

— Ce n'était pas une critique, Ella.

— Je ne l'ai pas pris comme une critique.

Quelques minutes passèrent en silence, à peine troublé par le murmure de l'eau.

— Vous pouvez retirer vos chaussures et marcher dans l'eau, si cela vous fait plaisir.

Visiblement surprise par sa suggestion, elle se tourna de nouveau vers lui.

— Croyez-vous que ce serait bien convenable ?

— Et alors, même si cela ne l'était pas, il n'y a personne d'autre ici que nous deux.

— Je ne sais pas…, murmura-t-elle

— Si vous voulez j'y vais avec vous.

— Vous ? s'étonna-t-elle en écarquillant des yeux incrédules.

Il s'assit alors sur l'herbe et retira ses bottes, puis ses chaussettes, avant de relever les jambes de son pantalon. Puis il descendit jusqu'à la berge.

— Ne vous inquiétez pas, lui dit-il, en entrant dans l'eau, la surface des pierres est très douce. Vous ne risquez pas de vous faire mal aux pieds.

Elle l'observa un instant, peinant visiblement à se décider, puis finit par s'asseoir sur l'herbe à son tour. Elle commença à retirer ses chaussures puis dut relever sa jupe et son jupon pour faire glisser son bas le long de sa jambe.

Nathan restait planté dans la rivière, son regard sombre suivant chacun de ses mouvements. Ella sourit pour elle-même, amusée de voir que son mari semblait très intéressé.

Elle posa le premier bas à côté d'elle et entreprit de faire descendre le second, plus lentement cette fois-ci.

Lorsqu'elle fut pieds nus, elle se mit debout, releva l'ourlet de sa jupe au-dessus de ses genoux, et descendit avec précaution jusqu'à la rive. A l'instant où elle entra dans l'eau, elle poussa un cri de surprise outragée.

— Mais elle est glacée !

Nathan eut un petit rire.

— Oh ! fit-il mine de se désoler, aurais-je oublié de le mentionner ?

— J'en ai peur, en effet, répondit-elle avec un froncement de sourcils réprobateur, mais sans pouvoir s'empêcher de sourire.

Les pierres étaient douces, comme il le lui avait dit, bien qu'un peu glissantes. Et l'eau était froide, bien sûr, mais elle aimait beaucoup la sensation du courant léger sur ses chevilles. Tout comme elle aimait la sensation du chaud soleil sur son visage… et la lueur qui brillait dans les yeux de Nathan.

Elle sentit tout à coup quelque chose lui chatouiller la cheville droite et, lorsqu'elle baissa les yeux, elle vit qu'il s'agissait d'un banc de minuscules poissons.

Elle releva vivement la jambe pour sortir son pied de l'eau… et le banc de petits poissons se précipita aussitôt sur sa cheville gauche. Elle sauta sur son autre pied et en laissa tomber le bas de sa jupe qu'elle releva bien sûr trempé.

— Les poissons sont en train de me mordre ! s'écria-t-elle.

Nathan s'avança vers elle en riant et elle se jeta à son cou pour échapper aux agresseurs.

Nathan vacilla puis perdit l'équilibre et tomba en arrière, entraînant Ella avec lui.

L'eau n'était pas profonde mais elle était vraiment glacée et Nathan lui-même poussa un cri de surprise, entre deux accès de rire.

Ella réussit à se relever… mais se prit le pied dans l'ourlet de sa robe et retomba aussitôt dans l'eau, trempant cette fois-ci non seulement sa jupe mais son corsage, son visage et ses cheveux.

Nathan riait à présent si fort qu'il aurait été incapable de faire quoi que ce soit pour l'aider ni pour se relever lui-même. Ses cheveux dégoulinaient et sa chemise détrempée lui moulait le torse. Elle ne put s'empêcher de remarquer que son mari était superbement bâti.

La vision de Nathan tel qu'il lui était apparu le jour de leur première rencontre, notable à l'élégance austère, lui revint aussitôt à l'esprit. Quelles têtes feraient ses concitoyens en voyant leur éminent légiste assis tout habillé dans la rivière, trempé jusqu'aux os et riant à perdre haleine ?

Une bouffée de joie monta soudain en elle, si inattendue qu'elle en paraissait incongrue. Et tout à coup, incrédule, elle s'entendit produire un son qu'elle eut d'abord du mal à reconnaître. Elle riait !

Presque effrayée par l'étrangeté de la chose, elle se plaqua une main sur la bouche.

Nathan cessa de rire et son sourire s'effaça tandis que son regard se fixait d'abord sur la main qu'elle tenait plaquée sur sa bouche, avant de descendre lentement le long de son cou, de sa gorge…

Ella laissa sa main retomber le long de son corps, hypnotisée par l'intensité soudaine du regard de son mari, c'est alors qu'elle se rendit compte que le tissu mouillé de sa blouse était devenu transparent, et que l'eau glacée ne faisait pas que lui donner des frissons.

Mue par une impulsion soudaine, elle se précipita vers Nathan et prit son visage en coupe. Elle n'eut qu'une fraction de seconde pour enregistrer son expression stupéfaite avant d'écraser avec fougue ses lèvres sur les siennes.

Chapitre 7

Nathan enroula ses bras autour de la taille d'Ella pour la serrer fort contre lui. Elle laissa échapper un petit gémissement de plaisir, savourant le contraste entre ce corps chaud plaqué contre le sien et le froid glacé de l'eau et de ses vêtements trempés.

Lorsque Nathan détacha enfin ses lèvres des siennes, il plongea son regard dans le sien un court instant.

— Vous tremblez, fit-il d'une voix rauque.

Il la souleva dans ses bras, la cala bien serrée contre lui et la porta jusqu'à la berge où il la reposa sur ses pieds.

Elle tenta d'essorer le bas de sa jupe, mais c'était peine perdue. Nathan essayait lui aussi de tordre le bas de son pantalon sans plus de succès. Ils étaient trempés.

— Nous ferions mieux de remonter nous changer pour mettre des vêtements secs, finit-il par dire en prenant ses chaussures à la main.

Elle récupéra elle aussi ses bas et ses chaussures et lui emboîta le pas en frissonnant.

Ce soir-là, Nathan invita Ella et les enfants à le rejoindre dans son bureau. La fraîcheur était tombée avec le crépuscule et il avait allumé un feu. La pièce était meublée de profonds et confortables fauteuils de cuir et une bibliothèque de bois courait tout le long des murs, visiblement construite sur mesure et chargée de livres jusqu'au plafond. Il régnait une atmosphère paisible et chaleureuse, rendue plus agréable encore par la douce lumière du feu qui brûlait dans l'âtre.

Ella comprit vite que Nathan avait l'habitude de réunir sa petite famille dans cette pièce car chacun semblait avoir ses marques dans le bureau.

Christopher ouvrit un petit coffre de bois qui contenait une collection de figurines — des petits soldats — qu'il entreprit d'installer en formation sur la dalle de pierre devant la cheminée.

Grace, de son côté, fit asseoir sur un petit tabouret recouvert de tapisserie une poupée de chiffon qu'elle avait apportée avec elle. Elle alla ensuite prendre dans l'un des placards de la bibliothèque une boîte contenant une minuscule dînette en porcelaine. Elle utilisa un second tabouret en guise de table, dressa le couvert, et se mit à servir à sa poupée un thé imaginaire.

Quant à Robby, il sortit d'un autre placard un sac en toile qu'il renversa sur le sol. Le sac contenait une quantité de cubes de bois avec lesquels il se mit à construire une tour, tout en fredonnant à mi-voix un air connu de lui seul.

Ella commença par observer avec attention la façon dont chacun des enfants se créait son monde à lui. Puis, au bout d'un moment, elle se pencha vers Nathan pour lui murmurer à l'oreille.

— J'ai remarqué que Grace ne m'avait pas encore adressé la parole. Cela ne vous paraît-il pas… ennuyeux ?

— Je comprends que cela puisse vous paraître étrange, mais n'y voyez aucune mauvaise intention de sa part. Si cela peut vous rassurer, sachez qu'elle ne me parle jamais à moi non plus. Par contre je l'ai plusieurs fois entendue parler à ses poupées lorsqu'elle se trouvait seule dans sa chambre.

— A-t-elle toujours été aussi silencieuse ?

— Oui. Elle n'était encore qu'un bébé lorsque Robby est né et que sa mère est morte. Elle pleure lorsqu'elle se fait mal ou qu'elle a peur de quelque chose, elle peut rire aussi, mais elle ne demande jamais rien.

Ella examina la petite fille avec davantage d'attention. C'était une enfant dont on s'occupait manifestement beaucoup et qui jouissait d'avantages que beaucoup d'enfants ne connaissaient pas. Bien sûr, le fait d'avoir perdu sa mère avait dû représenter pour elle un traumatisme énorme, mais cela n'expliquait pas son mutisme.

Elle se leva de son fauteuil pour aller s'asseoir par terre près de la petite fille, juste à côté du tabouret où elle avait installé sa poupée.

— Est-ce que tu crois que je pourrais avoir du thé, moi aussi ? lui demanda-t-elle d'une voix douce.

Grace la dévisagea un instant d'un œil perplexe avant de prendre sur la petite table une tasse et une sous-tasse qu'elle lui tendit. Elle comprenait donc ce qu'on lui disait et réagissait en conséquence. Il n'y avait au moins aucune inquiétude à se faire concernant son audition.

— Merci, Grace. Aurais-tu des petits gâteaux, par hasard ?

Grace hocha la tête et posa quelque chose d'invisible sur une autre petite assiette qu'elle tendit à Ella.

Ella la remercia d'un sourire et fit semblant de mordre dans le gâteau imaginaire que la petite fille venait de lui offrir.

— C'est vraiment délicieux, quel genre de gâteau est-ce ?

Grace se contenta de hocher la tête sur le côté comme pour dire qu'elle n'en avait pas la moindre idée, puis se remit à nourrir sa poupée.

— En tout cas il y a de la cannelle dedans, poursuivit Ella de sa même voix douce. Comment as-tu deviné que j'adorais la cannelle ?

Grace ne répondit toujours rien, mais lui tendit un autre gâteau imaginaire.

Un peu plus tard dans la soirée, Ella accompagna Nathan

lorsqu'il monta border les enfants dans leur lit. Elle en profita pour examiner la chambre, détaillant avec attention les livres, les jouets et la collection de poupées de Grace. Elle-même n'avait jamais possédé de poupée. Mais son enfance avait été très… particulière.

Nathan murmura quelques mots tendres à chacun de ses enfants tandis qu'il les bordait. Quelle chance ils avaient d'avoir un père comme lui! Jusqu'à ce jour, elle ne s'était jamais vraiment posé de questions au sujet du rôle d'un père dans l'éducation d'un enfant, ni même d'une présence masculine au sein d'un foyer. En regardant Nathan embrasser ses enfants, elle se demanda si Ansel Murdoch lui aussi avait bordé les siens dans leur lit lorsqu'ils étaient petits. Et, à cet instant précis, une autre question lui vint à l'esprit: qu'avait-il bien pu dire à sa femme et à ses fils pendant toutes ces années, chaque lundi et chaque vendredi soir, quand il les quittait pour venir lui rendre visite chez Mme Fairchild?

Oui, décidément, les Lantry se trouvaient aux antipodes de tout ce qu'elle avait pu connaître jusqu'à présent. Et vivre parmi eux aujourd'hui lui donnait l'impression de s'être tout à coup retrouvée transportée au beau milieu d'un conte de fées.

Nathan éteignit les mèches des lampes à huile avant de la prendre par la main pour la faire sortir de la chambre avec lui.

Comment réagirait-elle si elle s'apercevait que Nathan s'absentait régulièrement de la maison le soir? Existait-il à Sweetwater des établissements semblables à celui de Mme Fairchild?

— Aimeriez-vous me tenir compagnie pour le reste de la soirée? lui demanda Nathan lorsqu'ils parvinrent sur le palier du premier étage.

— Très volontiers.

— Peut-être aimeriez-vous apporter l'un de vos livres, ou bien un ouvrage quelconque, tapisserie ou broderie ?

Elle avait appris quelques rudiments de couture, mais jamais la broderie ni la tapisserie.

— Je vais chercher un livre, lui répondit-elle. Et je descends vous rejoindre tout de suite.

— Vous savez, Ella, lui dit-il lorsqu'elle revint dans le bureau, vous pouvez tout à fait passer vos soirées comme bon vous semble.

— J'aime beaucoup cette pièce, répondit-elle. Dans la mesure où je ne vous dérange pas, bien sûr.

— Mais non, voyons, vous ne me dérangez pas, lui assura-t-il avec un sourire.

Il prit place dans l'un des fauteuils de cuir qui faisaient face à la cheminée et jeta un coup d'œil au livre qu'Ella tenait à la main.

— Que lisez-vous en ce moment ?

— L'ouvrage d'un explorateur nommé Champlain. Il est allé vivre parmi les Indiens hurons pour étudier leurs mœurs. Il a adopté leur langage, leurs coutumes, et il les a suivis dans leurs déplacements, aussi bien sur terre que sur l'eau. Son expérience a inspiré d'autres hommes depuis.

— Oui, j'ai entendu parler de lui.

Nathan lui fit un geste pour qu'elle lui montre le livre et elle le lui tendit. Il jeta un coup d'œil à la couverture avant de l'ouvrir, puis il leva un sourcil surpris.

— C'est écrit en français ?

— Oui, Samuel de Champlain était français.

— Je sais bien qu'il était français. Ce qui me surprend, c'est que vous lisiez la version française de son ouvrage.

— Beaucoup des livres que je possède sont écrits en français.

— C'est chez Mlle Haversham que vous avez appris à le parler ?

Elle fit mine de n'avoir pas entendu la question et lui reprit son livre des mains avant d'aller s'asseoir sur le petit canapé voisin.

Nathan ne parut pas se formaliser de cette absence de réponse.

— Ce canapé a une particularité, dit-il en se levant pour rejoindre Ella. C'est ce qu'on appelle un divan romain et le dossier en est inclinable. Je vais vous montrer comment cela fonctionne. Regardez, il suffit de soulever l'un ou l'autre des accoudoirs jusqu'à ce que vous entendiez le déclic du mécanisme, et alors vous pouvez abaisser le dossier en position plus inclinée.

Il joignit le geste à la parole et Ella se retrouva aussi confortablement installée que sur une chaise longue.

— Comme c'est ingénieux ! s'exclama-t-elle avec un sourire. Pourquoi ne viendriez-vous pas vous asseoir près de moi ?

Nathan la regarda un moment sans rien dire, troublé par les battements accélérés de son cœur. Chaque heure qu'il passait en compagnie d'Ella lui faisait prendre conscience qu'il avait été fou de s'imposer lui-même cette période d'attente de six mois. Six mois qui lui semblaient maintenant une éternité.

Pourtant, il ne pouvait tout de même pas passer les six mois à venir à l'éviter. Après tout, apprendre à gagner sa confiance faisait partie du processus de développement de leur relation, n'est-ce pas ?

Il prit place sur le canapé à côté d'elle.

— Ne voudriez-vous pas descendre les livres qui sont dans votre chambre pour les installer ici ? De cette façon, vous les auriez à portée de main chaque fois que vous voudriez lire le soir.

— Excellente idée. Et je vous invite à me les emprunter si vous le désirez.

— Je ne lis pas le français.

— Ils ne sont pas tous en français.

— Dans ce cas… Vous pouvez également emprunter les miens.

Elle balaya du regard les rayonnages de livres.

— N'importe lequel ?

— Bien sûr.

Elle se leva et alla se planter devant un pan de la bibliothèque pour examiner les ouvrages qui s'y trouvaient.

— *Ravenshoe,* lut-elle en sortant l'un des livres de son étagère.

— Je crains que vous ne trouviez cela un peu ennuyeux.

Elle remit l'ouvrage en place.

— *Le Secret de Lady Audley*, lut-elle sur un autre livre.

— C'est ce que certains appellent un roman à sensation.

— A sensation, dites-vous ? Qu'est-ce que cela signifie exactement ?

— Eh bien, il y a toujours une intrigue… avec des éléments susceptibles de choquer certaines personnes. Si vous décidez de le lire, n'en parlez pas aux dames de la paroisse, je vous en supplie.

— Que considérez-vous comme des éléments choquants ?

— Je ne voudrais pas vous rebuter.

— Me rebuter, certainement pas, répondit-elle d'un ton suave. Me tenter, plutôt.

Nathan dut réprimer sa surprise. Décidément, Ella n'était pas une femme comme les autres ! Il avait épousé une amatrice de champagne qui ne défaillait pas d'horreur à l'évocation de certains sujets osés.

— Eh bien, le personnage principal est une dame d'apparence tout à fait convenable qui décide de commettre un meurtre. On comprend par ailleurs assez vite qu'elle est aussi coupable de bigamie.

— Eh bien, je crois que je vais commencer par ce livre-ci, annonça-t-elle d'un ton décidé.

— Je vous aurais prévenue, répliqua-t-il avec un sourire.

Elle revint s'asseoir près de lui, son livre sur les genoux.

— Et si nous commencions par bavarder un peu ? suggéra-t-il. Nous ne connaissons pas grand-chose l'un de l'autre, n'est-ce pas ? Parlez-moi donc de votre famille.

— Il n'y a pas grand-chose à en dire, répondit-elle tout en rajustant les plis de sa jupe autour de ses jambes.

— Que faisait votre père ?

Céleste avait bien fait d'insister sur cet aspect des choses, pensa Ella pour elle-même. Son amie avait expliqué à celles qui avaient décidé de la suivre dans le Wyoming qu'il était impératif qu'elles réfléchissent à l'avance à ce qu'elles raconteraient une fois là-bas.

« Les gens ne débarquent pas de nulle part, avait dit Céleste. Il faut que nous ayons chacune une version plausible de notre vie antérieure. Enfance, parents, etc. »

Et c'est ainsi que, chaque fois qu'elles avaient eu l'occasion de se retrouver discrètement, les jeunes femmes avaient comparé leurs idées sur ce qu'elles pourraient dire lorsqu'on leur poserait des questions.

— Mon père était financier, répondit-elle à Nathan. Agent de change plus précisément. Il faisait partie d'un cercle d'hommes d'affaires et prenait part à la vie paroissiale.

— Et votre mère ?

Encore d'autres mensonges. Allait-elle toujours devoir mentir à cet homme ?

— Je n'ai pas bien connu ma mère.

C'était hélas exact.

— Elle est morte lorsque j'étais encore très jeune. C'est la raison pour laquelle je me suis retrouvée pensionnaire chez Miss Haversham.

— Vous avez des frères ou des sœurs ?

Comment pourrait-elle le savoir ? Elle n'avait jamais connu son père. Et il y avait d'ailleurs de fortes chances pour que sa mère elle-même eût ignoré de qui elle était tombée enceinte.

— Non. Et vous ? Avez-vous des frères et sœurs ?

— J'ai une sœur plus âgée et deux frères plus jeunes, répondit-il.

— Et vous viviez tous ensemble chez vos parents lorsque vous étiez plus jeunes ?

— Oui. Nous faisions tourner notre pauvre mère en bourrique, admit-il avec un petit sourire malicieux. Mais c'est une sainte.

— Elle est encore vivante ?

— Oui, elle habite toujours notre demeure familiale, à Philadelphie. Nous irons lui rendre visite pour les fêtes de fin d'année. Elle est toujours ravie de voir les enfants et j'aimerais bien sûr que vous la rencontriez.

Ella hocha la tête, incapable d'imaginer une rencontre avec sa belle-mère.

— Mon père est mort il y a quelques années, poursuivit-il. Il était juge. C'est la raison pour laquelle j'ai moi-même décidé de suivre des études de droit. Mais la guerre a interrompu mes études.

— Vous avez combattu pendant la guerre ?

— Oui, au début dans le Missouri et par la suite j'ai rejoint le général Sheridan. Je faisais partie du régiment qui a bloqué la fuite de Lee à Appomattox, ce qui a contraint l'armée de la Virginie du Nord à la reddition. Après la guerre, le général voulait que je l'accompagne en Prusse, mais j'avais vu suffisamment de souffrance comme cela. J'avais envie de construire quelque chose. Et je n'avais jamais oublié Sweetwater, qui pourtant à l'époque n'était encore qu'un village de tentes, avec à peine quelques bâtiments construits en solide. J'ai tout de suite été séduit par l'environnement, et puis la ville présentait un autre atout majeur : elle se trouvait sur le trajet du chemin de fer Union Pacific qui s'étendait de plus en plus vers l'ouest. J'ai donc décidé de procéder par ordre : j'ai commencé par reprendre mes études interrompues par la guerre pour pouvoir obtenir mon diplôme. J'ai ensuite acheté un autorail plein de bois de charpente. Et enfin j'ai demandé une jeune fille en mariage.

« Je suis parti à Sweetwater en éclaireur, le temps de faire construire une maison qui puisse accueillir ma future épouse. A peine arrivé là-bas, je me suis rendu compte que mon chargement de bois suscitait bien des convoitises et que je pouvais le revendre pour un prix bien supérieur à celui auquel je l'avais acheté. J'ai donc revendu le premier chargement et m'en suis fait envoyer plusieurs autres du Colorado.

« Dans le même temps, j'ai fait paraître des annonces dans les principaux journaux du pays. Très vite j'ai reçu des réponses de gens intéressés, prêts à tenter l'aventure : plusieurs marchands, un médecin et même un dentiste étaient disposés à s'engager avec moi. Vous ne pouvez pas imaginer à quel point c'est fascinant de participer de façon active à l'émergence d'une nouvelle ville. De la voir grandir. De voir une communauté se créer. Il n'a pas fallu bien longtemps, croyez-moi, avant que Sweetwater ne devienne une ville respectable.

Plus détendue maintenant qu'elle avait détourné l'objet de la conversation sur Nathan, Ella écoutait son histoire avec intérêt. Son nouveau mari était décidément un homme aussi entreprenant qu'ambitieux. Elle fut par exemple surprise d'apprendre, un peu plus tard dans la conversation, qu'il possédait également un dépôt de bois d'œuvre de construction.

— Est-ce là que vous travaillez pendant la journée ?

— Non. Du fait de l'importance des locaux nécessaires, j'ai décidé d'installer ces entrepôts à l'extérieur de la ville. J'emploie des gens qui gèrent l'entreprise pour mon compte. Quant à moi, j'exerce mon activité de juriste dans des bureaux situés tout près de l'hôtel de ville.

Ella hocha la tête, de plus en plus impressionnée. Il ne lui restait plus qu'un seul domaine à explorer pour pouvoir mieux connaître son mari.

— Comment s'appelait votre femme ?

Il marqua une pause avant de répondre.

— Deborah.

— Est-ce que vos enfants lui ressemblent ?

— C'est Robby qui lui ressemble le plus. Christopher ressemble davantage à mon père. Quant à Grace, elle ressemble beaucoup à ma sœur Vanessa.

— Je trouve que Christopher vous ressemble beaucoup.

— Beaucoup de gens disent que je ressemble à mon père.

— Répondez-moi franchement, Nathan : est-ce encore douloureux pour vous de parler de votre femme ?

— J'ai beaucoup de regrets…, répondit-il d'une voix sourde.

Ella ne put s'empêcher de penser que cela ne répondait pas vraiment à sa question. Elle décida donc de ne pas insister, mais à sa grande surprise ce fut lui qui reprit :

— Deborah n'était pas prête pour une vie si différente de tout ce qu'elle avait connu à Philadelphie. Je lui ai fait construire une superbe maison. J'ai mis en place un service d'urbanisme. Le conseil municipal nouvellement élu a très vite fait construire une école. Ce qui a permis de faire venir une institutrice, puis une autre, ainsi qu'un second médecin et de nouveaux commerçants. Des églises se sont créées. Mais vous imaginez bien que la vie sociale ne pouvait pas rivaliser avec celle de Philadelphie. Et puis, sa famille lui manquait cruellement…

— Je comprends mieux maintenant, lui dit-elle d'une voix très douce, pourquoi vous vous êtes étonné de ma décision de venir dans le Wyoming lorsque nous nous sommes rencontrés. Et pourquoi vous m'avez avertie que cet endroit n'était pas du tout ce à quoi j'étais accoutumée.

— Deborah ne s'est jamais plainte, mais je me suis vite rendu compte qu'elle n'était pas vraiment heureuse ici. Et par ma faute : parce que je l'avais emmenée loin de sa famille et loin de l'environnement social qu'elle avait toujours connu.

— Je n'ai pas de famille, Nathan. Et je vous assure que Sweetwater est beaucoup plus agréable que l'endroit d'où je viens.

Quoi qu'il puisse imaginer à propos d'elle, elle ne voulait surtout pas qu'il pense qu'elle était insatisfaite de ses nouvelles conditions de vie. Ni non plus de la manière dont il l'avait accueillie.

Il se tourna sur le canapé pour la regarder droit dans les yeux et elle lui offrit son plus doux sourire.

Il leva une main et lui effleura la joue d'une caresse légère.

— Vous êtes si merveilleusement belle, murmura-t-il.

Ella se sentit tout à coup comme dégrisée. Déçue d'entendre de la bouche de Nathan ce compliment qu'elle avait entendu des centaines de fois et dont elle savait bien qu'il ne voulait rien dire.

— Ne dit-on pas que la beauté est purement subjective ?

Il glissa ses doigts dans ses cheveux.

— Voyons, Ella, il n'existe sans doute pas un seul homme au monde qui ne serait d'accord avec moi.

Elle se pencha imperceptiblement vers lui, sans cesser de le regarder, attentive à exprimer douceur et soumission par son langage corporel.

Comme elle l'avait espéré, il se pencha vers elle à son tour et leurs lèvres se rencontrèrent. Ce fut un baiser très doux, plein d'une tendresse qu'elle n'avait jamais expérimentée jusqu'à présent. Il lui enroula un bras autour des épaules pour l'attirer plus près de lui.

Elle aimait le goût de ses lèvres, la sensation de ses bras autour d'elle. Elle aimait tout dans ce baiser... Tout particulièrement la façon que Nathan avait de la faire se sentir spéciale. Digne de l'attention qu'il lui portait.

Tout à coup une question lui vint à l'esprit, une pensée qui la troubla infiniment plus qu'elle ne l'aurait cru possible. Nathan avait-il embrassé d'autres femmes depuis la mort de sa première épouse ? Avait-il pris une maîtresse... ou même visité une maison de tolérance ? Après tout, c'était dans la nature des hommes que de considérer l'acte physique comme l'assouvissement nécessaire d'un besoin naturel. Et Nathan était un homme comme tous les autres.

Mais depuis quand était-il important pour elle de répondre à ce genre de questions ? Et comment osait-elle se les poser, compte tenu de son propre passé ? Comment aurait-elle pu lui reprocher de ne l'avoir épousée que pour se conformer à l'image que se faisaient les électeurs d'un gouverneur posé et responsable ? Alors qu'elle-même n'était venue dans le Wyoming que pour pouvoir enfin vivre librement.

Oui, elle était bien obligée de le reconnaître, quelque chose avait changé depuis qu'elle avait rencontré Nathan et qu'elle l'avait épousé. Quelque chose qu'elle n'aurait pu ni calculer ni anticiper. Ce que cet homme pensait d'elle lui semblait désormais d'une importance essentielle.

Elle s'écarta suffisamment pour pouvoir de nouveau le regarder dans les yeux.

— Voudriez-vous m'accompagner jusqu'à ma chambre ? lui demanda-t-elle d'une voix très douce.

Celle de Nathan lui parut rauque.

— Bien sûr.

Elle lui prit la main et se leva. Il se leva à son tour, la

dominant de toute sa hauteur, son regard plongé dans le sien avec une intensité qui la fit frissonner.

Elle tourna les talons et l'entraîna jusqu'à l'escalier, gravit les marches devant lui et, au premier étage, s'arrêta devant la porte de sa chambre.

— Voudriez-vous bien m'allumer les lampes ?

Elle ouvrit la porte et s'effaça pour le laisser entrer.

Chapitre 8

Nathan prit les allumettes posées sur la petite console près de la porte et alla allumer d'abord la lampe à huile du bureau puis celle de la table de chevet. Il revint ensuite poser la boîte d'allumettes sur la console.

— C'est si calme ici, la nuit, dit Ella d'une voix douce. J'étais habituée à bien davantage de bruit.

— Je suppose que c'est une question d'habitude, en effet.

Il la regarda un moment sans rien ajouter, avant d'incliner la tête pour la saluer.

— Je vous souhaite une bonne nuit, Ella.

— Bonne nuit à vous aussi.

Il referma la porte derrière lui et s'éloigna à grandes enjambées. Il redescendit d'abord au rez-de-chaussée, dans son bureau, pour mettre le pare-feu devant l'âtre, par mesure de sécurité. Ensuite seulement il remonta dans sa chambre.

Il avait vraiment cette jeune femme dans le sang. Tout en elle lui embrasait les sens. Le son de sa voix, même lorsqu'elle disait les choses les plus banales, son parfum discret et entêtant à la fois, les reflets soyeux de son épaisse chevelure brune, et bien sûr les courbes voluptueuses qu'il devinait sous ses vêtements.

Comment allait-il pouvoir supporter les six mois à venir, à devoir ainsi la côtoyer chaque jour sans jamais s'autoriser le moindre manquement aux règles qu'il avait lui-même édictées ?

Après avoir allumé les lampes de sa chambre, il alla

ouvrir le tiroir du haut de sa commode et en sortit une boîte de bois plate. Il la posa sur le dessus de la commode, l'ouvrit, et prit une profonde inspiration avant d'en sortir le portrait qu'un photographe avait réalisé le jour de son mariage avec Deborah.

Deborah était si jeune alors, si innocente. Et si totalement inexpérimentée pour la vie dans laquelle il l'avait entraînée.

Le jour où il lui avait montré Sweetwater pour la première fois, elle avait écarquillé des yeux incrédules et son visage s'était figé en une expression atterrée. Il avait aussitôt voulu la rassurer en lui promettant qu'ils ne logeraient à l'hôtel que jusqu'à ce que la construction de la maison soit achevée, et qu'ensuite il ferait venir pour elle les meubles et les objets les plus raffinés. Et c'était bien ce qu'il avait fait.

Pourtant, Deborah ne s'était jamais remise de son choc initial.

Nathan se retourna pour balayer du regard la vaste chambre avec l'imposant lit à baldaquin, les lourdes tentures de velours, les délicates peintures à l'huile et la ravissante coiffeuse de bois sculpté qu'il avait fait venir de Philadelphie. Toute la maison était remplie de meubles raffinés, de tapis luxueux, de draperies soyeuses. Mais Nathan avait hélas compris que toutes les possessions matérielles du monde ne suffiraient jamais à rendre son épouse heureuse, à la faire se sentir chez elle dans cette ravissante demeure.

Elle l'avait aimé, bien sûr, mais elle avait réservé toutes ses démonstrations d'affection à ses enfants. Elle avait été une mère exceptionnelle et une maîtresse de maison remarquable. Préférant toujours rester seule chez elle avec ses enfants plutôt que de voir d'autres gens et de s'adonner à n'importe quelle activité extérieure. Il avait essayé de l'encourager à se joindre aux réunions des dames de la paroisse. Mais Nathan avait bien vu qu'elle n'avait accepté de s'y rendre que pour lui faire plaisir, et le moins souvent possible.

Il reposa la photographie encadrée sur la commode et fixa un long moment l'expression si trompeusement sereine qu'avait arborée Deborah ce jour-là. Il se rappela la longue suite des désillusions qui s'étaient accumulées tout au long de ses années de mariage, les renoncements qui s'en étaient suivis, puis la résignation.

Et ce terrible sentiment d'impuissance qu'il avait ressenti. Cette culpabilité si lourde qui avait trouvé son paroxysme au moment de la mort de sa femme, à la naissance de leur dernier enfant.

Oui, c'était par sa faute que sa femme avait été malheureuse. Et par sa faute aussi, bien sûr, qu'elle était morte en couches.

Mais ce nouveau mariage n'était en rien semblable au précédent, et il ferait tout ce qui était en son pouvoir pour s'assurer qu'il en soit toujours ainsi.

C'était de son plein gré qu'Ella avait choisi de venir à Sweetwater. Elle avait décidé de se marier avant même de l'avoir rencontré. Il ne l'avait donc arrachée ni à un lieu ni à personne.

Malgré tout, il était tout à fait conscient de l'effort d'adaptation qu'allait nécessiter pour elle le fait d'apprendre à vivre dans un environnement si nouveau. Et, bien plus encore, d'apprendre à vivre avec un mari.

Oui, Ella semblait accueillir ses baisers avec plaisir, mais ils n'en étaient encore tous les deux qu'aux prémices des relations entre hommes et femmes. C'était pour la ménager qu'il ne voulait pas brusquer les choses et qu'il s'était imposé cette période d'attente. Parce qu'il redoutait plus que tout de voir dans ses yeux ce qu'il avait vu dans ceux de Deborah le jour où elle avait découvert l'aspect physique du mariage.

Ce souvenir à lui seul suffisait à le convaincre qu'il faisait preuve de sagesse en choisissant d'attendre.

— Je vous dois des excuses, dit-il à Ella le lendemain matin.

Il avait attendu sur le palier du premier étage qu'elle sorte de sa chambre, préférant l'intercepter avant qu'ils ne se retrouvent tous ensemble dans la salle à manger pour le petit déjeuner.

— Et pourquoi donc ? s'étonna-t-elle.

— Nous nous sommes mariés de façon un peu précipitée et je n'ai pas prévu de voyage de noces. Pas même de m'absenter quelques jours de mon bureau. Alors je voulais vous rassurer et vous dire que nous partirions en voyage tous les deux dès que j'aurai pu organiser quelque chose.

Elle avait déjà lu des annonces de mariage dans les journaux et savait que les jeunes couples partaient souvent prendre quelques jours tous les deux après la cérémonie.

— Je sais bien que tout s'est passé de façon très rapide, lui répondit-elle. Mais ne vous inquiétez surtout pas, je ne m'attendais pas à partir en voyage de noces.

— Je comprendrais tout à fait que vous soyez déçue. Par ailleurs nous pouvons toujours voir le bon côté des choses et penser que cela va nous permettre de réfléchir ensemble à ce que nous pourrions faire.

Elle lui posa doucement une main sur l'avant-bras.

— Nathan, je vous le répète, je ne m'attendais pas du tout à partir en voyage de noces. Le fait de venir jusqu'ici a déjà représenté un long voyage, donc je n'éprouve aucun besoin de repartir si vite.

— Mais ne pensez-vous pas que ce pourrait être une diversion agréable de planifier ensemble un voyage de noces ?

— Si, bien sûr.

— Nous irons où vous voudrez.

— Parfait. Alors nous en reparlerons. Les enfants sont-ils déjà descendus ?

— Les garçons, oui. Mais ils m'ont dit que Grace avait un peu de mal à se réveiller ce matin. Mme Shippen n'arrivera pas avant encore une demi-heure, pensez-vous que vous pourriez aller aider la petite ?

— Je monte tout de suite, dit-elle malgré l'appréhension qu'elle sentait tout à coup monter en elle.

Nathan la remercia et descendit les escaliers.

La porte de la chambre des enfants était restée entrouverte, Ella frappa doucement.

— Grace ? Tu es réveillée ?

N'obtenant pas de réponse elle entra. Les trois lits étaient vides. Elle poussa la porte et s'arrêta sur le seuil, intriguée de ne voir personne. Soudain, un bruit lui parvint de derrière un paravent, tout au bout de la pièce. Elle s'avança, contourna le paravent et s'arrêta net.

Les cheveux ébouriffés et l'air encore tout ensommeillé, Grace se tenait debout et semblait ne pas trop savoir ce qu'elle devait faire.

— Je vois que tu es réveillée, s'exclama Ella d'un ton enjoué. Je suis venue t'aider à te préparer.

La petite fille se gratta la tête d'un air absent, puis retourna dans la chambre pour aller se planter devant une armoire qu'elle pointa du doigt.

Ella l'ouvrit et y découvrit tout un assortiment de robes.

— Laquelle aimerais-tu mettre aujourd'hui ? demanda-t-elle à l'enfant.

Grace toucha l'ourlet d'une robe bleu ciel qu'Ella décrocha de son cintre de bois.

— Elle est ravissante, déclara-t-elle avec un sourire

approbateur. Bien, les sous-vêtements, à présent. Je suppose qu'ils se trouvent dans ces tiroirs… Ah, voilà juste ce qu'il nous faut. Et si nous commencions par te débarbouiller un peu ?

La petite fille repartit en trottinant vers le paravent derrière lequel se trouvait un meuble de toilette. Un grand pichet, une cuvette ronde en faïence, et une pile de petits linges propres pliés étaient posés dessus.

Ella testa l'eau du pichet, vit qu'elle était encore tiède et en versa dans la cuvette. Puis elle tendit un linge à Grace.

L'enfant le prit, le regarda sans rien dire, puis le rendit à Ella.

Ella le reprit, le mouilla, l'essora, et le tendit de nouveau à la petite fille qui, toujours sans rien dire, le regarda mais ne le reprit pas.

Comprenant enfin que l'enfant s'attendait à ce que ce soit elle qui lui fasse sa toilette, Ella s'exécuta. Grace cligna des yeux lorsque le linge humide lui toucha le visage puis resta stoïque pendant la suite des opérations, fixant comme à son habitude la jeune femme d'un air grave.

— Voilà, dit Ella lorsque ce fut terminé. On va s'habiller, maintenant, d'accord ?

Grace hocha la tête et retourna dans la chambre s'asseoir sur son lit, à côté de la robe et des sous-vêtements qu'Ella y avait posés. Elle s'agenouilla devant l'enfant pour l'habiller, puis se releva et considéra d'un œil perplexe ses cheveux ébouriffés.

— Parfait. A présent tu vas me dire où est rangée ta brosse.

Grace désigna du doigt le tiroir du haut de la commode.

Ella en sortit la brosse ainsi que deux rubans et entreprit de démêler tout doucement la fine chevelure de l'enfant. Une entreprise délicate et de longue haleine, pendant laquelle elle ne cessa de parler gentiment à Grace, sans se formaliser outre mesure du fait que l'enfant ne lui réponde pas. Ensuite elle sépara ses cheveux en deux tresses bien nettes, puis recula d'un pas pour juger de l'effet produit.

— Cette fois-ci, c'est terminé et c'est très réussi ! s'exclama-t-elle d'un ton enjoué. Bravo, Grace, excellent choix de robe !

La petite fille eut un sourire timide qui lui creusa les joues de fossettes semblables à celles de son frère Christopher.

Elles descendirent ensemble au rez-de-chaussée et Ella la fit entrer devant elle dans la salle à manger.

— Voilà ma jolie petite fille ! s'exclama Nathan pour l'accueillir.

Ella ne put s'empêcher de tiquer à ce commentaire. Cela partait d'un bon sentiment, bien sûr, et en plus il était tout à fait exact que Grace était une enfant ravissante. Mais le fait d'insister sur les apparences l'avait toujours mise mal à l'aise. Elle avait conservé de son expérience passée l'impression que limiter une femme à sa seule beauté revenait en fait à la réduire au rang d'objet. Un simple objet destiné au plaisir de quelqu'un d'autre.

Lorsque le repas fut terminé, Nathan souhaita à Ella une excellente journée, embrassa Grace et Robby, et quitta la maison pour emmener Christopher à l'école et se rendre lui-même à son bureau.

Tandis que Mme Shippen emmenait les deux jeunes enfants dans la nursery, Ella resta dans la salle à manger pour aider Charlotte à débarrasser la table du petit déjeuner. Voyant que la cuisinière semblait s'étonner de cette initiative, elle décida de questionner Mme Shippen sur les us et coutumes des différents habitants de la maison lorsqu'elle redescendrait.

*
* *

105

— Pourriez-vous me décrire la façon dont se déroule une journée normale ici ? lui demanda-t-elle un peu plus tard.

— Eh bien, en général, les enfants passent la matinée à jouer dans la nursery pendant que je fais les chambres et m'occupe des lessives. Je les fais déjeuner à midi et ensuite ils remontent faire une sieste.

— Je vois… En fait, reprit Ella d'une voix un peu hésitante, je ne suis pas très sûre de ce qu'on attend de moi.

— Je travaillais déjà ici du vivant de la première Mme Lantry, répondit Mme Shippen. Elle passait la plus grande partie de la journée avec les enfants. Pendant leur sieste, elle lisait ou faisait de la tapisserie. Il lui arrivait parfois d'aller déjeuner ou prendre le thé chez d'autres dames de la paroisse, mais assez rarement je dois dire.

Ella remercia Mme Shippen de ces éclaircissements puis monta à la nursery.

Grace et Robby parurent très surpris de la voir entrer. Le petit garçon posa par terre le cube de bois qu'il tenait à la main et courut jusqu'à elle.

— Tu veux bien nous lire une histoire ?

— Très volontiers, lui répondit Ella. Mais nous allons d'abord commencer par aller faire vos lits, d'accord ?

Les deux enfants la suivirent, visiblement intrigués par ce nouveau programme de jeux. Robby s'attela à l'ouvrage avec enthousiasme, faisant de son mieux pour aider Ella à tendre draps et couvertures, sous le regard toujours aussi sérieux de sa petite sœur. Ils venaient de faire le lit de Grace lorsque le petit garçon ramassa par terre une poupée de chiffon qu'il brandit d'un air victorieux, avant d'entreprendre de la déposer sur son oreiller. Il redescendit très fier de lui et Ella le complimenta, s'empêchant de sourire tandis qu'elle refaisait discrètement le lit qu'il venait bien sûr de défaire.

Lorsque Robby et elle eurent terminé de faire les trois

lits — toujours sous l'œil grave de Grace — Ella choisit un livre et s'assit sur le rocking-chair pour leur faire la lecture à voix haute.

Mme Shippen arriva un peu plus tard et se montra très surprise de trouver les lits déjà faits.

— Quelle heureuse initiative ! s'exclama-t-elle. Avec vous qui faites votre lit, ajouta-t-elle en se tournant vers Ella, et M. Lantry qui le fait aussi, mes tâches de la matinée vont se trouver considérablement allégées !

Sa remarque montrait qu'elle savait qu'Ella et Nathan avaient fait chambre à part mais son ton rieur n'indiquait ni surprise ni désapprobation.

— Surtout n'hésitez pas à me dire s'il y a quoi que ce soit d'autre que je puisse faire pour vous aider, lui proposa Ella.

Mme Shippen la remercia, mais déclina son offre avant de retourner à ses tâches domestiques.

Robby et Grace apportèrent d'autres livres à Ella qui continua de bonne grâce à leur faire la lecture. Au bout d'un certain temps, elle suggéra néanmoins qu'ils mettent des chandails et sortent avec elle se promener dans le jardin. Les enfants parurent ravis. De toute évidence, ils étaient aussi heureux de l'attention qu'elle leur accordait que des changements qu'elle introduisait dans leur programme journalier.

Ella, de son côté, était tout aussi ravie de cette occasion qui lui était donnée de mieux faire connaissance avec ces beaux enfants. Les pitreries de Robby la faisaient rire et l'attention silencieuse de Grace l'émouvait.

Une fois encore, elle se surprit à penser qu'elle avait bien de la chance : de tous les endroits où elle aurait pu terminer, jamais elle n'aurait pu trouver mieux. Ni une demeure plus agréable, ni une famille plus accueillante, ni une position plus respectable.

Elle n'avait jamais été une rêveuse, imaginant des projets

mirifiques du genre de ceux qui ne se réalisent jamais. Ici, pourtant, à Sweetwater, la réalité ressemblait à un rêve. Par un ahurissant concours de circonstances, elle avait atterri dans un endroit qu'elle ne méritait pas, épousé un homme aussi exceptionnellement charmant que respectable, qui traitait bien son personnel, adorait ses enfants, et se comportait avec elle en parfait gentleman.

Elle aimait cet endroit. Elle aimait cette famille. Et elle allait faire tout ce qui était en son pouvoir pour se faire aimer d'eux.

L'après-midi, pendant que les enfants dormaient, elle insista pour aider Charlotte à éplucher les pommes de terre. La cuisinière dut tout d'abord lui montrer comment faire. Et Ella la surprit plusieurs fois en train de lui jeter des coups d'œil furtifs pendant qu'elle s'affairait à sa tâche.

Lorsqu'elle eut terminé, elle monta dans sa chambre chercher un livre, sortit une couverture de l'armoire et redescendit dans le jardin pour aller s'installer au bord de la rivière.

Elle étala la couverture et commença par s'allonger, les yeux fermés, pour écouter les bruits de la nature autour d'elle. Les oiseaux gazouillaient dans les branches des arbres dont la brise légère faisait bruisser les feuilles, en une mélodie plus harmonieuse que quoi que ce fût qu'elle eût jamais joué au piano…

Elle se laissa pénétrer par toutes ces sensations si nouvelles pour elle et si exquises. Celle du soleil sur son visage, par exemple. C'était la première fois de son existence qu'elle pouvait ainsi goûter une journée entière de totale liberté.

Elle repensa à l'épisode de la veille, lorsque Nathan l'avait encouragée à se déchausser pour la rejoindre dans l'eau. Elle repensa à la culbute qui s'en était suivie et au baiser qui en avait résulté.

Un baiser que jamais elle n'oublierait.

Elle avait délibérément écarté de sa mémoire une grande partie de son passé. Effacé le souvenir de tous les baisers qu'elle avait reçus.

Et pourtant elle voulait absolument conserver le souvenir de celui-ci. Tout comme elle voulait conserver, jusque dans ses moindres détails, le souvenir des moments qu'elle était en train de vivre avec Nathan. Parce qu'elle se rendait compte que c'étaient les seuls moments de bonheur pur et vrai qu'elle eût jamais connus.

Elle s'était sentie complètement désarçonnée par la découverte du plaisir qu'elle avait ressenti lorsque Nathan l'avait embrassée. Pendant des années, elle avait été éduquée à donner du plaisir, mais non à en recevoir. Et surtout pas à en ressentir.

En fait, ce qui n'avait été au départ qu'un plan élaboré pour assurer sa sécurité était en train de se transformer en quelque chose qu'elle n'avait pas recherché. Et qui la prenait complètement au dépourvu.

Elle ouvrit les yeux et observa les petits nuages cotonneux dans le ciel bleu. C'était la première fois qu'elle prenait conscience du fait qu'elle n'était qu'une infime particule d'un univers immense. C'était la première fois qu'elle se sentait aussi merveilleusement vivante.

Elle s'était choisi un nouveau destin. Elle avait décidé de devenir une personne différente. Elle s'appelait désormais Ella Lantry. Et elle allait faire tout ce qui était humainement possible pour devenir la personne dont Nathan et ses enfants avaient besoin. Pour devenir digne du respect que son mari lui portait. Digne de porter le nom qu'il lui avait donné.

Au fur et à mesure que la semaine avançait, Ella se rendit compte qu'elle avait chaque jour plus envie de savoir comment Céleste vivait sa propre expérience du mariage.

Au petit déjeuner, le jeudi matin, elle aborda le sujet avec Nathan.

— J'aimerais beaucoup rendre visite à Céleste, si toutefois vous n'y voyez pas d'objection.

Il tourna vers elle un regard perplexe.

— De toute évidence, vous avez subi chez Miss Haversham des restrictions sévères, mais cette période est révolue, Ella, et vous n'avez en aucun cas besoin de demander ma permission pour pouvoir quitter la maison. C'est la moindre des choses que vous profitiez d'une journée de liberté pour aller rendre visite à une amie.

— Merci, cela me fait très plaisir. Je sais que j'ai été invitée par les dames de la paroisse à participer aux répétitions de la chorale, mais je ne me sens pas encore tout à fait prête pour cela et je préférerais y aller plutôt la semaine prochaine.

— Bien sûr. Faites comme bon vous semble.

— Si vous voulez, je pourrais emmener les enfants avec moi pour rendre visite à Céleste, suggéra-t-elle.

— Cela ne me paraît pas une très bonne idée... à moins bien sûr que vous n'éprouviez le désir irrépressible de passer l'après-midi à empêcher Robby de faire des bêtises et Grace de disparaître dans la nature. Allez-y donc seule, Ella, je vous assure que vous profiterez bien davantage de votre amie.

Ne sachant pas grand-chose des conditions dans lesquelles Céleste vivait, Ella jugea qu'il était sans doute préférable de s'y rendre seule pour la première fois.

Nathan envoya un cocher la chercher après le petit déjeuner. Un dénommé Pete Driscoll, souriant mais peu bavard. Ella profita de la promenade pour admirer la campagne vallonnée, tout en savourant sa liberté avec une intensité proche de l'euphorie.

A l'orée d'un petit bois, elle demanda au cocher de

s'arrêter pour qu'elle puisse cueillir quelques fleurs dont la couleur lavande avait attiré son regard. Lorsqu'elle eut fini son bouquet, il l'aida à remonter sur son siège sans faire de commentaire. Ils arrivèrent chez les Adams peu de temps après.

Le ranch consistait en un petit groupe de différents bâtiments de ferme, un corral, et une petite maison basse adossée à une rangée d'arbres. A l'ouest de la maison, Céleste était en train d'accrocher sur une corde à linge ce qui semblait être des rideaux. Elle se tourna en entendant le buggy approcher et se précipita pour venir accueillir son amie.

— Gab… lança-t-elle d'un ton joyeux avant de se reprendre. Ella ! Quelle merveilleuse surprise !

Elle portait une robe de toile grise et un tablier blanc. Elle avait natté ses longs cheveux noirs qui lui pendaient dans le dos en une lourde tresse. Ella fut d'abord un peu étonnée par la simplicité de sa tenue et la rusticité de son environnement, mais le large sourire et les yeux brillants de son amie la rassurèrent tout aussitôt : Céleste rayonnait littéralement de bonheur.

— J'avais tellement envie de te voir, murmura Ella en lui tendant le bouquet de fleurs des champs qu'elle venait de cueillir, avant de la serrer contre elle en une accolade affectueuse.

— M. Lantry m'a demandé de vous attendre, dit alors le cocher. Je vais en profiter pour aller abreuver le cheval et lui trouver un peu d'herbe à brouter.

— Merci à vous, lui répondit Ella.

Céleste la prit par le bras pour l'emmener vers la maison.

— Tu prendras bien une tasse de thé avec moi, n'est-ce pas ? suggéra-t-elle avec son enthousiasme habituel. Tu tombes bien : je viens de faire cuire un gâteau que je vais te faire goûter.

La cuisine était plutôt petite, mais chaleureuse et fonctionnelle, avec une fenêtre qui donnait sur la façade et une porte grillagée qui ouvrait sur un jardin potager très bien entretenu.

Céleste commença par remplir une bouteille d'eau pour y mettre les fleurs qu'elle posa sur la table.

— Paul m'a dit un jour qu'on appelait ces fleurs des « étoiles filantes ». Tu ne trouves pas que c'est ravissant comme nom ? Oh ! accroche donc ton chapeau et ton châle à la patère près de la porte, tu verras qu'il fait bien assez chaud ici. Et puis je vais remettre du bois sur le feu.

Ella alla accrocher ses affaires, puis revint près de son amie. Celle-ci commença en effet par rajouter quelques bûches dans la cheminée, puis remplit une bouilloire d'eau qu'elle mit à chauffer sur la cuisinière.

— Tu ne trouves pas ça inouï qu'on se retrouve toutes les deux pour prendre le thé dans une cuisine en pleine campagne ? s'exclama-t-elle en riant. J'ai essayé ce matin une nouvelle recette et je ne suis pas du tout sûre du résultat. D'ailleurs, je ne sais même pas pourquoi je parle de « nouvelles » recettes, tu penses bien que toutes les recettes sont nouvelles pour moi !

Elle retira le linge plié qui couvrait l'assiette posée sur la table et révéla un gâteau un peu de guingois.

Elle en coupa deux parts qu'elle posa sur deux assiettes avant d'en tendre une à Ella.

— Allez, courage, ma belle, lança-t-elle en riant de nouveau. Après tout, ça ne peut pas être si mauvais : je n'y ai mis que de bonnes choses. Assieds-toi donc pendant que je prépare le thé, ce sera tout de même plus confortable.

Céleste revint avec deux tasses et s'assit sur une chaise près de son amie.

— Figure-toi que c'est moi qui prépare tous les repas pour Paul et moi… et il ne s'est même pas encore plaint !

dit-elle avec un nouveau rire. Et pourtant il aurait des raisons de le faire, crois-moi. Je n'y connaissais strictement rien en cuisine avant de débarquer ici. Mais il est tellement patient, tu ne peux pas savoir. Il explique les choses sans s'énerver. Je ne l'ai jamais vu élever la voix. Alors encore moins le poing, tu penses bien ! Avoue que c'était plutôt inespéré, non ? Tu te rends compte de la chance qu'on a toutes les deux, si l'on repense à tout ce qu'on a vécu avant !

Ella hocha la tête en guise de réponse, préférant ne pas prendre le risque de s'étrangler pendant qu'elle essayait d'avaler son morceau de gâteau. Plutôt sec, en effet.

Céleste comprit tout de suite le problème.

— C'est un véritable étouffe-chrétien, hein ? reconnut-elle avec un rire franc. Pourtant je t'assure que je m'applique… mais je sais bien qu'il y a encore de sérieux progrès à faire. Tu prendras une grande gorgée de thé, ça l'aidera à descendre !

— Ton gâteau est très bon, vraiment. Un peu sec, bien sûr. Mais très bon. Puisqu'on parle d'expérience nouvelle, eh bien, figure-toi que j'ai épluché des pommes de terre.

Céleste écarquilla des yeux ronds.

— Non ! A propos de pommes de terre tu savais, toi, que ça poussait dans la terre ?

Gagnée par la bonne humeur de son amie, Ella éclata de rire à son tour.

— Bien sûr que non.

— Et tu as déjà vu un navet ?

— Non plus.

— Et les œufs ! s'exclama Céleste en levant les mains au ciel. Si tu savais le tintouin que c'est de ramasser les œufs ! Il faut pratiquement se battre contre les poules pour arriver à les récupérer !

On entendit l'eau se mettre à bouillir et Céleste se leva pour aller la verser dans une grosse théière en terre cuite.

— Et pourtant ça vaut le coup, tout ça : la cuisine, le ménage, l'entretien du potager. Et je dirais même que ce n'est pas cher payé ! Mon mari me traite comme si j'étais… précieuse. Oui, c'est exactement ça : précieuse.

Elles étaient toutes les deux seules et pourtant Céleste baissa la voix pour murmurer :

— Et il est tellement délicat au lit. Il me demande la permission pour la moindre petite chose et ensuite il me demande si ça m'a plu. Et tu ne connais pas la meilleure : il n'avait jamais eu d'autre femme avant moi ! Tu te rends compte ? Il s'applique tellement que c'en est attendrissant. Et puis, après, il me garde serrée dans ses bras et on s'endort comme ça. Incroyable, je te dis. Tout simplement incroyable…

Elle cessa de parler et ses yeux s'embuèrent.

Sentant tout à coup ses propres yeux la piquer, Ella cligna des yeux pour refouler les larmes qui menaçaient.

— Je n'aurais jamais imaginé qu'il puisse exister un homme tel que lui, reprit Céleste, la voix rendue rauque par l'émotion. Je n'avais jamais connu autre chose que des rustres pressés de retourner à leurs jeux de cartes, des ivrognes, ou bien des types mariés qui venaient juste chercher ce que leur femme refusait de faire.

Ella hocha la tête sans rien dire. Elle non plus n'aurait jamais pu imaginer qu'il puisse exister des hommes bons et courtois. Des hommes qui aimaient leurs enfants. Des hommes qui plaçaient avant les leurs les besoins d'une femme.

Céleste versa du thé dans les deux tasses et en poussa une devant Ella.

— Ton mari se montre-t-il aussi tendre avec toi ?

Ella versa une cuillerée de sucre dans sa tasse et feignit de la remuer avec attention.

— Il est très patient avec ses enfants, et se montre extrêmement poli et attentionné avec moi.

— Et il se comporte en gentleman jusque dans la chambre ?

Ella eut un vague haussement d'épaules et laissa un instant son regard errer sur les différents objets posés devant elle avant de relever la tête pour regarder son amie en face.

Céleste commença par froncer un sourcil perplexe, avant d'écarquiller des yeux incrédules.

— Vous n'avez pas…

Chapitre 9

— C'est surprenant, je sais, reconnut Ella. Mais il m'a expliqué qu'il tenait absolument à prendre le temps de me faire la « cour » dans les règles de l'art. Pour qu'on apprenne à se connaître peu à peu.

Céleste parut tout à coup inquiète.

— Si tu veux un conseil, ma fille, tu ferais mieux d'accélérer cette étape en vitesse. Paul m'a dit que notre mariage ne devenait légal qu'après avoir été « consommé ». C'est comme ça qu'on appelle la première fois. J'ai dû lui demander de m'expliquer parce que je n'avais pas la moindre idée de ce qu'il voulait dire. Mais apparemment on peut encore tout annuler tant que le mari et la femme n'ont pas vraiment « consommé » comme ils disent.

Ella s'inquiéta à son tour.

— Tu ne crois tout de même pas qu'il se retient pour prendre le temps de réfléchir, au cas où il changerait d'avis sur moi ?

— Il a peut-être ses raisons, répondit Céleste en buvant une gorgée de thé d'un air pensif.

Ella prit sa tasse elle aussi. Nathan ne lui avait à aucun moment laissé entendre que leur mariage pourrait ne pas marcher.

— Il a commandé un piano qui va bientôt être livré, annonça-t-elle à Céleste. Et quand il arrivera je vais apprendre aux enfants à lire la musique et à jouer.

— Comment ça se passe avec les enfants ?

— Très bien. Il y a un seul problème, mais qui n'a rien à voir avec moi : sa fille ne parle pas.

Elle continua à parler des enfants jusqu'au moment où Paul apparut. Il la salua chaleureusement et Céleste se leva pour lui préparer des sandwichs et lui verser un verre de lait.

Il mangea son repas en silence, puis se leva et remercia Céleste avec un sourire timide.

— Je t'en prie, répondit Céleste en lui souriant à son tour, avec un sourire comme Ella ne lui en avait jamais vu.

Ils échangèrent un regard de tendre complicité et Ella eut l'impression que Paul se retenait d'embrasser sa femme parce qu'elle était là…

— Content de vous avoir vue, assura-t-il avec un hochement de tête, puis il décrocha son chapeau de la patère et sortit.

Ella jeta un coup d'œil à Céleste, émue de voir le bonheur qu'exprimait son visage tandis qu'elle regardait son mari s'éloigner, et soulagée de constater que cette union semblait décidément réussie en tout point.

Elles restèrent encore un moment toutes les deux à bavarder, tout en déjeunant de sandwichs que Céleste prépara tout en parlant. Après une dernière tasse de thé, Ella remercia son amie et repartit chez elle.

Sur le chemin du retour elle repensa à tout ce qu'elle avait vu et entendu. Elle demanda une nouvelle fois au cocher de s'arrêter et cueillit un autre bouquet d'étoiles filantes pour le rapporter à la maison.

Une fois rentrée, elle monta se changer et redescendit aider Charlotte à mettre le couvert et à préparer le repas du soir, sans pouvoir s'empêcher de ressasser ce que Céleste lui avait appris à propos de la « consommation » d'un mariage.

Elle avait beau repenser à tout ce qui s'était passé depuis sa rencontre avec Nathan, elle ne se rappelait aucun moment où il lui eût donné l'impression de douter ni de se poser des

questions quant à la réussite de leur union. Et, par conséquent, de vouloir faire traîner les choses pour se laisser le
temps de la réflexion. Il lui avait en revanche toujours paru
sincèrement préoccupé par le fait de ménager sa sensibilité.

Penser qu'il pût y avoir le moindre risque que leur mariage
ne fût pas légal la rendait tout à coup folle d'inquiétude.
Elle voulait à tout prix rester chez Lantry.

Comme tous les soirs, la petite famille s'était réunie
dans le bureau de Nathan après le dîner. Tout le monde
était occupé lorsque soudain un éclair zébra le ciel sombre.
Nathan se leva et ferma les lourds rideaux.

— C'est un orage, papa ? demanda Christopher. Un gros ?

— Non, ce n'est qu'un petit orage de printemps, lui
répondit son père.

Grace regarda d'abord la fenêtre, puis Nathan, avant de
se lever pour aller écarter les pans de rideaux et regarder
dehors.

— Ne t'inquiète pas, ma poupée, lui dit son père d'une
voix douce, ce n'est qu'un petit orage.

Il se tourna ensuite vers Ella.

— Nous avons reçu une invitation au fameux bal de
printemps que les Crandall donnent chaque année.

— Qu'entend-on exactement par bal de printemps ?

— C'est un prétexte pour réunir des tas de gens autour
de jolis buffets, répondit-il en souriant. Et une occasion
offerte aux membres de notre communauté qui ne vous ont
pas encore rencontrée de faire enfin votre connaissance.

Grace quitta la fenêtre et vint se planter devant son père,
les bras tendus. Nathan comprit sa requête muette et la
souleva de terre pour la prendre sur ses genoux. La petite
fille se blottit aussitôt contre lui avec un profond soupir.

— Il va bientôt être l'heure d'aller se coucher, ma puce.

L'enfant pointa du doigt l'une des étagères basses de la bibliothèque.

— Quel livre aimerais-tu ? lui demanda Ella, espérant que Grace lui répondrait.

Mais la petite fille se contenta de pointer le doigt de nouveau.

— J'aimerais tant qu'on puisse savoir ce qu'elle veut, murmura Ella à Nathan.

Grace sauta alors à bas des genoux de son père et courut jusqu'à la bibliothèque, se haussant sur la pointe des pieds pour attraper le volume qui l'intéressait. Elle revint ensuite avec son livre et se planta une nouvelle fois devant son père pour qu'il la reprenne sur ses genoux.

Visiblement, pensa Ella pour elle-même, l'enfant se débrouillait fort bien pour se faire comprendre.

Nathan ouvrit le livre et se mit à lire l'histoire tandis qu'Ella les observait, attendrie par la tendresse qu'exprimait le visage de Nathan, et la dévotion absolue qu'exprimait celui de Grace.

Tout à coup, elle sentit une petite main se poser sur son avant-bras. C'était celle de Robby.

— Je peux monter moi aussi ? lui demanda-t-il.

Ella souleva le petit garçon et l'installa sur ses genoux de façon à ce qu'il puisse regarder son père lire.

— Je veux lire aussi ! s'exclama-t-il d'un ton péremptoire.

Sans même interrompre sa lecture, Nathan tapota le divan près de lui. Ella se leva, portant toujours Robby dans ses bras, et vint s'asseoir près de Nathan pour que l'enfant puisse voir les images.

La pendule de la cheminée égrena un carillon mélodieux, attirant l'attention de la jeune femme sur l'heure qu'il était. Elle se trouva soudain revenue quelques semaines en arrière, de retour à Dodge City...

Une fois encore elle repensa à la chance inouïe qu'avait

représentée pour elle le statut si particulier dont elle avait toujours bénéficié chez Mme Fairchild. La fortune d'Ansel Murdoch lui avait permis d'obtenir l'exclusivité absolue des faveurs d'Ella, dont les semaines s'étaient ainsi toujours déroulées sur le même rite immuable. Elle recevait M. Murdoch deux soirs par semaine, le lundi et le vendredi. Tous les autres soirs, son rôle se bornait à jouer du piano pendant le dîner, en prétendant ne rien remarquer des travaux d'approche plus ou moins discrets de ces messieurs avant qu'ils ne montent dans les chambres.

L'atmosphère paisible et aimante de la maison de Nathan faisait encore ressortir l'aspect sordide de la vie qu'elle avait vécue. Chaque jour qui passait lui apportait davantage de raisons de se féliciter d'avoir quitté le Kansas, et ancrait plus profondément encore en elle sa certitude de ne plus jamais vouloir retourner à une telle vie.

Robby s'agitait beaucoup sur ses genoux, se penchant sans cesse en avant pour pointer du doigt un dessin d'une page avant de se tourner vers Ella pour l'interroger du regard. Chaque fois qu'elle lui nommait un animal, il se lançait dans une imitation — très approximative — du cri lui correspondant, avant d'éclater d'un rire joyeux auquel tous les autres se joignaient aussitôt, pour le plus grand bonheur du jeune imitateur.

Ella clignait des paupières pour refouler les larmes qui lui montaient aux yeux, tant elle se sentait émue de participer ainsi à cette scène d'intimité familiale si chaleureuse et si sereine à la fois. Un bonheur qu'elle n'avait pas connu. C'était la première fois qu'elle mesurait pleinement la dureté de l'enfance qu'elle avait vécue.

Elle en éprouva tout à coup une profonde tristesse, en même temps qu'un regret infini pour tout ce qui aurait pu être et n'avait pas été…

— Il est temps de monter se coucher, les enfants, annonça soudain Nathan, interrompant le cours de ses pensées.

Robby sauta à terre et courut en direction de l'escalier. Christopher prit le temps de ramasser ses jouets avant de le suivre. Quant à Grace, elle resserra fort ses petits bras autour du cou de son père, attendant visiblement qu'il se lève pour l'emporter avec lui.

— Est-ce que toutes les petites filles se montrent toujours aussi tendres avec leur papa ? demanda-t-il à Ella avec un sourire attendri.

Elle ne lui répondit que par un sourire. Qu'aurait-elle pu trouver à dire, elle qui n'avait jamais connu son père ?

Lorsque les enfants furent bordés dans leurs lits, ils redescendirent dans le bureau et Nathan offrit à Ella un verre de sherry.

— Alors racontez-moi : comment s'est passée votre visite, aujourd'hui ?

— Très agréablement. Céleste semble très heureuse avec son mari.

— Cela ne m'étonne pas, je vous avais dit que Paul était un bon garçon. A ce propos, j'ai appris que Tom Bradbury avait vu votre amie Kellie à plusieurs reprises. Tom est banquier, il a une maison tout près de la nôtre, un peu plus loin dans la rue. C'est l'un des citoyens les plus éminents de notre communauté.

Sans doute fortuné, en déduisit Ella. Rien de très étonnant donc à ce que Lena eût jeté son dévolu sur lui.

Son verre à la main, elle alla jusqu'à la fenêtre écarter l'un des lourds rideaux. De grosses gouttes de pluie ruisselaient sur les vitres.

— Dites-moi, Ella, souffrez-vous de la solitude, ici ?

Entendre sa voix si proche la fit tressaillir. Elle regarda par-dessus son épaule et le vit tout près d'elle, tenant lui aussi son verre à la main, le regard rivé sur la fenêtre.

— Non. Bien sûr que non.

— Me le diriez-vous si c'était le cas ?

— Je doute de souffrir un jour de solitude dans cette maison. Les soirées avec vous et les enfants sont toujours très animées et, pendant la journée, Robby et Grace me tiennent compagnie. Une compagnie fort joyeuse et que j'apprécie beaucoup.

— Grace ne parle pas, objecta-t-il d'une voix un peu triste.

— Mais cela va changer, j'en suis certaine.

— En tout cas, vous m'assurez que vous me le diriez, si vous vous sentiez seule ici. Une personne peut parfaitement se sentir seule au milieu de beaucoup de gens et d'un tourbillon d'activités.

Ella fut émue par l'inquiétude palpable de Nathan.

— Oui, je vous le dirais, je vous le promets. Ne serait-ce que parce que vous me l'avez demandé.

Elle se tourna pour lui faire face, laissant le rideau retomber.

— Et vous, Nathan, vous sentez-vous parfois seul ?

Il baissa les yeux sur son verre.

— En fait, je ne m'en étais pas rendu compte mais… mais je me sentais seul, oui. Avant que vous n'arriviez dans ma vie.

— Et maintenant ?

Il releva la tête pour la regarder droit dans les yeux.

— Maintenant je vous ai *vous*.

— Vous me connaissez à peine.

— J'en connais assez. Vous êtes intelligente et sensible. Je n'ai jamais rencontré qui que ce soit qui apprécie à ce point d'apprendre de nouvelles choses. Une personne qui se donne si entièrement à tout ce qu'elle fait. J'ai parfois l'impression que vous êtes aussi innocente qu'une enfant… mais, l'instant d'après quelque chose dans vos yeux, ou dans

123

vos paroles, trahit la douleur d'une personne ayant connu une vie difficile. Vous êtes un mystère pour moi, Ella.

Elle eut un imperceptible haussement d'épaules.

— Je vous assure qu'il n'y a là rien de délibéré.

Un soudain coup de tonnerre la fit sursauter et elle s'écarta instinctivement de la fenêtre, se rapprochant de lui.

— Vous avez peur des orages ? lui demanda-t-il.

Le coup de tonnerre l'avait simplement surprise, mais à l'instant précis où elle s'apprêtait à lui répondre par la négative elle se rappela les paroles de Céleste sur la nécessité de consommer un mariage pour qu'il devienne légal.

— Eh bien… cela m'ennuie de devoir le reconnaître mais oui, je vous l'avoue, les éclairs et les coups de tonnerre m'effraient.

Elle fit un nouveau pas en avant, pour s'approcher plus près de lui.

Il lui prit son verre des mains avant de le poser avec le sien sur une table voisine, puis il se tourna de nouveau vers elle et l'attira dans ses bras.

— Vous n'avez rien à craindre, Ella. Vous êtes ici en sécurité.

Elle appuya doucement sa joue contre le devant de sa chemise. Il avait enlevé sa veste après le dîner et seul le fin tissu de coton la séparait de son torse chaud et musclé. Elle ferma les yeux et huma les odeurs si masculines d'amidon et de savon à barbe.

Elle n'avait pas peur des orages. Elle n'en avait jamais eu peur. Elle avait suffisamment vécu pour savoir que ce n'était pas du ciel que venaient les choses qu'il fallait craindre.

C'était la perspective de vieillir, de perdre sa beauté et de finir comme sa mère qui la terrifiait depuis si longtemps. C'était la raison pour laquelle elle avait trouvé le courage de venir jusqu'ici. C'était son instinct de survie qui l'avait conduite dans les bras de Nathan Lantry.

Elle sentait la main qu'il avait placée dans son dos dessiner de lents cercles concentriques. Il leva son autre main pour la lui glisser dans les cheveux et lui caresser la nuque, faisant naître un long frisson délicieux le long de son dos.

Elle leva la tête pour le regarder dans les yeux. La bonté qu'exprimait son regard adoucissait ses traits fermes.

— Vous êtes ici en sécurité, répéta-t-il d'une voix grave.

— Oui, j'en suis convaincue.

Aussi longtemps qu'il n'apprendrait pas la vérité, songea-t-elle. Elle fit glisser ses mains jusqu'à ses épaules, puis les fit redescendre lentement sur son torse, sentant ses muscles se contracter sous ses doigts. Il ferma les yeux une fraction de seconde puis les fixa sur ses lèvres avec intensité.

— Vous pouvez m'embrasser, vous savez, murmura-t-elle. Monsieur mon mari…, ajouta-t-elle avec un lent sourire.

Elle vit une lueur de désir s'allumer dans son regard et pourtant il demeura immobile. Refusant de se laisser déstabiliser par cette attitude étrange, Ella s'enhardit.

— Embrassez-moi, Nathan, dit-elle d'une voix ferme.

Alors, enfin, il inclina la tête et recouvrit sa bouche de la sienne.

Le plaisir qu'elle ressentit à ce simple baiser la prit une nouvelle fois par surprise. Elle aimait décidément les baisers de cet homme. Beaucoup. Elle ferma les yeux et s'abandonna à cette sensation si nouvelle, à cette découverte étonnante. Il intensifia son baiser et elle laissa échapper un doux gémissement. Elle était si troublée que ses jambes se mirent à trembler et elle dut resserrer son étreinte pour ne pas défaillir.

Un nouveau coup de tonnerre éclata, d'une violence à faire trembler les vitres.

— Pourrais-je rester avec vous ce soir ? murmura-t-elle d'une voix langoureuse.

— Ella, je…

— Je me sentirais tellement plus en sécurité près de vous, l'interrompit-elle d'un ton craintif.

— Si vous le souhaitez, répondit-il d'une voix rauque.

Elle posa une main à plat sur son torse et le regarda un moment en silence.

— Vous attendrez derrière la porte pendant que je me change, n'est-ce pas ?

— J'attendrai.

Elle resta près de lui pendant qu'il remettait le pare-feu devant la cheminée et éteignait les lampes, puis il la prit par la main et la conduisit au premier étage.

— Je n'en ai que pour un court instant, lui assura-t-elle. Je vais laisser la porte entrouverte.

Il attendit dans le couloir, tous les sens embrasés par le bruissement de ses vêtements tandis qu'elle les retirait un par un.

Elle revint vêtue d'une chemise de nuit d'un blanc lumineux et il la prit de nouveau par la main, pour ne pas être tenté de toucher ce corps à peine voilé d'un tissu arachnéen.

Il la conduisit jusqu'à sa chambre dont il ouvrit la porte avant de la laisser entrer devant lui dans l'obscurité.

— Prenez le lit, suggéra-t-il. Je dormirai dans le fauteuil.

— Je ne peux pas accepter de prendre votre lit en sachant que vous-même serez trop inconfortablement installé pour réussir à dormir. Vous travaillez demain, vous avez besoin de repos. Alors tant pis, ajouta-t-elle en faisant un pas vers la porte pour sortir, je vais retourner dans ma chambre.

— Non.

Elle s'arrêta net et se retourna pour lui faire face.

— Restez, dit-il simplement.

— Bien.

Elle avança dans l'obscurité, rabattit draps et couvertures et monta dans le lit.

Nathan sentait son cœur cogner si fort dans sa poitrine qu'il avait impression qu'Ella aussi pouvait l'entendre. Il se changea puis s'avança à son tour jusqu'au lit dans lequel la jeune femme s'était allongée.

Comment espérer un seul instant pouvoir fermer l'œil de la nuit ?

Ella souleva les couvertures pour l'inviter à la rejoindre. Il s'allongea doucement à ses côtés. Aussitôt, elle vint se glisser contre lui avec un petit gémissement de bien-être.

— Je me sens tellement en sécurité, ici, près de vous.

— Dormez maintenant, Ella.

— J'entends votre cœur battre. J'aime entendre votre cœur.

Le léger parfum de son épouse l'enveloppa tandis que sa longue chevelure soyeuse lui caressait la peau et que ses seins lourds s'écrasaient contre son torse.

— Ce n'est vraiment pas une bonne idée, Ella, protesta-t-il dans un souffle.

— J'aime tellement me blottir dans vos bras, Nathan.

Elle leva la tête et posa tout doucement ses lèvres sur les siennes.

Nathan se souleva sur un coude pour reprendre le contrôle de ce baiser, attentif à la moindre hésitation de sa part. Il ne voulait pas brusquer sa jeune épouse, même s'il mourait d'envie de la faire sienne.

Chapitre 10

Ella s'abandonna au baiser de tout son être, se surprenant elle-même et s'en effrayant presque.

Qu'avaient donc de si spécial les baisers de Nathan Lantry pour qu'elle éprouvât soudain cette envie irrépressible de pousser plus avant l'exploration de ces sensations exquises qu'elle s'étonnait tant de découvrir. Elle qui aurait pourtant cru tout connaître de l'aspect charnel des relations entre un homme et une femme.

— Ella…, murmura Nathan contre ses lèvres, et le seul fait d'entendre son mari l'appeler par son nom l'emplit de joie.

Il fit courir ses doigts de son cou à sa gorge. Jamais elle n'aurait soupçonné que ce simple contact pût suffire à déclencher en elle des sensations d'une telle intensité. Elle avait l'impression de sentir son corps tout entier vibrer de plaisir, sa poitrine se gonfler et se tendre. Lorsqu'il emprisonna un sein dans sa main à travers le mince tissu de la chemise de nuit, elle laissa échapper un gémissement de volupté pure.

Elle posa une main à plat sur le torse puissant de son mari, savourant le contraste entre l'impression de force qui émanait de sa stature imposante et l'extrême délicatesse des caresses qu'il lui prodiguait.

Il défit le premier des minuscules boutons qui fermaient le décolleté de sa chemise de nuit et elle l'aida, lui permettant ainsi d'accéder plus vite à sa gorge palpitante, à ses seins gonflés dont il se mit à embrasser l'aréole de ses lèvres brûlantes.

Un éclair illumina brièvement la chambre, suivi presque aussitôt d'un roulement de tonnerre qui fit trembler les vitres.

Elle enfouit ses doigts dans les cheveux de Nathan qui soulevait déjà le tissu soyeux de la chemise de nuit pour venir poser ses lèvres sur son ventre et descendre plus bas, plus bas encore… transformant comme par magie la femme qu'elle avait été jadis en celle qu'elle voulait devenir.

Au moment où elle pensait ne plus pouvoir supporter une seconde de plus cette exquise torture, il la fit basculer au-delà des limites, dans un monde de fulgurances, de vertiges et de tourbillon. Un jaillissement de couleurs et de feu digne d'un feu d'artifice explosa en elle, la laissant pantelante et épuisée. Heureuse comme elle n'aurait jamais cru pouvoir l'être un jour…

Voulant lui rendre la pareille, elle tendit les mains pour l'attirer sur elle, en elle. Mais, au lieu de répondre à l'attente de son corps impatient, il remonta les couvertures sur eux. Puis il la fit se tourner pour pouvoir s'allonger contre son dos, leurs corps séparés par l'épaisseur des couvertures.

— Nathan…, murmura-t-elle, confuse.

— Chut… Reposez-vous à présent.

— Mais Nathan…

— Je sais que nous avons déjà dépassé de beaucoup les limites d'une « cour » traditionnelle, mais vous avez encore besoin de temps pour apprendre à me faire confiance.

A lui faire confiance ?

— Je ne prendrai pas le risque de gâcher ce qui pourrait exister entre nous par une trop grande précipitation.

Il s'était exprimé d'une voix douce, mais avec une fermeté laissant entendre qu'il ne reviendrait pas sur sa décision. Rien de tout ce qu'elle avait vécu jusqu'à présent ne l'avait préparée à un tel homme.

Nathan était tendre, généreux, avant tout préoccupé par son bien-être à elle, et plaçait ce qu'il supposait être sa vertu au-dessus de l'assouvissement de ses désirs d'homme.

Elle cligna des paupières pour refouler les larmes qu'elle sentait poindre. Elle dont les dernières larmes remontaient à sa petite enfance, elle avait du mal à contenir ses émotions depuis quelques jours. Elle inspira profondément et finit enfin par surmonter cet accès de faiblesse qui lui ressemblait si peu. Mais comment aurait-elle pu ne pas se sentir désemparée, bouleversée ?

Lorsque Nathan avait décidé de l'épouser, elle avait pensé qu'il lui appartiendrait de satisfaire les besoins physiques de son mari. Tandis qu'il appartiendrait à Nathan de fournir à son épouse un toit et la sécurité.

Il lui avait fourni un toit, en effet, mais il ne lui avait pas encore laissé l'occasion de remplir sa part du contrat.

Cet homme avait décidément une volonté de fer.

Ella s'éveilla le lendemain dans une chambre baignée de soleil. Encore tout engourdie de sommeil, elle garda quelques secondes les yeux fermés, savourant avec volupté l'exquise sensation du soleil sur son dos nu. Puis elle ouvrit les yeux, tourna lentement la tête sur le côté, et vit qu'elle était seule.

Elle se redressa en position assise, un instant désorientée, puis le souvenir de la nuit précédente lui revint à la mémoire, réveillant aussitôt en elle un petit frisson de plaisir. Elle sourit pour elle-même et laissa un moment son esprit vagabonder, revivant chaque détail de ce qui s'était passé cette nuit entre elle et son si séduisant mari…

Elle passa machinalement une main dans ses cheveux défaits, ce qui la ramena tout à coup à la réalité. Elle allait devoir retourner dans sa chambre pour faire sa toilette et s'habiller. Quelle heure pouvait-il être et où était Nathan ? Et les enfants ?

Elle repoussa les couvertures et se leva.

Elle se dirigeait vers la porte lorsqu'elle aperçut, sur la commode, une photographie encadrée qui la fit s'arrêter net.

Une photographie de mariage. Sur laquelle Nathan se tenait debout près d'une jeune femme blonde, vêtue d'une robe de satin blanc et coiffée d'un voile de dentelle.

Deborah.

Ella s'approcha pour examiner le cliché de plus près. La mariée n'était pas vraiment jolie, mais elle avait des traits délicats, un sourire très doux, et il émanait de tout son être une impression… d'innocence.

Deborah s'était mariée vierge et pure, bien sûr, pensa Ella avec un petit pincement au cœur. Et comment Nathan aurait-il pu se douter un seul instant que ce n'était pas le cas de sa seconde épouse ?

C'était donc pour respecter sa supposée virginité qu'il refusait de lui imposer trop tôt l'acte charnel qui scellerait leur mariage.

Elle prit soudain conscience de ce qu'impliquait la présence de ce portrait sur cette commode. Il était placé de telle sorte que Nathan pouvait le voir chaque matin à son réveil et chaque soir à son coucher. Ella n'y voyait qu'une seule explication possible : Nathan aimait encore sa première épouse. Il portait encore son deuil dans son cœur. Et si elle ne s'était pas jetée à son cou, si elle n'avait pas tenté par tous les moyens de le séduire et de lui faire perdre toute retenue, jamais Nathan ne l'aurait entraînée dans sa chambre la nuit dernière.

Ce qu'elle avait savouré ce matin comme une victoire personnelle lui apparaissait maintenant comme entaché. Aussi entaché que tout le reste de sa vie. Aussi entaché qu'elle-même.

Elle resserra frileusement sa chemise de nuit et se hâta de retourner dans sa chambre.

Une demi-heure plus tard, Ella entra dans la cuisine.

— Désolée de m'être réveillée si tard, lança-t-elle à la cantonade.

Mme Shippen était en train de frotter avec un pain de savon une chemise d'enfant et Charlotte, devant l'évier, essuyait la vaisselle. Grace et Robby étaient assis, jouant ensemble avec des anneaux de bois et un piquet vertical, fixé sur un support, qui avait été placé au milieu de la table.

— Bonjour, les enfants, dit Ella. A quoi jouez-vous ?

Grace saisit l'un des anneaux de bois et le lui montra.

— Je n'ai jamais vu ce jeu auparavant. Quelles en sont les règles ?

Grace lui en fit la démonstration en lançant son anneau en direction du piquet. La petite fille réussit du premier coup et Ella applaudit gaiement. Grace la remercia de son habituel sourire timide.

— C'est un simple jeu de palet, répondit Mme Shippen à la question d'Ella. Vous avez sûrement déjà vu la version qui se pratique en plein air.

— Jamais, non.

— Tu veux essayer ? proposa Robby en lui tendant son anneau.

Touchée de se voir ainsi incluse dans leur jeu, Ella prit l'anneau et le lança, mais manqua le piquet de quelques centimètres.

— Je suppose que j'ai besoin de m'entraîner un peu, déclara-t-elle avec un petit sourire d'autodérision. Je tâcherai de faire mieux la prochaine fois.

Mme Shippen s'approcha pour lui parler à voix basse.

— Vous savez, madame Lantry, que c'est votre privilège le plus absolu de pouvoir dormir aussi tard que vous le souhaitez.

— Bien sûr, renchérit Charlotte. Asseyez-vous donc que je vous apporte vos œufs et votre thé.

— Volontiers, approuva Ella en prenant place à table. Vous vous joindrez bien sûr à moi pour une autre tasse de thé, n'est-ce pas ?

La gouvernante acquiesça d'un signe de tête et revint s'asseoir à table.

— Dites-moi, madame Shippen, lui demanda Ella après une première gorgée de thé, pourriez-vous me dire le style de tenue que portait la première Mme Lantry pour des occasions du genre de ce bal de printemps des Crandall ?

— Bien sûr. Madame portait une robe élégante, avec des bijoux. Et elle achetait toujours un petit cadeau pour l'hôtesse.

— Quel genre de cadeau ?

— Des confiseries, des sachets parfumés pour les armoires, ou bien un joli papier à lettres.

— Alors je suppose que je ferais mieux d'aller faire des courses aujourd'hui. Cela ne vous ennuie pas si je sors ce matin ?

— Je vous en prie, madame, c'est à moi de vous faciliter la vie, pas le contraire. Allez faire vos courses et ne vous inquiétez surtout pas pour nous. Je serai ravie de m'occuper des enfants.

Ella se leva pour aller porter son assiette, ses couverts et sa tasse dans l'évier et Charlotte les lui prit aussitôt des mains pour les laver.

— Expliquez-moi un peu toutes les deux, reprit Ella en s'adressant aux deux femmes à la fois, en quoi consistaient les activités de Mme Lantry ? Ses attributions, si toutefois elle en avait.

— Elle établissait les listes des courses à faire, répondit

Mme Shippen. Elle s'assurait que tout était en ordre dans la maison. C'est aussi elle qui gérait le budget des dépenses domestiques. Et, bien sûr, elle recevait de temps à autre des invités.

— Je vois. Et… comment sait-on quoi mettre sur une liste de courses ?

Ella surprit le coup d'œil perplexe que Mme Shippen adressait à Charlotte, avant d'ouvrir un tiroir d'où elle sortit une feuille de papier qu'elle lui tendit. Ella l'étudia un instant, absorbant la logique de l'élaboration d'une telle liste.

Elle n'avait jamais été confrontée à ce genre de tâches auparavant et n'avait donc pas la moindre notion de la façon de gérer une maison.

— Je vois, dit-elle en pliant la liste pour la glisser dans sa poche. Eh bien, je vais aller faire les courses aujourd'hui.

— Parfait, approuva Mme Shippen.

Ella venait à peine de quitter la pièce lorsqu'elle revint sur ses pas.

— Comment règle-t-on les achats ?

— M. Lantry a des comptes dans chacun des magasins. Les commerçants lui font parvenir leurs factures en fin de mois.

— Voilà qui est bien pratique. Les enfants, je vous retrouve plus tard. Amusez-vous bien.

Quelques minutes plus tard, Ella sortit de la maison pour faire quelques courses. Une nouvelle fois, elle fut étonnée du sentiment d'euphorie que lui procurait une simple balade en ville. Décidément, elle ne se lasserait jamais du bonheur de pouvoir circuler librement.

Quelques maisons plus loin, elle bifurqua pour s'engager dans la rue principale. Elle croisa plusieurs personnes qui la saluèrent fort courtoisement et se sentit ridiculement émue de se voir ainsi accueillie avec bienveillance. Ici, personne ne murmurait sur son passage, ou ne lui tournait le dos en prétendant ne pas la connaître.

Elle s'arrêta devant un magasin dont la vitrine lui plaisait et entra. Le tintement de la cloche de la porte salua son entrée. Un petit groupe de femmes discutait entre elles à l'autre bout de la pièce. Comme Ella avait repéré que le rayon des articles de papeterie se trouvait auprès de l'entrée sur sa gauche, elle alla directement choisir ce qui l'intéressait avant de se diriger vers le comptoir.

En approchant, elle remarqua une femme qui se tenait à l'écart du groupe, attendant visiblement de régler les articles qu'elle tenait à la main : une boîte de talc de toilette et un paquet d'aiguilles. Ella remarqua aussi qu'elle gardait les yeux baissés. Elle ne les leva d'ailleurs pas à son approche.

Elle alla poser le coffret de papier à lettres qu'elle avait choisi sur le comptoir devant la commerçante qui la salua d'un sourire affable.

— Ne seriez-vous pas la nouvelle Mme Lantry ?

— Si, tout à fait.

— Enchantée de faire votre connaissance, madame Lantry. Je suis Edwina Harrison. Mon mari est le propriétaire de ce magasin.

— Ravie moi aussi de faire votre connaissance, assura Ella en répondant à son sourire.

A cet instant, une des femmes du petit groupe s'écarta pour agrandir leur cercle et y accueillir Ella.

— Vous vous réjouissez comme nous toutes à la perspective du bal de printemps, n'est-ce pas ?

Ella bavarda quelques minutes avec elles, puis se retourna vers la propriétaire du magasin qui se tenait toujours derrière son comptoir.

— Alors ce sera tout pour vous aujourd'hui, madame

Lantry ? s'enquit Edwina en désignant le coffret posé sur le comptoir.

Ella jeta un coup d'œil à la femme qui se tenait toujours à l'écart des autres, attendant en silence.

— Madame était avant moi, dit-elle en reculant d'un pas pour laisser sa place à l'inconnue.

— Je vous en prie, madame, lui dit cette dernière, c'est à vous.

La femme lui semblait un peu plus âgée qu'elle-même. Très mince, le visage déjà marqué de rides au coin des yeux. Elle était vêtue de façon tout aussi respectable que n'importe laquelle des autres femmes présentes, mais Ella remarqua qu'elle ne portait pas d'alliance.

Elle parut un instant interdite qu'Ella lui eût parlé, pourtant elle garda les yeux ostensiblement baissés, faisant mine de s'intéresser à un objet posé sur une étagère basse.

— Allez-y, je vous en prie, insista Ella.

La propriétaire du magasin prit le coffret posé sur le comptoir.

— Laissez-moi donc emballer votre achat, madame Lantry. Dois-je le porter sur le compte de M. Lantry ?

De plus en plus intriguée, Ella recula de nouveau d'un pas.

— Non, j'insiste pour que cette dame passe la première. Elle attendait déjà quand je suis arrivée.

L'une des femmes du petit groupe, la plus proche d'Ella, se pencha vers elle pour lui souffler à l'oreille.

— Bess Duncan n'est pas une dame, madame Lantry.

Ella se figea une fraction de seconde avant de se tourner lentement vers la dénommée Bess. Celle-ci leva enfin les yeux et l'intensité de son regard frappa Ella comme l'aurait fait un coup de poing en pleine poitrine.

Elle n'avait jamais rencontré Bess auparavant et pourtant elle la reconnaissait. Du moins elle reconnaissait l'humiliation, la peur et le désespoir de cette femme. Elle reconnaissait la réprobation et le mépris qu'elle subissait, pour les avoir si longtemps subis elle-même. Elle eut tout à coup l'impression effrayante de fixer son propre reflet dans un miroir.

Bess prit alors une profonde inspiration, posa ses deux articles sur le comptoir, pivota sur ses talons et sortit.

— Quelle impudence ! s'écria aussitôt l'une des dames du petit groupe. Venir nous défier ici, comme si elle était digne de se mêler à nous !

Prise d'une impulsion subite, Ella poussa vers la commerçante le talc et les aiguilles que la femme avait laissés sur le comptoir.

— Je vais aussi prendre ces deux articles.

Edwina lui jeta un coup d'œil surpris, puis s'exécuta et joignit les articles au paquet qu'elle avait déjà préparé.

Brusquement sourde à la conversation qui continuait autour d'elle, Ella prit son paquet, remercia la commerçante et quitta le magasin à la hâte.

Elle s'arrêta un instant sur le seuil, le temps de regarder d'un côté puis de l'autre de la rue. Lorsqu'elle aperçut la silhouette fine de Bess qui s'éloignait d'un pas vif, elle releva ses jupes d'une main et se mit à courir pour la rattraper. Au bruit de ses pas sur le trottoir de bois, la femme s'arrêta et recula dans l'embrasure de la porte la plus proche, comme si elle s'attendait à ce que sa poursuivante l'attaque.

Ella ralentit puis vint s'arrêter face à Bess, se demandant soudain ce qu'elle allait pouvoir lui dire.

Comment aurait-elle pu expliquer à cette femme qu'elle comprenait sa situation ?

Ella resta donc silencieuse et ouvrit le paquet qu'elle tenait à la main pour en sortir les articles que Bess avait abandonnés sur le comptoir.

— Ceci est à vous.

Mais Bess ne fit pas un geste pour prendre le paquet.

— Vous devriez prendre garde à ce que personne ne vous voie parler avec moi, madame. Je crois que vos amies verraient ça d'un très mauvais œil.

— Je me moque pas mal de ce que les autres pensent. Maintenant prenez ceci, je vous en prie. Vous en avez besoin puisque vous avez voulu l'acheter. Je vous en prie, répéta-t-elle d'un ton insistant.

Bess hésita un instant avant de tendre la main pour prendre le paquet. Elle le serra contre sa poitrine et dévisagea Ella un moment sans rien dire. Puis elle plongea une main dans le petit sac en tissu qui pendait à son bras et en sortit une pièce qu'elle tendit à Ella. Mais celle-ci déclina d'un mouvement de tête.

— C'est un cadeau, objecta-t-elle simplement.

Une nouvelle fois, Bess regarda Ella un long moment en silence.

— Pourquoi ? demanda-t-elle enfin.

— Juste pour vous prouver que tous les gens ne sont pas comme eux, répondit Ella d'une voix sourde.

L'expression de gratitude qui se peignit sur le visage de Bess accrut encore le malaise d'Ella. De toute évidence, cela faisait bien longtemps que personne n'avait témoigné à cette femme ni bonté ni compassion.

Le cœur serré de tristesse, elle salua Bess d'un signe de tête, puis rebroussa chemin pour repartir vers la maison de Nathan.

Chapitre 11

Ella se sentait encore plus nerveuse que le jour de son arrivée. Elle ignorait alors qu'il deviendrait essentiel pour elle de se conformer en tout point à l'image que les gens se faisaient d'une épouse de notable. Et, bien plus encore, de se montrer à la hauteur des aspirations politiques de son mari.

Elle changea trois fois de tenue et finit par se décider pour une robe au corsage de velours bleu nuit et à l'ample jupe en crêpe de Chine vert d'eau. Une rose en mousseline faisant sur son épaule gauche un rappel du ton de la jupe.

Elle enfila ensuite de longs gants de satin bleu nuit et apporta la touche finale avec un pendentif en saphir, fixé à son cou par un ruban de soie noire, et une paire de boucles d'oreilles assorties.

Enfin prête, elle se rendit sur la pointe des pieds jusqu'à la chambre des enfants. Christopher et Robby dormaient déjà, mais Grace agrandit des yeux admiratifs lorsqu'elle la vit entrer.

Ella vint lui remonter ses couvertures autour du cou, avant de lui poser un baiser léger sur le front.

— Bonne nuit, ma puce.

Grace tendit une main hésitante pour effleurer du bout des doigts l'une des boucles d'oreilles en saphir, puis remit prestement sa main sous les draps avec un petit sourire timide, comme pour s'excuser de sa hardiesse.

Mme Shippen était assise dans son rocking-chair habituel,

attendant comme chaque soir que les enfants soient tous endormis. Elle sourit à Ella et lui souhaita à voix basse de passer une agréable soirée.

Puis Ella descendit au rez-de-chaussée rejoindre son mari qui l'attendait dans le bureau. Il se leva à son entrée et la détailla des pieds à la tête avec ce qu'elle espérait être un regard approbateur.

— Cette tenue vous convient-elle ?

Il hocha lentement la tête avant de retrouver sa voix.

— Vous êtes la femme la plus exquise que j'aie jamais vue. Je ne crains qu'une seule chose : vous allez éclipser tous les arrangements floraux de Phoebe lorsque vous arriverez. Et tout le monde s'accorde pourtant chaque année à reconnaître leur splendeur.

Ella répondit au sourire qui venait d'éclairer le visage de son mari.

— Je veux que vous soyez fier de moi.

— Et moi je veux que vous soyez assurée que je suis l'homme le plus fortuné de tout le Wyoming.

Il détailla une nouvelle fois sa tenue avec un plaisir non dissimulé.

Il lui offrit son bras.

— J'ai posé sur la console de l'entrée le petit cadeau que j'ai acheté ce matin pour notre hôtesse.

— Parfait, nous le prendrons donc en sortant. La maison des Crandall se trouve à deux cents mètres à peine, alors je pensais que nous pourrions nous y rendre à pied. Mais vos bottines sont-elles suffisamment stables ?

— Bien sûr.

— Les semelles des chaussures de femmes sont souvent fines et glissantes et le pavage de briques peut parfois se montrer traître.

— Je vous assure que ces bottines sont tout à fait stables. Et je serai par ailleurs ravie de marcher un peu avec vous.

Nathan lui prit la main pour la glisser au creux de son bras et ils sortirent dans la nuit fraîche. Ella leva les yeux vers le ciel constellé d'étoiles, repensant aussitôt à l'orage de la veille auquel elle devait la nuit merveilleuse qu'elle avait passée dans les bras de son beau mari. Hélas, ce soir, pas un nuage ne venait ternir l'éclat des étoiles...

Lorsqu'ils arrivèrent à la porte de la demeure des Crandall, un serviteur prit le châle d'Ella et les introduisit dans un immense salon où se pressait déjà une foule d'invités.

Une grande femme brune vint aussitôt à leur rencontre, escortée d'un homme plus petit qu'elle, sensiblement plus âgé et déjà bedonnant.

— Bonsoir, chers amis ! les salua-t-elle avec effusion. Je suis Phoebe Crandall, ma chère, et voici mon mari, Richard.

Richard prit la main d'Ella et s'inclina pour un baisemain.

— J'avais entendu dire que Nathan avait épousé une beauté, mais je ne soupçonnais pas que vous étiez si ravissante.

Ella répondit par un sourire forcé. Elle n'aimait pas du tout la lueur de concupiscence qu'elle voyait briller dans le regard de Richard Crandall. Elle reprit prestement sa main pour la glisser de nouveau au creux du bras de son mari.

— Nathan, mon cher, conduisez donc votre ravissante épouse jusqu'aux buffets !

Nathan s'inclina devant leur hôtesse avec un sourire affable avant d'entraîner Ella vers l'un des longs buffets décorés, comme il le lui avait annoncé quelques instants plus tôt, de compositions florales spectaculaires.

— Qu'aimeriez-vous boire ? lui demanda-t-il.

— La même chose que vous.

— Parfait, alors deux sherrys, je vous prie, dit-il au maître d'hôtel le plus proche.

Celui-ci emplit deux verres et Nathan tendit le premier à Ella.

Ils passèrent les instants suivants à siroter leur sherry tout en admirant la profusion et la magnificence des compositions florales. Des bouquets avaient été disposés partout dans la pièce et même les branches des lustres et des candélabres avaient été entrelacées de feuillage et de fleurs.

— Bonsoir, Ella, dit une voix féminine derrière eux.

Ella se retourna et se trouva face à Lena Kellie.

— Oh ! bonsoir, Lena. Je me demandais justement ce que tu devenais. J'ai rendu visite à Céleste cette semaine dans son ranch. Elle semblait vraiment épanouie.

— Tant mieux pour elle, rétorqua Lena avec un sourire un peu pincé.

Elle jeta un coup d'œil par-dessus son épaule, comme si elle avait attendu quelqu'un, et Ella vit alors approcher un gentleman d'âge moyen. Lorsqu'il parvint à leur niveau, il tendit la main à Nathan.

— Bonsoir, Nathan, le salua-t-il.

— Bonsoir, Tom, répondit Nathan en serrant la main tendue. Ella, je vous présente Tom Bradbury. Tom, je te présente ma femme, Ella.

Ella et Nathan échangèrent quelques civilités avec le dénommé Bradbury, sous l'œil vigilant de Lena.

— Alors, chère madame, s'enquit-il, vous plaisez-vous dans notre ville ?

— Tout à fait, oui. J'aime déjà beaucoup Sweetwater.

— C'est une ville en constante évolution, et loin d'être achevée, bien sûr. Mais rendez-vous compte que la construction de notre théâtre sera terminée pour la fin de l'été ! Nous n'aurons bientôt plus grand-chose à envier aux villes de la côte Est.

— C'est Tom lui-même qui est l'origine de la construction de ce théâtre, expliqua Nathan à sa femme.

Tom se rengorgea, visiblement enchanté de se voir reconnaître la paternité d'un projet aussi ambitieux.

— Nous essayons par tous les moyens de rendre la ville plus attrayante, pour convaincre des jeunes femmes et des familles de venir s'y installer. Aimez-vous l'opéra, madame Lantry ? Lena me dit qu'elle l'adore.

— Je n'ai jamais eu l'occasion d'assister à un opéra, monsieur Bradbury, mais croyez bien que je serai ravie de pouvoir le faire bientôt.

Lena foudroya Ella d'un regard noir qu'aucun des deux hommes ne parut remarquer.

— Très bientôt, ma chère, très bientôt en effet. Maintenant, mesdames, pourriez-vous nous excuser un instant ? J'aimerais m'entretenir avec Nathan d'un problème municipal avec lequel je ne voudrais pas vous ennuyer.

— Eh bien, ma belle, tu t'en es plutôt bien tirée, à ce qu'on dirait ! s'exclama Lena dès que les deux hommes se furent éloignés.

— En épousant Nathan, tu veux dire ? Il est vrai que c'est un homme admirable. Gentil avec ses enfants comme avec son personnel. Et aussi patient et attentionné.

— Et riche, n'est-ce pas ?

Ella se trouva un peu désarçonnée par le ton persifleur de Lena.

— Je suppose, oui.

— Eh bien, j'espère que tu utilises tous tes talents pour le satisfaire, poursuivit Lena. Ce serait dommage qu'il se lasse trop vite, n'est-ce pas ?

Ella apprécia d'autant moins cette remarque qu'elle ne comprenait pas ce qui motivait une telle animosité de la part de Lena. Elles avaient vécu plusieurs années sous le même toit, avaient dîné à la même table, mais avaient à peine échangé plus d'une douzaine de phrases avant leur départ pour le Wyoming.

Aussi éprouva-t-elle un réel soulagement lorsque Lena la quitta et disparut dans la foule.

Phoebe Crandall la rejoignit peu après.

— Alors, ma chère, passez-vous un agréable moment ?

— Très agréable, merci. Je suis absolument subjuguée par votre décoration florale. Et votre sherry est délicieux.

Phoebe eut un imperceptible froncement de sourcils.

— Oh ! vraiment ? Il m'arrive d'en prendre une gorgée de temps en temps mais — elle se pencha pour poursuivre à voix basse — je ne laisserais pour rien au monde mes amies me surprendre en train d'en boire.

— Parce que c'est… inconvenant ?

— Eh bien, disons que certaines personnes pourraient en effet trouver choquant de voir une jeune femme boire du sherry, a fortiori en public.

— Oh…

Comme Ella cherchait du regard un endroit où poser son verre, Phoebe le lui prit les mains et le cacha derrière une composition florale.

— Merci infiniment de m'avoir mise en garde. Je serais tellement navrée de causer du tort à mon mari, de quelque manière que ce soit.

— Ne vous inquiétez surtout pas pour cela, lui assura Phoebe avec un sourire sincère. Vous êtes bien trop charmante et raffinée pour pouvoir lui causer le moindre tort, bien au contraire.

Elle désigna une porte ouverte sur une pièce voisine.

— Aimeriez-vous que je vous montre mes dernières réalisations ?

— Très volontiers.

Phoebe la conduisit dans un salon plus petit, au décor tellement surchargé qu'il en semblait presque étouffant. La pièce était encombrée d'un piano, de plusieurs chaises tapissées, d'une quantité de plantes en pots, et de peintures exposées sur des trépieds en fer forgé. La moindre surface était recouverte de châles en dentelle ou à franges, de cadres ouvragés, de bonbonnières, et de coupes en cristal taillé contenant les fleurs séchées.

— Voici le paravent sur lequel je travaille depuis plusieurs semaines.

Le paravent en question était presque entièrement recouvert d'une centaine de morceaux de photographies en couleurs représentant des fleurs ou des visages de femmes, découpés et collés sur le bois.

— J'ai également recouvert cet hiver les deux bergères qui se trouvent de part et d'autre de la cheminée.

Les bergères que désignait Phoebe avaient été recouvertes de galettes en tapisserie au petit point qui représentaient de gros bouquets de fleurs minuscules. Ella ne put se retenir de frémir en pensant au nombre d'heures incalculable qu'avait dû nécessiter l'opération.

— Mon Dieu, Phoebe, c'est vous qui avez fait tout cela ?

Phoebe hocha la tête, visiblement très fière de ses œuvres.

— Et ce cadre aussi, dit-elle en désignant un grand cadre dont le pourtour avait été entièrement recouvert de petits fragments de porcelaine bleu et blanc. J'ai offert plusieurs cadres semblables à celui-ci en cadeau de Noël l'an passé.

— Comme c'est ravissant ! s'exclama Ella, littéralement horrifiée d'imaginer que l'on puisse consacrer tant d'heures à un tel « passe-temps ».

Et surtout très inquiète à l'idée que l'on puisse attendre d'elle qu'elle occupe ses journées de la même façon.

— Et vous, ma chère, s'enquit Phoebe, à quoi occupez-vous vos soirées ?

Ella les occupait surtout à tenter de séduire son mari, mais elle doutait fort que Phoebe apprécie ce genre de réponse. Aussi préféra-t-elle biaiser.

— En fait je n'ai pas encore tout à fait terminé de défaire mes bagages et de m'installer.

— Bien sûr, ma chère. Bien sûr, je comprends. En tout

cas, ajouta-t-elle avec un nouveau geste en direction du paravent, sachez qu'il me reste encore beaucoup de photos, pour le cas où vous auriez vous aussi un projet de collage en tête. Mais, dites-moi, que collectionnez-vous ?

Ella balaya du regard l'amoncellement d'objets éclectiques qui encombraient la surface des meubles.

— Un peu de tout, comme vous.

— Ah, vous voilà !

Betsy Iverson fit irruption dans un grand bruissement de taffetas. Elle s'arrêta net devant le paravent.

— Quelle merveille, Phoebe ! Quelle pure merveille ! Combien de temps cela vous a-t-il pris ?

— J'ai commencé en février, répondit Phoebe, toute rose du plaisir de voir son talent reconnu à sa juste valeur. Mais c'est une œuvre bien modeste au regard du sublime collage que vous avez réalisé l'hiver dernier.

Pendant que les deux amies s'inondaient de compliments, Ella prit conscience qu'elle se sentait très étrangère aux centres d'intérêt de ces dames. Nathan s'attendrait-il vraiment à ce qu'elle se consacre elle aussi à la tapisserie, aux collages et autres « ouvrages de dames » ? Il semblait clair qu'il n'attendait pas de sa part qu'elle effectue la moindre tâche ménagère. Ni non plus qu'elle satisfasse ses besoins sexuels. Alors que diable lui restait-il ?

Elle se rendit soudain compte que les deux amies la regardaient maintenant d'un air interrogateur, comme si elle n'avait pas entendu une de leurs questions. Elle toussota pour se donner une contenance et leur sourit.

— Pardon, je rêvassais. Mon problème, voyez-vous, c'est que je crains d'être encore très novice pour tout ce qui concerne le mariage, expliqua-t-elle en les regardant l'une après l'autre. Oserais-je vous demander... Auriez-vous l'extrême bonté de me faire profiter de votre sagesse et de votre expérience ?

— Mais très certainement, ma chère. Asseyons-nous donc un instant toutes les trois.

— Pourriez-vous déjà m'expliquer, reprit Ella, en quoi consistent exactement vos responsabilités dans vos demeures respectives ?

Phoebe et Betsy parurent enchantées de partager avec elle leur vaste expérience. Leur tâche consistait apparemment à gérer le personnel, s'assurer que le ménage était bien fait et le linge bien repassé, planifier les menus, et enfin superviser les préparatifs lors des dîners ou réceptions variés.

— J'ai l'impression que l'institution dans laquelle j'ai été élevée m'a laissé de graves lacunes : je n'ai pas la moindre idée de la façon d'exécuter toutes les tâches que vous me décrivez.

— Je trouve tout simplement inimaginable qu'une institution digne de ce nom puisse laisser dans une telle ignorance les jeunes filles qui lui ont été confiées. Bref, quoi qu'il en soit, il est plus que temps pour vous de remédier à cet état de choses. Votre mission, voyez-vous, consiste d'abord et avant tout à créer autour de votre époux un paradis de paix et de pureté. C'est le premier devoir d'une épouse que de faire de sa maison l'endroit le plus agréable et le plus heureux sur terre. Mais, rassurez-vous, nous aussi avons parfois besoin d'aide : nous consultons régulièrement des magazines pour tout ce qui concerne la mode, l'ameublement, les travaux d'aiguille, les nouvelles recettes et, bien sûr, les règles de savoir-vivre.

— Absolument, affirma Betsy avec un hochement de tête solennel. Je possède quant à moi un ouvrage tout à fait remarquable qui explique, de façon très claire, comment se comporter dans toutes les circonstances de la vie en société. Je serai ravie de vous le prêter. Cela vous permettra de le consulter pour parer au plus pressé, et ensuite, si vous le souhaitez, d'en commander un exemplaire pour vous-même. Mais je trouve, comme mon amie Phoebe, aussi choquant que lamentable qu'on ait pu vous laisser dans une telle ignorance.

— En effet, reconnut Ella avec un petit sourire contrit.

— Rendez-vous compte que j'avais à peine onze ans lorsque j'ai commencé à broder ! déclara Phoebe d'un ton sentencieux.

— Tout comme moi ! Et j'étais à peine plus âgée lorsque j'ai appris la peinture, renchérit Betsy. Mais dites-nous, ma chère, quels sont vos talents, au juste ? La peinture sur porcelaine ?

Ella eut une petite moue désolée.

— Peut-être jouez-vous d'un instrument quelconque ?

— Oui ! s'exclama Ella. Je connais le solfège et je joue du piano. Je l'enseignerai d'ailleurs aux enfants dès que nous aurons reçu le piano que Nathan a commandé.

Les deux autres femmes échangèrent un sourire soulagé.

— J'ai aussi étudié l'art, l'histoire et le français.

— Vous parlez français ? s'étonna Betsy.

— Couramment.

Les deux femmes échangèrent un regard.

— Je crains que vous ne soyez la seule personne dans tout Sweetwater à savoir parler un langage aussi raffiné, déclara Phoebe avec un petit sourire. Minnie Oliver va être verte de jalousie.

— Sans aucun doute, approuva Betsy en souriant à son tour. Quoi qu'il en soit, je suis certaine que Phoebe conviendra avec moi que votre première tâche va d'abord consister à revoir de fond en comble la décoration de votre demeure. Une maison reflète la personnalité et le caractère de la femme qui l'habite. Il serait tout à fait regrettable que ce ne soit pas le cas pour la vôtre.

— Bien sûr, concéda Ella, sincèrement peinée par son

ignorance. Mais je n'ai pas la moindre idée de ce par quoi je devrais commencer.

Betsy prit une profonde inspiration.

— Vous pouvez compter sur nous, ma chère : nous allons vous aider.

Ella les gratifia toutes les deux d'un sourire plein de reconnaissance.

Phoebe désigna alors le piano.

— Pourquoi ne nous joueriez-vous pas quelque chose ?

Ella eut un court instant d'hésitation avant de se lever. Elle qui avait si souvent joué pour les « invités » de Mme Fairchild n'aurait jamais imaginé pouvoir le faire un jour dans un environnement si drastiquement différent.

Elle sourit à ses deux nouvelles amies et alla s'installer au piano.

Chapitre 12

Une fois assise, Ella souleva le lourd abattant en acajou. Le piano était superbe et elle ressentit un petit frisson de plaisir rien qu'à le regarder.

Phoebe disposa devant elle plusieurs partitions. Ella n'en reconnut aucune et choisit au hasard celle d'une chanson intitulée « Des fils d'argent dans un écheveau d'or ». A peine eut-elle plaqué les premières mesures que les deux femmes se mirent à chanter.

Ella se laissa emporter par le bonheur de jouer. Lorsque la chanson s'acheva, elle poursuivit en improvisant quelques notes, puis retrouva les accords familiers d'un concerto écrit par un compositeur allemand. Cela faisait des semaines qu'elle n'avait pas joué et elle éprouvait un sentiment d'euphorie et de plénitude à la fois.

Son premier professeur avait expliqué à Mme Fairchild que *Gabrielle* avait surpassé ses propres compétences, et avait convaincu l'austère femme de lui faire donner des cours par un pianiste assez renommé, d'origine russe. Le désir de vivre une retraite paisible avait conduit ce pianiste jusqu'au Kansas, où ses petits-enfants s'étaient récemment installés. Il avait donc été plus que ravi de se distraire en donnant des cours à une jeune élève si prometteuse. Ces leçons avaient représenté pour Ella l'occasion inespérée de s'évader — en esprit du moins — de la prison dans laquelle elle se trouvait enfermée.

Elle égrena les dernières notes du concert, puis elle baissa

153

la tête, joignit les mains, et demeura un instant immobile, le temps de reprendre contact avec la réalité. Lorsqu'elle releva la tête, elle vit que Betsy avait les larmes aux yeux. Phoebe aussi semblait très émue. Et c'est alors qu'elle se rendit compte que plusieurs personnes s'étaient assemblées autour d'elle, sans qu'elle s'en rende compte, pendant qu'elle jouait. Embarrassée de se trouver ainsi le centre de toute cette attention, elle sentit son visage s'empourprer. A cet instant, elle aperçut Nathan qui, dans la foule, la dévisageait avec une expression stupéfaite. Une personne, puis deux, commencèrent à applaudir, bientôt rejointes par toute l'assemblée, et des bravos enthousiastes s'élevèrent au-dessus du crépitement nourri des applaudissements.

Ella se leva pour aller à la rencontre de Nathan qui marchait vers elle.

— Je crois que j'aurais bien besoin d'un verre de punch, lui murmura-t-elle à l'oreille.

Il la conduisit dans le grand salon et se fit servir un verre qu'il lui tendit.

— Je n'aurais jamais soupçonné que vous puissiez être douée à ce point.

— Je vous avais dit que je savais jouer et que je pouvais donner des leçons à vos enfants.

— Oui, en effet. Beaucoup de femmes jouent du piano, Ella. Mais vous êtes une pianiste de grand talent. Vous ne pouvez pas imaginer le bonheur que j'ai éprouvé à vous écouter jouer.

Enfin ! pensa Ella, soudain transportée de joie. Elle cligna des paupières pour refouler les larmes qui montaient. L'appréciation que Nathan venait de montrer pour ses capacités de musicienne avait pour elle dix mille fois plus de valeur que n'importe quel compliment qu'il aurait pu lui faire sur son apparence. Elle était certes heureuse d'avoir fait bonne impression sur les amis de son mari mais, pour elle, ce qui importait vraiment, c'était de l'avoir impressionné *lui*.

Elle termina son verre de punch et grignota quelques canapés, mais le reste de la soirée disparut pour elle comme dans un brouillard…

Sur le chemin du retour, Nathan entrelaça ses doigts aux siens. Et, lorsqu'il eut refermé sur eux la porte d'entrée de la maison, il l'embrassa avec une tendresse qui la fit chavirer de bonheur.

Jamais elle n'aurait pu imaginer qu'un homme puisse la regarder comme Nathan le faisait, avec respect et admiration. Elle savait bien qu'elle ne méritait ni l'un ni l'autre. Mais malgré cela — ou peut-être précisément à cause de cela — elle voulait à tout prix devenir digne de son estime.

Pour la première fois elle souffrait de la nécessité de lui mentir. Elle n'avait pas le choix, hélas. Elle était venue jusqu'ici pour suivre un plan précis. Et, sans mensonge, elle n'y serait jamais parvenue. Il allait désormais falloir qu'elle vive avec cela, qu'elle se persuade que le personnage qu'elle s'était fabriqué était devenu réalité.

Sa réalité.

— Bonne nuit, Ella, lui dit Nathan d'une voix grave lorsqu'ils furent parvenus sur le palier du premier. Dormez bien.

Elle passa un temps infini à tourner et se retourner dans son lit sans parvenir à trouver le sommeil jusqu'au moment où, n'y tenant plus, elle repoussa draps et couvertures pour se lever.

Elle enfila son déshabillé de soie et descendit au rez-de-chaussée. Elle commença par passer prendre sur la console de l'entrée les revues « de dames » que Phoebe lui avait confiées au moment où Nathan et elle avaient quitté la soirée, lui murmurant à l'oreille, avec une mine de conspiratrice, qu'elle pourrait ainsi les consulter à loisir.

Et y trouver l'inspiration nécessaire à la grande entreprise à laquelle elle allait devoir s'atteler : faire de sa demeure un cadre digne de la position sociale et des ambitions politiques de son mari.

Elle se rendit ensuite dans le salon, alluma plusieurs lampes et alla s'asseoir dans un fauteuil près de la cheminée, de façon à avoir une vue d'ensemble de la pièce.

Le décor paraissait en effet très dépouillé par rapport à celui du salon des Crandall. Pas de napperons de dentelle, pas de châles à franges, pas davantage de bonbonnières ou de bibelots divers. Pas de paravent non plus. Peu de fauteuils, et même pas recouverts de tapisserie au petit point. Bref, une désolation absolue selon les critères prônés par Mmes Crandall et Iverson.

Une fois passé le délai raisonnable nécessaire à son installation, elle n'allait pas tarder à devoir recevoir. Et il faudrait alors que son intérieur reflète son bon goût et son raffinement. Il était impératif qu'elle crée une atmosphère appréciée de tous les amis de son mari. Ses choix de décoration pourraient avoir un impact sur sa nomination et son élection éventuelle. Il était hors de question qu'elle risque de le pénaliser de quelque manière que ce soit.

Elle ouvrit les revues qu'elle avait apportées avec elle et se mit à les feuilleter, s'arrêtant au hasard des pages pour lire un article. Sa lecture ne faisait que confirmer ce que Phoebe et Betsy lui avaient expliqué ce soir.

« Une épouse se doit de développer ses dons artistiques et de consacrer tout son talent et toute son énergie à la décoration de son intérieur », conseillait un expert. « Ses créations personnelles apparaîtront alors comme autant de symboles essentiels de sa féminité. » « Une femme occupée à des travaux d'aiguille », renchérissait un autre expert, « présente un tableau infiniment plus séduisant que celui d'une femme oisive. Dans l'intimité familiale, le soir au coin du feu, aussi bien que lorsqu'elle reçoit des amis. »

Ella hocha lentement la tête puis elle referma la revue et resta un moment immobile, les yeux dans le vague.

Ces messieurs s'accordaient donc à penser que Nathan la trouverait plus séduisante avec un ouvrage à la main. Bien. Rien de très étonnant, après tout, à ce qu'un homme respectable attende d'une épouse vertueuse qu'elle se consacre à son intérieur.

Elle avait hâte que le matin arrive pour pouvoir s'attaquer à cette entreprise de grande envergure. Si c'était le prix à payer pour la rendre plus séduisante aux yeux de Nathan, eh bien, elle était prête.

Pendant la semaine qui suivit, Ella ne prit aucun repos, alternant les courses en ville avec la consultation des catalogues de vente. Elle qui n'avait jusqu'à présent commandé que des chaussures, des bas et des accessoires d'habillement, elle découvrit qu'il existait des catalogues exclusivement consacrés à l'ameublement et à la décoration intérieure. Elle s'installa une petite table dans un coin du bureau de Nathan pour pouvoir les compulser à loisir. Sa première commande fut un paravent de bois à décorer soi-même.

Dans le cadre de son vaste effort d'assimilation des us et coutumes de la société locale, elle décida de se rendre le jeudi après-midi à la paroisse pour les répétitions de la chorale. Elle fut agréablement surprise par la façon dont les autres dames l'accueillirent dans leur groupe. Et plus surprise encore de voir arriver peu après elle Rita Thomas, l'une des ex-pensionnaires de Mme Fairchild qui avaient fait en même temps qu'elle le voyage jusqu'à Sweetwater.

Lorsque toutes les participantes de la chorale se rendirent ensuite chez Minnie Oliver pour le thé, Ella se rendit vite compte que Rita ne se sentait pas du tout dans son élément. Sa nervosité lui faisait de la peine. On voyait bien qu'elle observait chacun des gestes des dames qui l'entouraient pour tenter de se conformer à leur manière de faire. Mais sa main tremblait tellement tandis qu'elle tenait sa tasse qu'elle renversa du thé sur le bras du fauteuil dans lequel elle était assise.

Minnie se précipita aussitôt dans la cuisine d'où elle revint avec un linge dans une main et un bol d'eau tiède dans l'autre.

— Ce n'est rien, ma chère, assura-t-elle à Rita tout en tamponnant le bras du fauteuil avec le chiffon imbibé d'eau tiède. Cela n'aura même pas eu le temps de marquer, vous voyez bien !

Rita la remercia d'un petit signe de tête avant de se lever, s'excusant à la cantonade de devoir s'éclipser un instant. Lorsqu'elle passa devant elle pour se diriger vers la porte, Ella vit qu'elle avait les larmes aux yeux.

Les autres dames aussi avaient vu son trouble, et se regardaient les unes les autres avec un air désolé.

— Ella, ma chère, dit enfin Betsy, peut-être pourriez-vous aller lui parler ? Je le ferais bien volontiers moi-même mais, comme vous êtes son amie, vous trouverez sans doute mieux que nous les mots pour la réconforter.

Ella n'avait jamais noué de liens d'amitié avec les pensionnaires de Mme Fairchild, mis à part Céleste. Elle se leva néanmoins pour aller rejoindre Rita.

Elle la trouva sous la véranda, assise dans un fauteuil en osier, les mains serrées sur ses genoux et la tête baissée.

Lorsque Ella s'approcha, elle releva la tête.

— Je n'y arriverai jamais, gémit-elle.

— Voyons, Rita, ne t'inquiète pas pour cette tache, elle est complètement partie, lui dit-elle en s'asseyant dans le fauteuil voisin. Ça peut arriver à n'importe qui de renverser du thé.

— Ça ne te serait pas arrivé à toi.

— Minnie était navrée de te voir dans un tel état.

— Je me sens si nerveuse avec ces femmes, admit Rita dans un murmure. J'ai l'impression que je ne pourrai jamais m'intégrer à ce groupe, ni à cette ville.

— Détrompe-toi, Rita. Tu es maintenant une dame respectable, tout comme elles. Tu as ta place dans cette société et dans cette ville.

Rita leva vers elle des yeux baignés de larmes.

— Parce que toi tu as l'impression d'avoir ta place dans cette société ?

— Moi je suis absolument déterminée à faire tout ce qu'il faudra pour y parvenir. La vie que nous menons ici représente tout ce que nous n'aurions jamais osé rêver dans nos rêves les plus fous. Et maintenant c'est la nôtre, Rita. Mais commençons par le commencement et réponds-moi franchement : est-ce que ton mari est gentil avec toi ?

Rita hocha la tête et son visage se détendit instantanément.

— Oui, très.

— Tu penses donc que tu pourrais être heureuse avec lui ?

— Oui.

— Alors si tu y réfléchis, Rita, tu dois bien te rendre compte qu'un thé avec les dames de la paroisse est tout de même une épreuve moins difficile que ce qu'on a connu à Dodge, non ?

Rita sortit un mouchoir de sa poche et s'en tamponna les yeux.

— Oui, bien sûr que je m'en rends compte. C'est juste que... je me sens si nerveuse en compagnie de toutes ces dames respectables. J'ai l'impression qu'elles vont me percer à jour, me démasquer...

— Impossible. Tout simplement impossible. Alors

cesse de te torturer l'esprit, arbore ton plus beau sourire et retournons donc prendre le thé dans ce superbe salon.

Elles se levèrent toutes les deux et se dirigèrent vers la porte d'entrée, mais Ella s'arrêta sur le seuil.

— A propos de salon, dit-elle en se tournant vers Rita, que dirais-tu de venir avec moi tout à l'heure faire des courses en ville ? Figure-toi que, sur les conseils de Phoebe Crandall et Betsy Iverson, j'ai entrepris de redécorer la maison de fond en comble. Paraît-il que c'est le rôle essentiel d'une épouse. Elles affirment que la décoration d'une maison reflète la personnalité d'une femme et fournit un cadre épanouissant et valorisant pour son mari. Avoue que l'enjeu est de taille, non ? conclut-elle avec un petit sourire complice.

— Vaste programme, en effet, reconnut Rita en répondant à son sourire.

— Alors c'est entendu : je compte sur toi pour bien observer le décor dans ses moindres détails, afin que nous sachions quoi choisir quand nous arriverons dans les magasins.

— Entendu, répondit Rita, soudain ragaillardie.

— Est-ce que tu collectionnes quelque chose ? lui demanda Ella un peu plus tard lorsqu'elles se retrouvèrent dans la rue principale.

— Quel genre de choses ?

— N'importe quoi. Tu n'as pas remarqué la quantité stupéfiante de petits objets accumulés partout dans le salon de Minnie ? Entre les cadres, les coupes en cristal, les timbales en argent, les boîtes en marqueterie... Il n'y a pas un seul centimètre carré de surface libre sur aucun des meubles de la pièce. Il paraît qu'une épouse digne de ce nom doit « collectionner » ce genre de choses. Ne serait-ce sans doute que parce que ça l'occupe…, conclut-elle d'un air pensif.

Elles commencèrent par s'arrêter à la banque, où Ella avait ouvert un compte dès son arrivée, puis se rendirent ensuite dans trois magasins différents pour faire leurs achats, commandant sur les catalogues de chaque commerçant les articles qui n'étaient pas disponibles en magasin.

Au début de leur périple, Rita avait confié à Ella qu'elle se sentait gênée à l'idée de dépenser en bric-à-brac l'argent de son mari. Mais Ella l'avait très vite rassurée.

— Je le comprends tout à fait, lui avait-elle dit avec un sourire malicieux, mais tu n'as qu'à voir les choses sous un autre angle : je suppose que tu verrais moins d'objections à dépenser l'argent d'Ansel Murdoch ? Eh bien, c'est ce que nous allons faire. Et ne t'inquiète surtout pas : il s'est montré très généreux avec moi, alors autant que cela nous profite à toutes les deux, n'est-ce pas ?

Lorsqu'elle arriva chez elle, Ella vit que le piano avait été livré et découvrit avec bonheur qu'il ne s'agissait pas d'un piano droit mais d'un superbe demi-queue de bois laqué noir. Comme l'accordeur ne devait venir que le lendemain, elle dut se contenter de l'admirer. Elle en profita pour réfléchir à la façon dont elle allait pouvoir le mettre en valeur et agencer la décoration du salon autour de cette pièce maîtresse.

Elle commença par s'assurer que Nathan ne verrait aucune objection à ce qu'elle achète quelques meubles supplémentaires. Celui-ci lui répondit qu'à partir du moment où cela la rendait heureuse lui-même en serait ravi.

Elle retourna donc dès le lendemain acheter les meubles qu'elle jugeait nécessaires pour équilibrer la décoration du salon.

*
* *

Lorsque le mardi soir Nathan rentra chez lui il fut très surpris de découvrir dans la salle à manger un grand vaisselier surmonté d'un miroir de bois sculpté. Toute une collection d'assiettes en porcelaine qu'il ne reconnaissait pas non plus était exposée sur les étagères.

— Où avez-vous trouvé toutes ces assiettes ? demanda-t-il à Ella en prenant place à table.

— Je les ai commandées. Vous plaisent-elles ?

— Oui, beaucoup. Les deux grands vases sont très originaux.

Il faisait référence à deux grands vases en étain, placés de part et d'autre du miroir, qu'Ella avait garnis de plumes de paon et de longues tiges de graminées séchées.

— J'ai également commandé une paire de vases en porcelaine bleu et blanc, et je n'arrive toujours pas à décider ce que je préfère à cet endroit. Demain, j'installerai les autres, pour que vous puissiez comparer.

Nathan jeta un bref coup d'œil à Mme Shippen. Voyant qu'elle ne faisait aucun commentaire il décida de faire de même.

Quelques jours plus tard il rentra chez lui au moment où deux jeunes gens en sortaient. Ils le saluèrent poliment au passage et Nathan ne jugea pas utile de s'enquérir de leur identité, pensant qu'Ella lui expliquerait sûrement la raison de leur présence.

— Papa, viens voir ! cria Christopher depuis le salon.

Nathan accrocha son manteau dans le vestiaire et se hâta de rejoindre son fils dans le salon. La première chose qu'il remarqua fut le lourd rideau de séparation accroché en travers de la porte, retenu sur un côté par une embrasse en passementerie. Le salon avait été transformé à un point tel qu'il ne le reconnaissait plus. Le piano trônait dans un coin, et l'espace qui le séparait du mur avait été entièrement rempli de tout un assortiment de plantes vertes juchées sur des piédestaux en cuivre de hauteurs variées.

Le mobilier avait été réparti en plusieurs petits groupes et il constata que plusieurs guéridons et au moins une demi-douzaine de chaises avaient été ajoutés.

Au centre même de la pièce avait été placée une grande table de bois sombre dont la base représentait une harpe. Plusieurs bustes en plâtre décoraient la table en question. Il reconnut deux d'entre eux comme représentant Chopin et Beethoven, il en déduisit que les autres devaient eux aussi représenter des compositeurs.

Les fenêtres avaient été décorées de lourds rideaux en velours bordeaux, ouverts sur des panneaux de dentelle crème. Une multitude de bibelots de toutes sortes occupaient la moindre surface disponible. Il aperçut alors sa fille debout devant l'un des guéridons, bouche bée, fascinée par une figurine en porcelaine qui dansait sur le couvercle d'une boîte à musique. Ella apparut alors, tenant Robby par une main, tandis que dans l'autre elle portait une boîte de billes.

— Alors, s'exclama-t-elle en s'approchant de lui, qu'en dites-vous ?

— Je… Je ne sais trop que dire, répondit-il honnêtement. C'est tellement… différent.

— J'ai voulu vous surprendre.

Elle semblait enchantée d'y être parvenue et ses yeux brillaient d'une joie presque enfantine. Nathan pensa, une fois encore, qu'elle était décidément la plus ravissante créature sur laquelle il eût jamais posé les yeux. Et que son sourire à lui seul aurait pu faire disparaître les nuages d'un ciel d'orage.

Il avança dans la pièce, examinant chaque nouvelle acquisition, touché de se rendre compte à quel point Ella s'était investie dans sa tâche.

— Vous avez assurément un réel talent de décoratrice, lui dit-il. Et je vous avoue que je préfère votre touche personnelle à celle de Phoebe Crandall, par exemple.

Ella écarquilla des yeux ravis.

— Vraiment ?

— Très nettement, oui. Je suis très impressionné que vous ayez su créer une atmosphère si raffinée et si chaleureuse à la fois.

Ella rosit sous le compliment et Nathan se sentit ridiculement attendri. Il avança vers elle et se pencha pour lui poser un léger baiser sur le front.

— Je suis très fier de vous, lui murmura-t-il avec un sourire plein de tendresse.

Puis il se redressa et se tourna vers les enfants.

— Vous allez vite vous laver les mains avant que l'on passe à table, mes trésors.

Robby vint se planter devant lui, les deux bras levés.

— Bras ! déclara-t-il d'un ton impérieux.

Nathan se baissa pour le prendre dans ses bras.

— Dis-moi un peu, mon petit homme, que crois-tu que nous allons avoir pour dîner, ce soir ?

— Du poulet !

Nathan éclata de rire et plaqua un baiser sonore sur la joue du petit garçon avant de se tourner vers Ella.

— Il répond toujours la même chose, lui expliqua-t-il. C'est son plat préféré et je crois que si c'était à lui de décider ce serait le menu de chaque repas.

Plus tard dans la soirée, alors que les enfants étaient déjà couchés, Nathan s'installa dans le bureau avec Ella. Il s'assit dans son fauteuil, un livre à la main, et observa sa femme tandis qu'elle travaillait sur son projet de paravent.

— Et où comptez-vous mettre ce paravent ?

— Dans le salon, répondit-elle.

Nathan s'abstint de faire remarquer qu'il voyait difficilement comment elle allait pouvoir faire rentrer encore une seule chose dans le salon. Tout comme il s'abstint de lui dire que rien de ce qu'elle avait acheté ne provenait du magasin de meubles dont il était le propriétaire. Cela ne le dérangeait pas de laisser les autres magasins faire des affaires, mais leurs propriétaires avaient tout de même dû trouver bizarre que sa femme fasse autant d'achats chez eux. Par ailleurs, Nathan n'avait jamais pensé à parler à Ella de cet aspect de ses activités. Alors comment aurait-elle pu deviner ?

Tandis qu'il la regardait découper ses photos avec application avant de les enduire de colle, il ne put s'empêcher de penser qu'il regrettait les soirées qu'ils avaient passées avant, assis l'un près de l'autre sur le canapé, face à la cheminée, à lire ou à parler de choses et d'autres.

Mais la voir heureuse le rendait heureux, alors il ouvrit son livre et essaya de se concentrer sur sa lecture.

— Croyez-vous que nous pourrions emmener les enfants en sortie ce week-end ? lui demanda-t-elle soudain.

Ravi de cette diversion, il reposa son livre.

— A quel genre de sortie pensez-vous ?

— Eh bien, j'ai lu dans le journal qu'il y aurait une représentation de jongleurs et d'acrobates le week-end prochain à Smithville. Ce n'est pas très loin, n'est-ce pas ?

— Non, à deux heures en buggy. Ainsi, vous avez envie de voir des jongleurs ?

— J'avoue que oui, je n'en ai jamais vu. Mais en fait c'est surtout aux enfants que je pensais. Je suis sûre que ça les amuserait beaucoup.

— Vous avez lu cela dans le journal ?

— Oui.

Nathan ne s'intéressait en général qu'aux articles

concernant la vie politique ou économique du pays. Il cherchait toujours de nouveaux moyens d'améliorer la ville et de rendre la région plus sûre pour sa famille et pour les autres. Et il devait reconnaître que, s'il se préoccupait beaucoup du futur et de l'éducation de ses enfants, il ne s'inquiétait pas beaucoup, en revanche, de chercher des moyens de les distraire.

Il prit conscience à cet instant que cela lui plaisait décidément beaucoup que sa femme le complète aussi parfaitement.

— Eh bien, c'est entendu : nous partirons tôt samedi matin.

Elle lui adressa un sourire si radieux qu'il faillit se lever, traverser la pièce au pas de charge et la prendre dans ses bras pour l'embrasser à perdre haleine, comme il l'avait fait le soir de l'orage.

Nathan repensait à cette nuit-là au moins cent fois par jour, souvent aux moments les moins appropriés. Elle était son épouse et elle n'avait jamais montré la moindre résistance, la moindre velléité de repousser ses avances. Ce qui rendait d'autant plus difficile cette période d'abstinence qu'il s'était imposée lui-même.

Il était certain que, s'il allait vers elle maintenant, elle ne le repousserait pas. Il s'imaginait, traversant la pièce et la faisant se lever de son siège pour l'entraîner au premier étage…

Jamais il n'aurait imaginé que cette période de cour serait aussi difficile à tenir. Jamais il n'aurait imaginé pouvoir la désirer avec une telle intensité. Mais il était toutefois convaincu d'avoir pris la bonne décision : Ella avait besoin de temps.

Il était un homme de caractère et de discipline. Un homme convaincu qu'il était nécessaire de s'imposer des règles. Un homme capable de faire en sorte de ne pas recommencer deux fois les mêmes erreurs.

Oui, il ne faisait aucun doute qu'il était infiniment plus important de faire les choses convenablement, plutôt que de se préoccuper uniquement de satisfaire ses besoins physiques à lui.

Ella s'essuya les mains et jeta un coup d'œil à l'horloge murale avant de se lever et de venir vers lui. De nouveau, Nathan se sentit submergé par une soudaine bouffée de désir, d'une intensité presque douloureuse.

Elle s'agenouilla devant lui et posa ses deux mains sur ses genoux.

— J'ai hâte d'être à samedi. Merci d'avoir accepté.

— Ne me remerciez pas, je vous en prie, dit-il d'une voix rauque, avant de se pencher pour la prendre aux épaules et l'attirer plus près de lui.

Elle leva son visage vers lui et il posa ses lèvres sur les siennes. Il avait pensé se limiter à un baiser léger, mais à l'instant où sa bouche toucha ses lèvres douces il éprouva le besoin irrépressible d'aller plus loin, d'intensifier son baiser jusqu'au moment où elle poussa un petit soupir de plaisir qui le galvanisa. Il avait bien conscience que l'embrasser était risqué, parce qu'elle semblait en tirer autant de plaisir que lui. Il fallait que l'un des deux revienne à la raison avant qu'il ne s'emporte. Avant qu'il ne fasse ce qu'il rêvait de faire depuis si longtemps.

Il détacha ses lèvres des siennes et s'écarta. Il lui effleura le front d'une caresse et plongea son regard dans le sien, émerveillé de lire dans les yeux d'Ella le même désir qu'il éprouvait. Jamais il ne voulait voir cette expression changer. Jamais il ne voulait la décevoir.

Il s'éclaircit la gorge pour retrouver une contenance.

— Il se fait tard, ma douce, nous ferions mieux d'aller nous coucher.

Ella hocha la tête et se releva vivement, pour ne pas qu'il puisse voir à quel point elle était déçue. Ce n'était pas le genre de réaction que l'on attendait d'une jeune femme convenable. D'une jeune femme chaste et pure.

Tandis qu'elle mettait un peu d'ordre dans son matériel de collage, elle prit soudain conscience que, pour la première fois, elle commençait à douter d'elle-même. Le fait qu'ils n'aient pas encore consommé leur union l'inquiétait maintenant sérieusement.

Y avait-il chez elle quoi que ce soit qui puisse expliquer que Nathan refuse de coucher avec elle ? Pourquoi semblait-il n'éprouver aucune difficulté à retarder la consommation de leur mariage ?

Chapitre 13

Le vendredi soir, Ella se sentait tellement excitée à la perspective de la sortie du lendemain qu'elle eut le plus grand mal à s'endormir. Nathan avait eu raison de décider de ne rien dire aux enfants. Ils auraient été incontrôlables.

Il avait donné à Mme Shippen sa journée de congé. Le matin, Charlotte leur servit le petit déjeuner puis leur prépara des sandwichs et des pommes pour le trajet, avant de quitter elle aussi la maison pour une journée de repos.

Nathan chargea le panier de pique-nique dans le buggy et fit monter les enfants et Ella.

Robby était le plus excité de tous par leur expédition. Il ponctuait le trajet d'exclamations ravies chaque fois qu'ils apercevaient des vaches en train de paître. Sa joie était si exubérante qu'elle en était contagieuse et même Ella riait de bon cœur, attendrie de voir le petit garçon s'enthousiasmer si bruyamment pour de simples vaches.

Nathan devait penser la même chose qu'elle car, à un moment, il se pencha vers elle avec un sourire complice.

— Il va devenir fou devant le spectacle des acrobates !

— Qu'est-ce qu'un acrobate, papa ? demanda Christopher.

— Ce sont des hommes et des femmes qui font des exercices d'équilibre et de gymnastique très haut au-dessus du sol. Sur des sortes d'immenses balançoires, construites avec de très grands poteaux fichés dans le sol, reliés entre eux et maintenus en place par des filins d'acier.

— Tu as déjà entendu le chant des acrobates ? demanda Ella.

Comme Christopher répondait que non, elle commença à chanter.

Il s'élance dans les airs en prenant son élan
L'intrépide acrobate sur le trapèze volant

Nathan joignit à la sienne sa belle voix grave et ils continuèrent à chanter en chœur devant les enfants qui écarquillaient les yeux, incrédules et ravis à la fois.

Ella se sentait étrangement troublée de retrouver ce chant qu'elle avait joué si souvent dans ses premières années d'apprentissage du piano. A l'époque, son professeur, sans doute attendri par son très jeune âge et par les conditions si particulières dans lesquelles elle vivait, l'avait fait travailler sur des chansons populaires du style de celle-ci.

Les trois enfants saluèrent la fin du chant par des applaudissements nourris et Nathan en éprouva soudain une émotion dont l'intensité le surprit. Il regarda Ella qui riait aussi fort qu'eux et ne put s'empêcher d'admirer, une fois encore, le don extraordinaire qu'avait cette jeune femme de savoir ainsi apprécier les choses les plus simples de l'existence.

Il prit alors conscience que lui-même, ces dernières années, s'était trouvé si accaparé par son travail et par ses ambitions électorales qu'il avait omis de réserver dans son emploi du temps des moments pour ses enfants. De petits moments de bonheur simple comme celui qu'il venait de vivre à l'instant.

Deborah n'avait jamais montré un tel enthousiasme, malgré toutes les tentatives qu'il avait pu faire pour la distraire, ou même tout simplement pour lui faire plaisir. Alors, il avait fini par se décourager et avait abandonné tous ses vains efforts pour se consacrer à sa carrière. Aujourd'hui, il mesurait à quel point il avait pénalisé ses enfants. Et il le regrettait tant qu'il en avait presque honte.

Lorsqu'il tendit la main pour prendre celle d'Ella et la serrer dans la sienne, elle se sentit tout à coup submergée par une bouffée de joie si vive qu'elle en fut tout étourdie.

Jamais elle n'avait ressenti de bonheur aussi intense, aussi pur, et elle gratifia son mari d'un sourire radieux pour bien lui montrer combien elle était heureuse.

— Quelle chance pour nous tous que vous ayez suggéré cette sortie, dit-il en lui souriant à son tour.

— Quel bonheur pour moi de la partager avec vous, lui répondit-elle d'une voix douce.

Il parut surpris de sa réponse, mais n'ajouta rien.

Bercés par le roulis du buggy, les deux plus jeunes enfants ne tardèrent pas à s'endormir et Nathan ne les réveilla que lorsqu'ils arrivèrent à Smithville.

L'événement avait attiré de toute la région une quantité de vendeurs ambulants et une foule de badauds. De petites baraques en toile avaient été érigées tout le long de la grand-rue et des affiches colorées avaient été placardées un peu partout sur les arbres, les poteaux, et même les portes de maisons. Nathan décrocha l'une d'entre elles et la tendit à Christopher.

— Regarde, voilà un dessin des acrobates.

Le jeune garçon fixa l'affiche un instant, visiblement fasciné, avant de lever les yeux vers son père.

— Tu crois que je pourrais la garder ?

— Bien sûr que oui, répondit son père. Demain, de toute façon, les organisateurs de la tournée qui les ont placardées devront les retirer. Tu vois que celle-ci porte le nom de Smithville. Les suivantes porteront le nom de la prochaine ville dans laquelle ils vont se produire.

Un large sourire éclaira le visage de Christopher tandis qu'il roulait l'affiche et la rangeait sous le siège arrière.

Comme la première séance ne commençait pas avant une bonne heure, ils en profitèrent pour se promener dans la grand-rue, admirant l'enfilade d'échoppes qui proposaient de tout : des sucres d'orge aux jouets de bois en passant par les souvenirs. Ils trouvèrent même un photographe qui avait placé devant sa tente un panneau sur lequel il avait exposé plusieurs portraits, individuels ou en groupe.

Nathan s'arrêta et se tourna vers Ella.

— Aimeriez-vous que l'on se fasse prendre en photo ?

Elle pensa immédiatement au portrait de lui-même et de sa première femme qu'elle avait vu sur la commode de sa chambre.

— Volontiers.

Ils entrèrent donc tous ensemble dans la tente. A l'intérieur, plusieurs autres portraits encadrés étaient exposés sur une longue table de bois. Un panneau de toile épaisse divisait la tente en deux parties, dissimulant aux regards ce qui devait faire office de studio. Un homme vêtu d'un costume gris et d'une cravate rouge en sortit.

— Quelle magnifique famille, lança-t-il en les saluant d'un sourire. Aimeriez-vous des portraits individuels de chacun des enfants, un portrait de groupe ? Vous savez que je peux effectuer plusieurs exemplaires d'un même cliché.

— Vraiment ?

— Tout à fait. Je travaille avec des négatifs de verre et une plaque humidifiée au collodion. J'obtiens ainsi des portraits d'excellente qualité et cela vous permet, par exemple, de faire tirer un exemplaire pour chacun de vos enfants, qu'ils pourront ainsi conserver en souvenir.

— Très bonne idée, approuva Nathan. Vous allez donc nous faire un portrait de groupe. Nous en prendrons un exemplaire pour nous et un pour chacun des trois enfants.

Ella lui posa une main sur le bras.

— Vous devriez en profiter pour faire prendre un portrait de vous seul, pour votre campagne.

Nathan hocha la tête d'un air approbateur.

— Excellente suggestion.

Ella sortit de son sac un petit peigne en ivoire avec lequel elle recoiffa les enfants chacun à leur tour. Nathan le lui emprunta pour se recoiffer lui aussi, puis ils passèrent tous ensemble derrière le rideau. Le photographe leur conseilla de réaliser deux clichés différents. L'un d'Ella assise dans un fauteuil avec Nathan et les enfants debout autour d'elle. Et l'autre où c'était au tour de Nathan d'être assis dans le fauteuil.

La séance de pause achevée, Nathan paya le photographe qui leur indiqua l'heure à laquelle revenir chercher les portraits terminés.

Lorsqu'ils ressortirent de la tente, ils se trouvèrent tout à la fois éblouis par le soleil, assourdis par la cacophonie ambiante, et entêtés par les arômes mêlés de cannelle, de vin chaud et de saucisses grillées.

Au milieu de la rue, un jongleur vêtu d'un costume rouge lançait dans les airs six ou huit balles qu'il rattrapait l'une après l'autre avant de la relancer aussitôt. Robby s'arrêta net et resta planté là, hypnotisé.

Un homme monté sur de hautes échasses passa près d'eux, tirant brusquement Robby de sa transe et manquant le faire tomber à la renverse tant il était stupéfait. Un peu plus loin ils trouvèrent un stand de pop-corn dont l'odeur leur mit l'eau à la bouche. Nathan s'arrêta pour en acheter une portion pour chacun des enfants et une pour Ella. Elle goûta et ses yeux s'agrandirent de surprise.

— C'est absolument délicieux ! s'exclama-t-elle. Vous croyez qu'on pourrait en faire à la maison ?

— Bien sûr que oui, répondit-il en riant. Quand nous étions petits, à Philadelphie, la cuisinière de notre mère nous en faisait souvent. Ce doit être assez facile. Nous demanderons à Charlotte demain, si vous voulez.

Ils atteignirent enfin le lieu de la représentation. Des

gradins de bois avaient été érigés autour d'une piste sur laquelle des matelas étaient empilés. Quatre hauts piliers de bois, profondément fichés en terre et reliés deux par deux, avaient été arrimés en place par des haubans. Et tout en haut de ces piliers deux trapèzes se balançaient, à une hauteur vertigineuse.

Grace se pencha vers son père et lui montra du doigt ses jambes croisées. Il se tourna vers Ella.

— Elle veut dire qu'elle a envie d'aller aux toilettes, lui expliqua-t-il.

Ella se leva aussitôt.

— Je l'emmène tout de suite.

Lorsqu'elle revint avec Grace, les gradins s'étaient remplis de spectateurs et un orchestre avait commencé à jouer un morceau entraînant. Nathan sortit de sa poche un mouchoir pour essuyer les petites mains collantes de ses enfants.

A l'heure prévue, un homme vêtu d'un costume noir brillant et d'un chapeau haut de forme apparut sur la piste. Utilisant un mégaphone, il annonça l'arrivée du célèbre duo intrépide, Hubert Stratton et Little Lou Beatty, pour son numéro extraordinaire de trapèze volant.

La foule applaudit l'entrée en piste des artistes, un homme et une femme vêtus de vestes pailletées bleues portées avec des collants noirs qui les moulaient jusqu'à la taille.

Accompagnés par des vivats d'encouragement, ils se séparèrent pour rejoindre chacun une échelle de corde, de part et d'autre de la piste.

Une fois parvenus au sommet, ils s'assirent chacun sur leur trapèze auquel ils commencèrent à imprimer, avec leurs jambes, d'amples mouvements de balancier.

Le silence se fit, au fur et à mesure que la foule prenait conscience du danger bien réel de l'exercice.

Les deux artistes se mirent alors debout sur leurs trapèzes respectifs et saluèrent la foule. Christopher et

Robby répondirent en agitant les bras à leur tour et en leur criant des encouragements tandis que Grace les fixait bouche bée, les yeux écarquillés. Au même instant, les deux trapézistes enroulèrent leurs jambes autour des cordes qui maintenaient les trapèzes et se laissèrent tomber en arrière pour se retrouver tête en bas, continuant à se balancer en parfaite symétrie, tandis qu'éclataient applaudissements et cris d'admiration.

Le numéro se poursuivit et Nathan prit conscience qu'il prenait encore plus de plaisir à observer les enfants et Ella qu'à suivre la performance elle-même. Leur fascination et leur enthousiasme l'enchantaient littéralement.

Le spectacle se fit soudain plus intense lorsque les deux artistes se mirent à se balancer de plus en plus fort, de plus en plus haut, tandis que tous les spectateurs, comprenant ce qui allait se passer, retenaient leur respiration dans un silence presque irréel. Il y eut un long roulement de tambour et Little Lou se lança dans le vide… à la rencontre de son partenaire qui la rattrapa par les mains, déchaînant des applaudissements frénétiques. Bientôt, Nathan lui-même se laissa gagner par l'excitation ambiante et il se sentit presque aussi déçu que les enfants lorsque les trapézistes redescendirent au sol.

Leur frustration ne dura pas longtemps : les trapézistes venaient à peine de quitter la piste qu'ils furent remplacés par tout un groupe de clowns juchés sur des monocycles, affublés de costumes multicolores extravagants. Les premiers s'époumonaient dans d'énormes trompettes, les suivants frappaient leurs cymbales avec enthousiasme, tandis que le dernier du groupe tapait comme un sourd sur son tambour, l'ensemble produisant une cacophonie assourdissante qui déclencha les hurlements de joie du public.

Lorsque le spectacle se termina, la petite famille quitta les gradins pour se retrouver dans la grand-rue.

Ils s'arrêtèrent à un stand qui vendait des photographies des différents artistes, collées sur du carton épais pour pouvoir être accrochées au mur ou posées sur un meuble. Nathan demanda à chacun des enfants d'en choisir une. Ils passèrent ensuite chercher leurs portraits de famille, puis allèrent tous les cinq s'attabler dans un restaurant bondé pour prendre une collation avant de repartir.

Robby et Grace s'endormirent à peine installés sur le siège arrière du buggy. Ella invita alors Christopher à les rejoindre sur le siège avant. Il la remercia d'un sourire reconnaissant et se dépêcha de venir prendre place entre elle et Nathan.

— Quelle journée extraordinaire, papa !

— Eh bien, figure-toi que c'est grâce à Ella. C'est elle qui a suggéré cette expédition.

— Oh ! merci beaucoup, dit-il en se tournant vers sa belle-mère. C'est la journée la plus formidable que j'ai jamais passée ! Je suis vraiment content que vous soyez venue nous épouser et vivre dans notre famille.

Ella fut si émue par sa remarque qu'elle en eut la gorge nouée. Elle jeta un regard furtif à Nathan, vit qu'il guettait sa réaction, et rebaissa vivement les yeux sur Christopher.

Elle déglutit avec difficulté et s'éclaircit la voix.

— Ça me touche beaucoup que tu me dises cela, Christopher. Et je t'assure que je suis moi-même très heureuse d'être entrée dans votre famille en épousant ton papa. Je n'ai jamais eu de famille auparavant, alors c'est encore très nouveau pour moi.

— Vous n'avez pas eu de famille ? Pas du tout ?

Elle secoua la tête pour confirmer.

— Alors votre maman à vous aussi est morte ?

— Oui.

— Mais votre papa ? Il ne s'est pas occupé de vous quand votre maman est morte ?

— Il est mort lui aussi.

— Oh.

L'enfant leva les yeux vers son père et Nathan prit sa petite main fragile dans la sienne.

Il resta silencieux, visiblement abasourdi par la révélation d'Ella. Quelques instants plus tard, elle sentit le poids de son petit corps s'affaisser et elle se rendit compte que lui aussi s'était endormi. Elle lui entoura les épaules de son bras pour l'empêcher de tomber en avant et il se pelotonna contre elle dans son sommeil, comme l'aurait fait un petit chat. Elle écarta tout doucement de son front une mèche de ses cheveux bouclés et garda les yeux rivés sur son profil délicat. Lorsqu'elle releva la tête un peu plus tard, elle vit que Nathan l'observait, mais il détourna le regard.

Arrivés devant la maison, ils réveillèrent les enfants et Ella les entraîna à l'intérieur, tout groggy de sommeil, pour les aider à se mettre en tenue de nuit pendant que Nathan rentrait les chevaux à l'écurie.

Lorsqu'ils furent tous couchés, elle descendit faire chauffer de l'eau pour un bain et s'enferma dans la petite pièce attenante à la cuisine, qui faisait office de salle de bains.

Quelques minutes plus tard, elle entendit frapper à la porte un petit coup léger.

— Gardez-moi l'eau, lui dit Nathan derrière le battant, je viderai le tub lorsque j'aurai fini.

Elle acheva sa toilette, sortit du bain et enfila sa chemise de nuit et son déshabillé. Puis elle remonta ranger dans sa chambre les vêtements qu'elle avait portés pendant la journée, avant de redescendre dans la cuisine se préparer du thé. Elle en remplit une tasse qu'elle emporta avec elle.

En se rendant dans le salon, elle vit sur la console de l'entrée le paquet contenant les photographies prises le jour même et elle s'aperçut que Nathan l'avait ouvert et en avait sorti la plus grande pour la poser sur le dessus. Il avait acheté un superbe cadre et choisi d'y mettre le portrait sur lequel il se tenait debout derrière Ella, assise dans le fauteuil, avec tous les enfants autour d'elle. Elle étudia le portrait avec attention, émue de voir la fierté que reflétait le visage de Nathan.

Ce portrait pouvait être trompeur. Si un inconnu le voyait, il pourrait parfaitement imaginer qu'elle était la mère de ces enfants. Elle ne l'était pas, bien sûr. Elle était arrivée bien après leur naissance et n'avait fait que remplir un espace laissé vide dans cette famille.

Mais peut-être que si elle faisait des efforts, beaucoup d'efforts, alors peut-être cette sensation terrible de solitude et d'exclusion finirait-elle enfin par s'estomper…

Elle alla porter le cadre dans le salon et le posa bien en vue sur une table. Puis elle se dirigea vers le piano, s'assit sur le tabouret et souleva l'abattant.

Elle avait à peine eu le temps de toucher ce magnifique instrument depuis qu'il avait été accordé. Aussi ressentit-elle un frisson de pur bonheur en faisant courir ses doigts sur les touches d'ivoire.

Elle avait apporté avec elle une quantité de partitions qui se trouvaient encore dans une malle, dans sa chambre. Mais elle connaissait plusieurs morceaux par cœur. L'un d'eux lui vint à l'esprit et elle en joua les premières mesures. Bientôt, elle se laissa emporter par la musique, comme c'était si souvent le cas.

Auparavant le piano avait surtout représenté pour elle un moyen de s'évader de son environnement. D'oublier qui elle était et ce qu'elle faisait. Ce soir, en revanche, elle n'avait nul désir d'oublier ni son cadre de vie ni les membres de la famille avec lesquels elle le partageait. Elle joua pour le seul bonheur de l'instant et mit dans son jeu toute la gratitude et toute la joie qui lui gonflaient le cœur.

Lorsque Nathan eut fini de prendre son bain, il vida

l'eau du tub, se rhabilla, puis se rendit dans le salon pour y retrouver Ella. Il s'arrêta sur le seuil, subjugué par la vision de la jeune femme assise à son piano. Sa silhouette fine et délicate, dans son déshabillé blanc, formait un contraste saisissant avec la masse sombre et imposante de l'instrument. Il aurait été incapable de dire ce qui le captivait davantage entre le tableau qu'elle représentait et les sons merveilleux qu'elle produisait avec ses poignets délicats et ses doigts fuselés.

Une fois encore, la même pensée lui revint à l'esprit : tout en elle était parfait. Elle s'entendait bien avec ses enfants. Elle s'était bien intégrée à leur famille et à leur maisonnée. La gouvernante des enfants et la cuisinière l'appréciaient, et elle les appréciait elle aussi. Jamais il ne l'avait entendue élever la voix. Et elle savait apprécier même les choses les plus insignifiantes.

De tous les hommes qui avaient dû lui demander sa main ce soir-là, par quel miracle avait-il eu la chance inouïe d'être celui auquel elle avait répondu oui ?

La jeune femme plaqua les derniers accords puis elle leva très lentement ses mains du clavier et vint les poser à plat, de part et d'autre de ses hanches, sur le tabouret en acajou.

— Je n'ai jamais rien entendu de si beau, dit alors Nathan d'une voix grave.

Elle se retourna vivement, interdite.

— Oh ! J'ignorais que vous étiez là.

— Je n'ai pas voulu vous interrompre. Vous sembliez si… transportée par ce morceau.

Elle se tourna sur le tabouret pour lui faire face, attirant l'attention de Nathan sur ses pieds nus, sous l'ourlet du déshabillé. Lorsqu'elle vit son regard, elle recula prestement ses pieds pour les cacher sous le tissu.

— J'espère que je ne vous ai pas dérangé.

— Bien au contraire. J'aime énormément vous entendre jouer.

— Je comptais commencer lundi à donner des leçons aux enfants.

Elle se leva et referma l'abattant sur le clavier.

— A ce propos je pensais…

Comme elle laissait sa phrase en suspens et semblait hésiter à poursuivre, il voulut l'encourager.

— A quoi pensiez-vous ?

— Eh bien, je pensais que je pourrais donner des leçons à d'autres enfants. Des leçons rémunérées. Ce qui me permettrait ainsi de participer aux revenus du foyer.

Sa suggestion prit Nathan par surprise. Comme du reste presque tout ce qu'elle pouvait faire ou dire. Craignait-elle qu'il soit incapable de subvenir convenablement aux besoins de leur famille ?

— C'est un sujet que nous n'avons jamais abordé, en effet, l'aspect… financier des choses. Mais, je vous en prie, ôtez-moi d'un doute : j'espère ne rien avoir dit qui aurait pu vous faire croire que nous avions besoin de ressources supplémentaires. Je vous assure, Ella, que je gagne très confortablement ma vie.

Elle se détourna pour poser les yeux sur la photographie qu'elle avait placée sur la table entre les bustes de Bach et de Mozart. Elle désigna les deux compositeurs d'un geste hésitant.

— Je voulais aussi vous dire que… j'ai acheté ces objets, ainsi que les meubles, avec mon argent personnel.

La surprise de Nathan se mua en stupéfaction.

— Je… je vous avoue que je ne m'étais même pas posé de questions. J'ai simplement pensé que vous aviez fait marquer vos achats sur les comptes que je possède dans les différents magasins de la ville.

— Non. J'ai calculé pour chaque magasin la somme des

achats que je souhaitais effectuer, et ensuite je suis allée à la banque retirer les sommes nécessaires.

Comment pouvait-elle posséder autant d'argent ? Et pourquoi diable l'avait-elle dépensé pour acheter du mobilier ?

— Et... pourquoi avez-vous fait cela ?

Chapitre 14

Ella se tourna de nouveau vers Nathan.

— Eh bien, disons que… que je voulais apporter quelque chose à notre mariage.

Nathan sentit sa poitrine se serrer. Elle lui avait déjà tant apporté… Comment pouvait-elle ne pas en être consciente ?

— Croyez bien qu'il n'a jamais été dans mon intention de mettre en doute votre capacité, en tant que chef de famille, à entretenir notre train de vie.

— Je ne me sens pas le moins du monde insulté, Ella. Vous venez, au contraire, de me donner une belle leçon d'humilité.

Il s'avança vers elle et elle vint aussitôt à sa rencontre, se lover dans ses bras et appuyer sa joue contre son torse. Ses épaules étaient fines et délicates et ses cheveux encore humides avaient ce doux parfum frais et épicé à la fois qu'il appréciait tant. A travers le tissu de leurs vêtements respectifs, il sentit ses seins s'écraser contre son torse. Il glissa les doigts dans ses cheveux soyeux et se mit à lui caresser doucement la nuque.

— Je n'aurais jamais cru qu'une famille puisse être comme cela, murmura-t-elle soudain d'une voix rauque d'émotion. Et je n'aurais jamais soupçonné non plus l'intensité des sentiments que j'éprouve… à l'idée d'avoir un mari.

Il posa ses deux mains sur les épaules d'Ella et l'écarta légèrement pour pouvoir voir son visage.

— Et que ressentez-vous, au juste ?

— De la fierté, répondit-elle aussitôt. De la confusion aussi, ajouta-t-elle avec un petit sourire. Et…

Elle marqua un temps d'arrêt et son beau visage redevint grave.

— Et aussi, hélas, la crainte terrible de commettre une erreur.

— Nous commettons tous des erreurs, Ella, lui assura-t-il d'une voix douce en lui caressant la joue du revers de la main.

— Pour être parfaitement honnête, reprit-elle d'une voix plus ferme, je dois vous dire que j'ai parfois l'impression que vous me maintenez à distance. De façon à ce que, si d'aventure je commettais une erreur trop grave, vous puissiez encore… changer d'avis pour ce qui me concerne.

Il se redressa et fronça les sourcils, perplexe.

— Qu'est-ce qui peut bien vous faire croire une chose pareille ? Serait-ce cette période d'adaptation que j'ai décidé de nous imposer ?

Il la sentit se raidir et elle détourna les yeux, regrettant sans doute d'avoir trahi sa vulnérabilité. Elle recula d'un pas, mais il la rattrapa aussitôt par la main.

— Vous savez très bien pourquoi j'ai pris cette décision.

— Je sais que vous pensez que c'est logique et nécessaire, et je respecte votre sagesse d'avoir fait ce choix.

Elle releva la tête pour lui sourire et il comprit alors que son fugitif sentiment de vulnérabilité avait disparu. Elle avait recouvré la pleine maîtrise d'elle-même.

— Il se fait tard, murmura-t-elle, et nous devons nous lever tôt pour la messe, demain matin.

Elle dégagea sa main de la sienne et tourna les talons pour quitter la pièce.

Il la suivit des yeux et demeura un moment immobile, écoutant ses pas décroître dans l'escalier. Puis il éteignit les lampes et sortit du salon à son tour.

Il commençait à se demander si cette période d'adaptation n'allait pas finir par éloigner Ella de lui. Et c'était bien la dernière chose qu'il aurait voulue. Il allait peut-être falloir qu'il revoie son plan.

Il ne pouvait pas se permettre de la perdre.

Pendant les jours qui suivirent, Ella consacra une partie du temps qu'elle passait avec les enfants à leur enseigner les rudiments du piano. Robby, bien sûr, présentait un problème particulier du fait de son très jeune âge. Elle décida malgré tout d'adapter l'enseignement à son niveau.

Le jeudi après-midi, lors du thé chez Minnie Oliver après la séance de chorale, elle apprit que Lena et Tom Bradbury avaient fait à Cheyenne une brève escapade, le temps de se marier.

— Je me demande pourquoi ils ne se sont pas mariés à Sweetwater, lança Mildred d'un air perplexe. C'est dommage, ils auraient pu nous inviter à la réception.

Minnie lui tendit une tasse de thé.

— Si vous voulez mon avis, elle était pressée de lui passer la corde au cou et ne tenait pas du tout à nous avoir autour d'elle.

— Qu'est-ce qui vous permet de dire ça ? demanda Betsy.

— Eh bien, je l'ai invitée la semaine dernière à prendre le thé et elle s'est comportée de façon parfaitement désagréable. Sans jamais se départir d'une petite grimace méprisante, comme si elle s'était trouvée dans une basse-cour malodorante.

— Vous avez remarqué qu'elle n'a jamais assisté au moindre office religieux ? fit Betsy. Ni à notre paroisse ni dans aucune des autres églises. J'ai vérifié.

— J'espère que Tom se rend bien compte de ce qu'il fait, déclara Phoebe Crandall. C'est vraiment un homme bien.

Les autres approuvèrent d'un grave hochement de tête, visiblement convaincues que le pauvre Tom s'était choisi une femme à problèmes.

A leur décharge, Ella devait reconnaître que l'animosité constante de Lena l'avait toujours surprise. Mais cela ne l'empêchait pas de lui souhaiter tout le bonheur possible. Comment aurait-on pu reprocher à quiconque d'avoir gardé des séquelles du genre de vie auquel elles avaient échappé ?

Le week-end suivant et la semaine d'après, Nathan et Ella se rendirent à plusieurs dîners, au cours desquels ils acceptèrent encore d'autres invitations. Aussi Ella suggéra-t-elle à Nathan qu'il était sans doute temps de recevoir à leur tour.

— Je pense que la maison est prête, lui dit-elle un soir tandis qu'ils se tenaient tous les deux dans le bureau, après le coucher les enfants. Je me suis beaucoup documentée sur le sujet et j'ai lu qu'il est essentiel pour un candidat à une élection de pouvoir se montrer à ses électeurs dans un cadre valorisant. Un cadre qui reflète l'équilibre et le bon goût de leur candidat. Un cadre qui leur donne envie de lui accorder leur confiance. Et donc leur vote, par voie de conséquence.

— Il leur suffit de vous voir pour s'assurer de mon bon goût, lança-t-il en lui posant sur les lèvres un léger baiser.

— Je suis très sérieuse, Nathan.

Il lui prit la main pour la porter à ses lèvres et lui embrassa le bout des doigts.

— Je le sais bien et je trouve cette idée tout à fait charmante.

— Alors nous allons arrêter une date, poursuivit-elle, imperturbable, et je vais envoyer les invitations.

Il accepta avec un plaisir qui le surprit lui-même. Sa

première femme ne s'était jamais posé la question de vouloir créer une atmosphère particulière dans l'espoir de lui faire plaisir ou d'impressionner ses pairs. Bien sûr, il était indéniable que Sweetwater avait beaucoup évolué depuis la mort de Deborah, alors il ne pouvait pas se montrer trop critique.

Mais, même en tenant compte des changements survenus, il n'arrivait pas à imaginer Deborah en train de se donner tant de mal pour que leur intérieur représente pour lui un « cadre valorisant », comme le disait Ella. Cette jeune femme faisait vraiment preuve d'une force et d'une détermination impressionnantes.

Le vendredi soir suivant, ils allèrent dîner chez Carl et Athéna Lawrence. Ils étaient sensiblement plus âgés que la plupart des autres amis de Nathan, et Ella ne les avait rencontrés qu'à deux ou trois reprises auparavant. Mais, à chacune de ces occasions, elle avait entendu Athéna exprimer sa hâte que Carl vende les moulins qu'il possédait pour qu'ils puissent retourner vivre sur la côte Est.

— Ma sœur aînée vit dans le nord de l'Etat de New York, expliqua-t-elle à Ella tandis que les invités bavardaient dans le salon en attendant le dîner. J'aimerais pouvoir profiter d'elle encore un peu. Et retrouver enfin la vie trépidante d'une grande ville… avant de périr ici de vieillesse et d'ennui.

— Oh, Athéna, répliqua son mari, vous parlez toujours de New York comme si c'était le seul endroit vraiment civilisé au monde.

— Parce que c'est exactement le cas, lui répondit-elle d'un ton sec.

Ella glissa un regard à son mari et lut dans ses yeux l'empathie qu'il éprouvait pour son ami.

Il semblait évident que Carl avait vécu toute sa vie à

Sweetwater avec une épouse insatisfaite qui n'hésitait pas à le faire savoir. Ella observa Athéna un moment, essayant de comprendre son raisonnement et de compatir à son insatisfaction. Elle ne connaissait rien de cette femme, rien de ce qui pouvait sous-tendre son désir de vivre ailleurs. Elle ne voulait pas la juger, mais elle avait du mal à comprendre comment on pouvait considérer comme une épreuve le fait de vivre ici.

Elle reconnaissait toutefois que les sentiments des gens et leurs réactions ne pouvaient être que subjectifs. Et qu'il fallait toujours garder cela en tête avant de porter un jugement.

Tom et Lena étaient également invités. Ils venaient de rentrer de leur voyage à Cheyenne et étaient donc le centre de l'attention. Tom raconta comment il avait fait sa demande. Et Lena décrivit l'hôtel dans lequel ils étaient descendus.

— Un endroit d'un luxe inouï ! s'exclama-t-elle avec emphase. Beaucoup plus élégant que tout ce qu'on peut trouver ici. Sweetwater ferait bien de prendre exemple sur Cheyenne !

Tom toussota pour se donner une contenance et c'est heureusement l'instant que choisit l'employée de maison pour venir prévenir Athéna que le dîner était servi. Leur hôtesse annonça donc que l'on allait pouvoir passer à table, ce qui acheva de dissiper le malaise créé par les déclarations péremptoires de Lena.

Nathan offrit son bras à son épouse pour la conduire jusqu'à la salle à manger.

Ella le retint en arrière d'une légère pression de la main. Il comprit qu'elle voulait lui parler et s'écarta sur le côté pour laisser les autres invités quitter la pièce les premiers.

— Vous aviez quelque chose à me dire ? lui demanda-t-il avec un sourire.

— En effet, oui. J'observais tout à l'heure les invités

conviés avec nous ce soir et je me suis fait la remarque que je n'avais encore jamais vu Céleste et Paul dans ce genre de dîner. Croyez-vous que nous pourrions les inclure à notre liste d'invités, quand ce sera notre tour de recevoir ?

— Bien sûr, voyons. C'est votre maison et Céleste est votre amie. Vous pouvez inviter absolument qui vous voulez.

— Merci, Nathan, murmura-t-elle avec un sourire.

— Merci à vous, Ella.

Elle fronça les sourcils, étonnée.

— Mais pour quoi donc ?

— Pour chaque jour. Pour votre façon d'être toujours satisfaite de tout. Et pour le mal que vous vous donnez pour rendre mes enfants heureux.

— Je n'ai aucun mérite : je suis pleinement satisfaite. Quant aux enfants, ils méritent d'être heureux. Et je dois dire qu'ils sont très faciles à contenter.

— Vous aussi, Ella. Et c'est précisément ce que je trouve si merveilleux chez vous.

Elle ne comprenait pas tout à fait ce qu'il voulait dire, mais elle voyait bien qu'il avait été affecté par la façon dont leur hôtesse avait dénigré la vie à Sweetwater.

— Comment pourrais-je ne pas être satisfaite ? Vous m'avez apporté tellement. Vous ne pouvez pas soupçonner à quel point je…

Elle laissa sa phrase en suspens, troublée de se sentir soudain la gorge nouée par l'émotion.

Nathan l'attira alors dans ses bras et la maintint un instant serrée contre lui, sans rien dire. Puis il inclina lentement la tête et posa ses lèvres sur les siennes, pour un baiser si doux et si tendre qu'elle en fut tout étourdie et dut se retenir à son bras pour ne pas perdre l'équilibre.

— Allons dîner, madame Lantry, lui dit-il d'une voix rauque.

Lorsqu'ils arrivèrent dans la salle à manger ils se rendirent compte que tous les autres convives étaient déjà assis. Athéna les accueillit avec un petit sourire complice et leur indiqua leurs places d'un signe de la main.

Ella se retrouva assise entre James Evans et Nathan, bénissant la coutume qui voulait qu'on ne sépare pas les jeunes mariés pendant leur première année de mariage.

Un peu plus tard au cours du dîner, elle profita d'un moment où James bavardait avec son autre voisine pour se pencher vers Nathan.

— Vous n'aimez pas les asperges ?

— Si.

— Vous n'avez pas touché aux vôtres.

Il baissa les yeux sur son assiette, intacte, et se rendit compte qu'il avait laissé son esprit vagabonder.

Il avait repensé aux paroles d'Ella quand elle lui avait dit son impression qu'il la maintenait à distance. Elle s'était aussitôt reprise, ne souhaitant visiblement pas qu'il voie qu'elle en était blessée. Mais plus il y repensait, plus il comprenait qu'elle ne se sentait pas très à l'aise dans leur relation.

Et il avait alors pris conscience qu'elle s'inquiétait de sentir qu'il la maintenait à distance parce qu'elle ne pouvait pas comprendre que c'était dans un seul but : pour qu'elle ne puisse pas le rejeter, lui ou ce qu'il représentait.

En fait il avait peut-être fait fausse route.

Ses constantes comparaisons avec Deborah ne faisaient que renforcer ce qu'il avait perçu dès le début : Ella ne ressemblait en rien à sa première épouse. Il allait donc falloir qu'il réussisse à repousser de son esprit les difficultés qu'il avait rencontrées avec Deborah. S'il ne voulait pas qu'elles perturbent sa relation avec Ella.

Il se sentait tellement préoccupé par cette nouvelle approche des choses que le dîner lui parut interminable. Et bien sûr, une fois le dîner terminé, il lui fallut encore suivre les autres invités masculins dans le bureau de Carl. Pour satisfaire à la sacro-sainte coutume anglo-saxonne du verre de cognac savouré « entre hommes » avec un cigare.

Lorsque enfin Carl proposa d'aller rejoindre les épouses, Nathan fut le premier à passer la porte.

— Peut-être Ella accepterait-elle de nous jouer quelque chose ? suggéra Phoebe en montrant le clavecin d'Athéna.

— Nous devons hélas rentrer pour les enfants, répondit aussitôt Nathan. Mme Shippen nous a exceptionnellement demandé de ne pas rentrer trop tard ce soir.

— J'en suis tout à fait navrée, protesta Athéna. Je ne vous ai encore jamais entendue jouer, mais tous nos amis s'accordent à vanter votre talent.

— Ils sont très aimables, répliqua Ella, et aussi bien indulgents. Quoi qu'il en soit, j'espère que vous nous ferez bientôt le plaisir de venir dîner à la maison. Et je serai alors ravie de jouer quelque chose pour vous. Mon mari a fait l'acquisition d'un piano magnifique. Je n'avais jamais joué sur un instrument d'une telle qualité auparavant.

Après avoir salué leur hôtesse sur le pas de la porte, Nathan et Ella quittèrent donc la réception.

— J'ignorais que Mme Shippen avait demandé à ce que nous rentrions tôt ce soir, s'étonna Ella lorsqu'ils se furent éloignés. J'avais cru comprendre qu'elle s'installerait pour la nuit dans la chambre attenante à celle des enfants, comme elle le fait chaque fois que nous sortons.

— En fait, j'avais hâte de rentrer.

— Oh. Vous… vous sentez souffrant ?

— Je vais très bien, merci.

Un peu désarçonnée par cette sécheresse de ton inhabituelle, Ella choisit de garder le silence, profitant de l'instant pour savourer l'air frais du soir.

En levant les yeux vers le ciel constellé d'étoiles, elle se rappela tout à coup avec attendrissement l'enthousiasme de Grace lorsqu'elle lui avait appris à jouer « Brille, brille, petite étoile » le matin même au piano. Elle se mit à fredonner l'air à voix basse, pour elle-même, et fut tout étonnée d'entendre soudain la voix grave de Nathan se joindre à la sienne.

Elle leva les yeux vers lui et lui sourit, heureuse de le voir répondre à son sourire tout en chantonnant avec elle.

— Vous saviez, fit-elle à la fin de la chanson, que Wolfgang Mozart avait écrit une variation de cet air ?

— Non, je l'ignorais.

— Il s'agit à l'origine d'une comptine française qui s'appelle « Ah, vous dirais-je, maman ? ». Plusieurs variations en ont été écrites, dont l'une de Mozart en personne.

— Votre ravissante petite tête est décidément bien remplie.

Son mari était-il en train de se moquer d'elle ?

Elle lui jeta un coup d'œil et fut aussitôt rassurée : son sourire n'avait rien de moqueur.

Lorsqu'ils atteignirent la maison Nathan ouvrit la porte et s'effaça pour la laisser entrer.

— Montez donc au premier étage, lui dit-il en refermant derrière eux, je vous apporte de l'eau chaude et un verre de sherry.

Elle faillit lui dire qu'elle pouvait se charger elle-même de son eau chaude, mais l'expression du visage de son mari l'en dissuada. Elle se hâta donc de monter au premier.

En s'installant devant sa coiffeuse, elle se rappela tout à coup qu'elle avait dû demander l'aide de Mme Shippen pour s'habiller, parce que la robe qu'elle portait ce soir était fermée dans le dos par une rangée de boutons minuscules qui lui descendaient depuis le cou jusqu'au niveau des hanches. Il ne faisait donc aucun doute qu'elle aurait aussi besoin d'aide pour les défaire.

Elle retira les épingles qui retenaient son chignon, libérant la masse soyeuse de ses cheveux qui retomba en cascade sur ses épaules. Elle se mit à les brosser longuement et entendit alors un coup léger frappé à la porte qu'elle avait laissée entrouverte.

— Entrez, je vous en prie.

Nathan poussa le battant.

— D'abord l'eau chaude, annonça-t-il en traversant la pièce pour aller poser le broc derrière le paravent de toilette.

Il ressortit de la chambre et revint presque aussitôt en apportant, sur un plateau d'ébène, deux verres et un flacon en cristal taillé.

— Et maintenant le sherry.

Il vint poser le plateau sur la coiffeuse à côté d'Ella et servit les deux verres.

— Goûtez donc cela, suggéra-t-il en lui tendant l'un des deux.

Elle étudia un instant le liquide ambré avant de le porter à ses lèvres.

— Délicieux. Un peu plus sec que celui que vous m'avez fait goûter la dernière fois. Je préfère.

— Que connaissez-vous donc du sherry ?

— Je sais qu'il vient d'Espagne. Et que seul le vin obtenu à partir de raisins provenant de ce que les Espagnols appellent « le Triangle Sherry » a droit à cette appellation. Je sais aussi que ce type particulier de vin est fortifié avec de l'eau-de-vie après la fin du processus de fermentation.

— Explorateurs, compositeurs et vinification…, déclara-t-il avec un hochement de tête admiratif. Vous avez vraiment reçu une éducation aussi intéressante qu'atypique.

— Sans doute, oui. Je connais d'ailleurs une anecdote assez amusante à propos de sherry : figurez-vous que, lorsque Ferdinand Magellan s'est embarqué pour son voyage autour du monde, il en avait stocké une telle quantité de bouteilles dans ses cales qu'on a dit à l'époque qu'il avait dépensé davantage d'argent pour le sherry que pour les armes !

— Il devait faire bon naviguer sur son navire, rétorqua Nathan avec un sourire.

Il reposa son verre vide sur le plateau et vint se mettre debout derrière la chaise sur laquelle Ella était assise.

— Levez-vous donc, que je défasse les boutons de votre robe. Vous n'y parviendrez jamais seule, n'est-ce pas ?

— Sans doute pas, non, admit-elle tout en se levant.

Elle lui tourna le dos et il défit les boutons un à un, commençant à l'encolure jusqu'au dernier, au niveau des hanches. Lorsque les pans du corsage de la robe s'écartèrent il laissa retomber ses mains le long de son corps et releva la tête pour regarder, dans le miroir, le visage d'Ella qui s'y reflétait.

— Savez-vous comment on appelle le type particulier de verre dans lequel on sert le sherry ? demanda-t-il alors.

Elle jeta un coup d'œil au petit verre à pied dont le corps se resserrait dans sa partie supérieure, rappelant un peu la forme d'une tulipe.

— Du tout, non.

— Une « copita ». C'est l'appellation espagnole d'origine.

— De l'espagnol ? Où avez-vous appris cela ?

— De la bouche du vendeur qui me les a vendus à Douvres, répondit-il avec un sourire.

Il se pencha par-dessus son épaule pour remplir leurs deux verres.

Puis il reposa la carafe près des verres et posa ses lèvres sur son cou.

— Vous semblez donc avoir reçu une éducation très complète. Mais… vous a-t-on seulement mise en garde contre cette fâcheuse propension qu'ont les hommes à griser les femmes de spiritueux pour tenter ensuite de les séduire ?

Chapitre 15

Elle découvrait son mari comme elle ne l'avait jamais vu jusqu'à présent. Malicieux. Charmeur. Elle sentit un frisson délicieux partir de l'endroit où ses lèvres s'étaient posées sur son cou pour se répandre dans tout son corps.

— Bien sûr qu'on m'a mise en garde, lui répondit-elle d'une voix suave.

Elle prit son verre et en but le contenu à petites gorgées avant de le reposer sur le plateau. Puis elle se retourna lentement face à son mari et l'enlaça langoureusement.

— Croyez-vous qu'il y aura de l'orage, ce soir ?

Il fronça les sourcils et la fixa un moment sans répondre, visiblement perplexe, puis son visage s'éclaira, comme s'il venait tout à coup d'avoir la réponse à la question qu'il s'était posée.

— Vous n'avez jamais eu peur de l'orage, n'est-ce pas ? lui demanda-t-il en affectant une mine sévère.

— Jamais, admit-elle avec un sourire angélique.

Il éclata de rire avant de la serrer dans ses bras.

— Je crois que ce soir-là, si je ne m'étais pas retenu, j'aurais envoyé valser cette fameuse période d'abstinence, dit-il d'une voix rauque.

Il enfouit son visage dans le cou d'Ella, savourant le parfum de sa peau, comme pour en absorber l'essence. Puis il remonta en une traînée de baisers brûlants jusqu'à ses lèvres, qu'il écrasa soudain avec une fougue passionnée.

Ella était aussi stupéfiée par la tournure que prenaient

les événements que par les intentions évidentes de son mari à cet instant. Elle en était d'autant plus heureuse que cela signifiait qu'il s'apprêtait enfin à sceller son union avec elle, en « consommant » le mariage dans l'acception légale du terme. Et puis, cela faisait des semaines qu'elle revivait sans cesse en souvenir les moments merveilleux qu'ils avaient partagés, cette fameuse nuit d'orage. Des semaines qu'elle n'aspirait qu'à retrouver la sensation de ses lèvres sur sa peau et de ses mains sur son corps…

Elle s'abandonna avec un petit gémissement de bonheur, subjuguée par l'intensité des sensations que Nathan éveillait en elle.

Jusqu'alors l'acte physique entre un homme et une femme n'avait représenté pour elle qu'un moyen et non pas un but. Un travail à accomplir au mieux de ses capacités. Sans jamais se laisser aller à ressentir quoi que ce soit. Ni surtout la moindre attirance, que ce soit d'ordre physique ou émotionnel.

Oui, l'intensité de ses réactions était pour elle aussi nouvelle qu'étonnante. Et effrayante aussi. Parce que, comme elle venait de le comprendre, cela signifiait qu'elle aurait tout à perdre en cas d'échec de ce mariage.

Nathan se redressa soudain et, avec des gestes lents et délibérés, lui passa les mains dans le dos pour écarter les pans de sa robe, avant de tirer le tissu vers le bas pour le lui faire glisser jusqu'à la taille. Puis il s'agenouilla devant elle et acheva de faire descendre la robe jusqu'à ce qu'elle se répande en corolle sur le parquet autour des pieds d'Ella. Alors il se redressa et jeta négligemment le vêtement en travers du dossier de la chaise. Il revint ensuite derrière Ella pour détacher le ruban de satin qui retenait son jupon à sa taille. Le jupon tomba au sol à son tour, et cette fois-ci ce fut Ella qui s'en débarrassa d'un coup de pied.

Elle se retourna face à son mari et plongea son regard dans

le sien. Elle eut d'abord un moment d'hésitation, redoutant de faire quoi que ce soit qui pût lui paraître inconvenant de la part de la jeune fille pure et vertueuse qu'elle était censée être. Enfin elle posa avec précaution ses deux mains à plat sur son torse, guettant sa réponse à ce contact.

Il continuait à la fixer droit dans les yeux, parfaitement immobile, comme s'il avait lui aussi guetté sa réaction. Et qu'il l'avait trouvée surprenante.

Alors Ella s'enhardit et elle fit glisser ses mains jusqu'à son cou pour commencer à défaire les boutons de sa chemise. Lorsqu'elle eut terminé, il retira lui-même, l'un après l'autre, les boutons de manchettes de ses poignets. Il les posa à côté de leurs verres, sur la coiffeuse, avant de se tourner de nouveau vers Ella et de tendre la main vers sa nuque pour ouvrir le fermoir de son collier.

— Vous avez de bien jolis bijoux, fit-il d'une voix sourde. Ce sont des cadeaux d'admirateurs ?

Elle ne répondit pas, mais écarta les pans de sa chemise et la fit descendre le long de ses bras. Il s'en débarrassa d'un mouvement d'épaules, s'assit sur la chaise et tapota le siège entre ses cuisses, pour lui indiquer de poser son pied à cet endroit.

Elle obtempéra, se maintenant en équilibre en posant une main sur son épaule nue, tandis qu'il dénouait les lacets de satin de sa bottine et la lui retirait.

Il fit alors glisser ses deux mains le long de sa jambe, sous sa culotte longue, trouva sa jarretière et en détacha le bas. Après avoir jeté un bref coup d'œil au visage d'Ella, il fit descendre le bas en le roulant lentement jusqu'à sa cheville, puis le laissa tomber à terre.

Ella reposa son pied nu sur le sol et plaça son second pied entre les jambes de Nathan. Il procéda de la même manière avec l'autre bas. Mais cette fois-ci il lui glissa une main derrière le genou, l'empêchant de redescendre son pied, et se mit à lui caresser la jambe en gestes circulaires très lents qui la firent frissonner des pieds à la tête.

Elle sentit les battements de son cœur s'accélérer follement et se rappela les sensations qu'il lui avait fait éprouver cette nuit-là, pendant que l'orage tonnait au-dehors et que les éclairs zébraient le lit de lueurs fulgurantes.

Il leva son visage vers elle et elle retint sa respiration. Elle vit ses paupières s'abaisser. Une fois. Puis deux. Il rouvrit les yeux et soutint son regard mais elle le vit déglutir avec difficulté. Et à cet instant précis elle perçut son inquiétude.

Sa première femme n'avait pas été satisfaite de sa vie. Cette insatisfaction lui était-elle venue du mariage en lui-même ? Ou plus précisément de l'aspect physique de ce mariage ?

Ella aurait bien aimé ne rien savoir des hommes mariés à des femmes insatisfaites… Mais c'était l'argent de ces hommes qui assurait la prospérité insolente des établissements du style de celui de Mme Fairchild. Au fin fond du Kansas, comme sans doute partout ailleurs dans le monde.

Elle se remémora soudain les remarques désobligeantes d'Athéna Lawrence, en début de soirée, concernant la vie à Sweetwater. Elle avait bien vu la gêne qu'elles avaient provoquée chez Nathan. Et elle avait compris qu'à cet instant-là il s'était identifié à son ami Carl parce que Deborah, elle aussi, avait été insatisfaite.

Cela expliquait-il les hésitations de Nathan ? Ne craignait-il pas, en fait, de se trouver une seconde fois dans un mariage aussi frustrant et aussi culpabilisant que celui qu'il avait connu avec Deborah ? Etait-ce la raison de sa détermination à respecter cette longue période d'abstinence ? Cette « cour » semblant dater d'un autre âge ?

Elle ne le connaissait pas encore très bien et pourtant elle ne l'imaginait pas réagir comme la majorité des hommes qui, dans ce cas-là, se contentait d'aller voir ailleurs. En décrétant leurs épouses insensibles, prudes, ou bien confites en dévotion.

Nathan, au contraire, avait dû honorer ses vœux. Il avait dû respecter sa femme et lui rester fidèle. Pendant toute la durée de ce mariage pourtant si peu épanouissant pour lui.

Il s'était comporté en gentleman avec sa première épouse, tout comme il le faisait maintenant avec elle. Mais, parce qu'il se considérait seul responsable de l'absence d'harmonie physique de son premier mariage, alors il voulait à tout prix éviter la même erreur pour le second.

Ella voulut l'aider, émue de le voir à la fois si peu sûr de lui et si uniquement préoccupé de son bien-être à elle.

Elle lui sourit et, sans le quitter des yeux, commença à défaire une à une les agrafes de son corset. Elle laissa le corset tomber à terre puis remonta ses mains jusqu'au nœud de satin qui fermait sa chemise de fine batiste. Elle le dénoua lentement et écarta les pans du vêtement, heureuse de voir Nathan tendre les bras pour venir l'aider.

La chemise rejoignit bientôt sur le sol le corset et la robe.

Nathan la contempla un instant en silence avant de retrouver la parole.

— Vous êtes si belle, murmura-t-il dans un souffle, et…

Mais Ella l'empêcha de poursuivre en lui posant un doigt sur les lèvres.

— Je vous en prie, Nathan, ne me dites pas que je suis belle. La beauté ne signifie rien. Rien du tout. Je ne peux rien à mon apparence physique. Et cette apparence ne vous apprend rien de moi. Dites-moi plutôt que vous appréciez la façon dont je m'entends avec vos enfants. Ou bien que j'en connais davantage sur les explorateurs français que n'importe qui d'autre de votre entourage. Mais ne me complimentez pas sur mon apparence physique, je vous en prie.

Nathan fronça les sourcils, perplexe.

— Quelle sorte de femme êtes-vous donc ?

— Juste une femme qui veut rester dans vos bras ce soir...

Il tendit la main vers elle de nouveau, cette fois-ci pour la poser sur un sein qu'il se mit à caresser doucement, tout en continuant à lui parler.

— Vous avez le meilleur accent français que j'aie jamais entendu.

— En avez-vous entendu beaucoup ? s'étonna Ella.

— Non, en effet, admit-il avec un léger sourire.

Il se pencha vers elle et l'embrassa.

— Par contre, je suis tout à fait à même d'apprécier la façon dont vous vous occupez de mes enfants. Tout comme je peux vous dire que vous mettez les gens à l'aise dès que vous les rencontrez.

— Vraiment ?

— Oui. Les femmes semblent d'abord un peu intimidées par vous mais, dès que vous commencez à leur parler et à leur poser des questions sur elles-mêmes, elles se détendent et se rendent alors compte à quel point vous êtes à la fois intéressante et tournée vers les autres.

— Je voulais parler des enfants.

— Vous êtes exceptionnellement douée avec les enfants.

Il l'embrassa de nouveau et elle lui enroula les bras autour du cou pour se serrer plus fort contre lui.

— Ella, murmura-t-il contre ses lèvres, êtes-vous bien consciente de ce que nous sommes en train de faire ?

— Parfaitement consciente.

— Vous a-t-on parlé chez Miss Haversham de... l'aspect physique du mariage ?

— N'ayez crainte, Nathan, je sais que rien de ce que vous pourrez faire ne me décevra. J'ai envie de vous et je me sens merveilleusement bien dans vos bras.

Il reprit possession de ses lèvres et, sans cesser de l'embrasser, l'entraîna jusqu'au lit où il s'allongea doucement avec elle.

Ils demeurèrent ainsi enlacés, à s'embrasser passionnément, jusqu'au moment où Nathan détacha ses lèvres de celles d'Ella pour descendre jusqu'à ses seins.

Elle se cambra et ferma les yeux, la tête rejetée en arrière, savourant l'onde de sensations exquises qui lui parcourait le corps.

— J'ai envie de vous à en avoir mal, Ella, dit-il en se redressant. J'ai envie de vous avec une intensité que jamais je n'avais ressentie jusqu'à présent. Mais je ne ferai rien qui puisse vous déplaire.

— Je ne crois pas que vous puissiez faire quoi que ce soit pour me déplaire. Je suis bien certaine, au contraire, que tout ce que vous pourrez faire nous apportera beaucoup de plaisir. A tous les deux, ajouta-t-elle avec un léger sourire. Pas comme la dernière fois.

— Non, pas comme la dernière fois, répéta-t-il en souriant à son tour.

— Vous ne m'avez pas dit, Nathan..., lui demanda-t-elle d'une voix douce, si vous souhaitiez éviter que je ne conçoive un enfant.

Nathan se redressa, visiblement surpris.

— Comment êtes-vous au courant de ce genre de choses, Ella ?

— Eh bien… J'ai pris la liberté de poser quelques questions à une femme mariée.

Nathan remua la tête d'un air incrédule : qu'elle eût osé interroger une femme mariée sur ce genre de problèmes le stupéfiait d'autant plus qu'il n'imaginait pas une seule seconde Deborah capable de faire une chose pareille.

— J'accueillerais très volontiers un enfant, lui répondit-il avec un sourire. Et vous ?

Cette fois-ci ce fut au tour d'Ella de paraître surprise.

— Vous me demandez mon avis ?

— Mais oui, bien sûr. Ne seriez-vous pas la première

concernée, à partir du moment où vous porteriez cet enfant ? Ce serait vous qui lui donneriez naissance et l'allaiteriez par la suite. La moindre des choses me semble que vous puissiez donner votre avis, en effet. Que vous puissiez dire si vous vous sentez prête. Si vous le désirez.

— Je serais fière de porter votre enfant, Nathan, dit-elle d'une voix étranglée par l'émotion. Et merveilleusement heureuse.

Elle leva une main pour la lui poser doucement sur la joue.

— Venez maintenant, Nathan, je vous en prie. Venez en moi…

Il embrassa les lèvres qu'elle tendait vers lui, n'osant croire à son bonheur d'avoir épousé une femme aussi extraordinaire.

Il se positionna au-dessus d'elle mais hésita.

— Je ne veux pas vous faire mal.

— Je vous en prie, ce ne sera qu'un court instant. Venez.

Alors, enfin, il la pénétra… pour s'arrêter presque aussitôt, malgré la fulgurance inouïe de sensations qu'il éprouvait, pour laisser au corps de la jeune femme le temps de s'habituer à lui. Mais elle lui enroula les jambes autour des hanches et l'attira avec une force qui le galvanisa. Alors il s'abandonna à l'extase qui l'emportait, enivré par les gémissements de plaisir d'Ella, jusqu'au moment où il la sentit se raidir dans ses bras, retenir sa respiration… avant de pousser un cri étouffé qui s'acheva en un long gémissement tandis que lui aussi, enfin, basculait à son tour avec un grondement rauque.

Nathan roula sur le côté et demeura un moment allongé sur le dos, les yeux rivés au plafond, avant d'oser tourner la tête vers Ella. Elle aussi était allongée sur le dos, les yeux fermés, ses longs cheveux étalés sur l'oreiller en une auréole soyeuse. Sa poitrine se soulevait et s'abaissait au rythme de sa respiration qui peu à peu s'apaisait.

Et Nathan prit conscience à cet instant que lui-même retenait son souffle, redoutant plus que tout au monde de lire dans les yeux de sa jeune épouse, lorsqu'elle les rouvrirait, la gêne, l'humiliation, ou pire encore le dégoût.

Elle tourna son visage vers lui et ses longs cils se relevèrent en même temps que son visage s'éclairait en un sourire d'une douceur infinie. Un sourire exprimant à la fois la tendresse et la plénitude des sens. Un sourire d'amante.

Nathan sentit son cœur se gonfler de bonheur. Et d'espoir.

— A quoi pensez-vous ? lui demanda-t-elle.

Il pensait qu'elle était la plus exquise créature sur laquelle il eût jamais posé les yeux, mais il savait à présent que c'était quelque chose qu'elle refusait d'entendre.

— Je pense qu'il n'existe pas au monde d'homme plus chanceux que moi. Le soir où nous nous sommes rencontrés, vous ne me connaissiez pas davantage que les autres hommes qui vous ont demandé votre main. Vous n'aviez pas la moindre idée de ce qui vous attendait et pourtant vous avez accepté ma demande. Je ne sais pas pourquoi. J'ignore quel a été votre raisonnement. Et je suis encore tout étourdi d'être l'homme que vous avez choisi.

Elle roula sur le côté pour venir lui poser une main contre la joue et plongea son regard dans le sien.

— Vous non plus, vous ne me connaissiez pas.

— Je sais que vous êtes bonne et généreuse. Je ne pense pas que vous fassiez naturellement confiance aux gens, et pourtant cela ne vous empêche pas d'aller vers eux, de donner de vous-même. Je vous avoue qu'au début votre comportement m'a parfois intrigué. Mais maintenant je comprends que vous vous êtes donné beaucoup de mal pour vous intégrer. A notre famille, d'abord, et ensuite à notre communauté.

Le froncement de sourcils d'Ella lui dessina une fine ride entre les yeux.

— Je ne suis pas certaine d'être encore tout à fait intégrée.

— Vous ne ressemblez à aucune autre femme, c'est vrai. Et je ne voudrais pas qu'il en soit autrement : je vous aime telle que vous êtes. Je vous assure que vous êtes tout à fait intégrée à notre famille.

Elle lui posa un doigt sur la bouche pour l'empêcher de poursuivre.

Il en embrassa le bout avant de l'écarter de ses lèvres.

— Il y a tellement de choses que vous ne voulez pas m'entendre dire. Je ne peux pas dire que je vous aime telle que vous êtes. Je ne peux pas non plus dire que vous êtes jolie. Alors que vous êtes si belle que j'en ai le souffle coupé chaque fois que je vous regarde.

— Allons, Nathan, répondez-moi franchement : aimeriez-vous n'être apprécié que pour votre beau visage, votre haute stature ou la largeur de vos épaules ?

— Je crois que je ne serais pas contre un compliment de temps en temps…

Elle leva un sourcil perplexe et le dévisagea un moment en silence, suivant du bout de l'index l'arrête de son nez élégant. Ses trois enfants étaient superbes et nul doute que, si elle lui donnait un bébé, ce serait à son tour un superbe petit Lantry. Elle se sentit tout à coup aussi excitée qu'impatiente à la perspective de porter elle-même un enfant. Et elle se rendit compte qu'évoquer un futur possible ici, avec cet homme, la rendait euphorique à lui en faire tourner la tête.

Elle redescendit sur terre lorsque son mari lui prit la main et la retourna doucement pour en embrasser la paume.

— Eh bien, j'admets que vous êtes fort bel homme, c'est indéniable. Mais c'est votre véritable personnalité qui me plaît avant tout.

— Ma véritable personnalité, c'est-à-dire ?

— Eh bien, vous êtes ambitieux. Solide et compétent. Vous avez un code d'éthique extrêmement strict. Et vous attendez beaucoup de ceux qui vous entourent. Vous aimez contrôler la situation mais sans pour autant vous montrer dominateur ou tyrannique. Vous êtes un père aimant, sincèrement concerné par le bien-être de vos enfants.

Elle réfléchit un moment avant d'ajouter.

— Vous faites toujours ce qui vous paraît juste, c'est pour vous très important.

Il parut surpris par ces mots, mais ne répondit rien.

— Que préféreriez-vous entendre ? lui demanda-t-elle. Que vous êtes un homme bien, ou que vous êtes bel homme ?

— Seul un homme vaniteux préférerait les compliments, admit-il avec un petit sourire.

Il lui écarta du visage une mèche de cheveux.

— Alors c'est promis : je ne parlerai plus pour vous séduire que de votre personnalité. Vous, Ella Lantry, êtes l'une des personnes les plus intelligentes que j'aie jamais rencontrées. Vous ne jugez jamais quelqu'un sur son apparence, ni sur une première impression. Vous êtes capable d'apprécier les plus petites choses. Vous êtes curieuse. Et vous n'êtes pas même consciente de votre propre valeur.

La finesse de l'intuition de Nathan inquiéta tout à coup Ella. Il ne devait à aucun prix la percer à jour.

Elle s'éclaircit la gorge pour cacher son trouble.

— Le fait d'avoir beaucoup lu ne signifie pas pour autant qu'on soit intelligente.

— Peut-être pas, non. Mais vous semblez étonnamment instruite dans certains domaines particuliers. Les récits d'explorateurs, les langues étrangères, les vins, pour n'en citer que quelques-uns. En revanche, j'ai parfois l'impression que vous vous sentez… isolée. Que ce soit ici, dans votre propre demeure, ou bien dans une foule.

Elle jugea plus prudent de reporter la conversation sur lui.

— Je vous admire, lui dit-elle d'une voix grave. J'admire

tout en vous. Votre honnêteté, votre ambition, et même votre idéalisme.

Il lui lança un regard étonné.

— Mon idéalisme ?

— Oui.

Et ce qu'elle désirait par-dessus tout, c'était se montrer digne d'un tel homme.

— Personne ne m'avait jamais qualifié d'idéaliste auparavant.

— Peut-être préféreriez-vous, tout compte fait, que je m'en tienne à votre physique ? lui demanda-t-elle avec un petit sourire mutin.

Il lui sourit à son tour, avant d'incliner son visage pour venir l'embrasser.

Lorsqu'il détacha ses lèvres des siennes, il garda le silence un moment, hésitant visiblement à poursuivre.

— C'est très nouveau, pour moi, reprit-il enfin d'une voix sourde, de rester allongé comme cela, près de vous, à bavarder et à profiter l'un de l'autre. J'avais tellement peur de vous effrayer. Vous rebuter. J'avais tellement peur de gâcher ce que nous avions commencé. Notre mariage me semblait si fragile.

Il était encore bien plus fragile qu'il ne l'imaginait, mais pas pour les raisons qu'il pensait.

Elle espérait toutefois avoir renforcé leurs liens, en franchissant cette étape et en consommant leur union.

— Ella…, dit-il soudain d'une voix grave qui l'inquiéta aussitôt.

— Je ne vous aurais jamais cru aussi bavard, lança-t-elle en affectant un ton enjoué.

— Je vous aime.

Ella en resta abasourdie.

Il l'aimait ?

Elle cligna des paupières, un instant désarçonnée, avant

de se redresser en position assise, entraînant le drap avec elle pour se couvrir la poitrine.

— Vous… Vous n'étiez pas obligé de me dire cela.

— Personne n'est jamais obligé de le dire, Ella. Je vous l'ai dit parce que c'est ce que je ressens.

A une époque lointaine, Ella avait cru que sa mère l'avait aimée. Mais, parce que cette femme n'avait pas réussi à la protéger d'une vie de réclusion en maison close, elle avait fini par douter de son amour. Plus encore maintenant qu'à l'époque. Quel genre d'amour pouvait tolérer qu'un enfant subisse le sort qu'elle avait connu ? Elle avait vu la façon dont Nathan veillait à la sécurité, au bien-être et à l'épanouissement de ses enfants. La façon dont il organisait leur avenir. Et elle pensait que sa mère ne s'était jamais préoccupée d'elle de la même façon.

Tout en étant obligée de lui reconnaître des circonstances atténuantes. Encore aujourd'hui, il lui était impossible de déterminer ce qui avait été la part de responsabilité de sa mère.

Bien sûr l'amour que Nathan lui déclarait n'avait rien à voir avec le genre d'amour que des parents pouvaient éprouver pour leurs enfants.

Là, il s'agissait d'amour entre un homme et une femme.

Personne ne lui avait jamais dit de telles paroles, elle ne savait ni comment les recevoir ni comment y réagir.

Nathan s'assit à son tour.

— Ne vous sentez pas obligée de me dire la même chose, dit-il. Je n'attends rien de vous.

Elle perçut toutefois dans sa voix la peine qu'il tentait de lui dissimuler. Il avait beau dire le contraire, il avait envie qu'elle lui dise la même chose.

— C'est juste que…, murmura-t-elle d'une voix hésitante. Je ne suis pas certaine de croire à… ce genre d'amour.

Il garda le silence un long moment. Pendant lequel elle entendit s'égrener les minutes à la pendule.

— Ne vous sentez pas obligée de dire la même chose, je vous le répète. Par contre, ajouta-t-il d'un ton grave, sachez bien que j'ai la ferme intention de faire tout ce qui est en mon pouvoir pour vous convaincre de croire en ce « genre d'amour ».

Chapitre 16

Ella continua à fixer la fenêtre droit devant elle, refusant de rencontrer le regard de Nathan. Craignant qu'il n'y lise ce désarroi qu'elle préférait garder pour elle.

Il l'avait au moins convaincue sur un point : s'il existait une seule personne au monde capable de lui faire croire en la réalité de l'amour, c'était sûrement lui.

Le problème, hélas, ne viendrait pas de là : elle ne mettait pas un instant en doute la capacité de persuasion de son mari. Ce qu'elle redoutait, en revanche, c'était que son cœur à elle se soit irrémédiablement endurci.

Elle avait passé son enfance, et toutes les années qui s'étaient écoulées depuis, à s'entraîner à ne rien ressentir. Et elle craignait que les dommages causés par cet endurcissement systématique ne soient irréversibles. Elle craignait d'être définitivement devenue la jolie poupée inanimée qu'on lui avait appris à être. Sans espoir de retour en arrière.

Et pourtant…

Et pourtant, à cet instant précis, elle entrevoyait un espoir de changer. Et elle comprit qu'il lui appartenait désormais de décider si elle voulait s'accrocher à cet espoir. L'espoir que Nathan Lantry puisse la réconcilier avec l'amour.

Après tout ce qu'elle avait déjà partagé avec lui, après tout ce qu'il lui avait fait découvrir, elle prit soudain conscience qu'elle avait désormais la ferme volonté de devenir une personne différente.

Elle se tourna vers lui en souriant et lui entoura le visage de ses deux mains.

— Je crois en vous, lui dit-elle d'une voix grave.

Elle posa doucement ses lèvres sur les siennes et il lui entoura la taille de ses bras pour l'attirer contre lui. Elle laissa le drap retomber et vint se mettre à califourchon sur lui, heureuse de voir son air surpris et ravi à la fois.

— Si nous reprenions cette conversation plus tard…, suggéra-t-elle avec un sourire langoureux.

Nathan ne se rappelait pas avoir jamais passé d'été plus délicieux. Il dut pourtant travailler sur deux affaires particulièrement épineuses qui le retinrent au bureau tard le soir pendant plusieurs semaines d'affilée. Mais il rentrait chaque soir avec la certitude qu'une fois chez lui il oublierait instantanément les affaires en cours, et ce jusqu'au lendemain matin.

Il avait été surpris de ne plus penser que très rarement à Deborah. A tel point qu'il avait même rangé leur photographie de mariage dans l'un des tiroirs de son bureau.

Il mesurait chaque jour davantage combien Ella était différente de sa première épouse. Par son tempérament, sa vitalité, sa conversation animée. Non seulement elle acceptait leur relation physique, mais elle y participait avec enthousiasme. Un enthousiasme qu'il avait d'abord trouvé déroutant. Surtout lorsqu'elle avait commencé à prendre l'initiative. Le jour où elle avait suggéré qu'ils changent de position, il avait été tellement surpris qu'il avait à peine su répondre. Il se rappelait cette nuit comme une expérience mémorable.

Il se comportait comme un adolescent éperdument amoureux. Chaque fois qu'il regardait Ella pendant la journée, il l'imaginait aussitôt sans ses vêtements et se remémorait leur nuit précédente. Et dès qu'il l'embrassait il n'avait plus qu'une seule envie : l'entraîner dans leur chambre.

— Peut-être devrais-je me comporter avec un peu plus de… retenue, lui dit-il un soir après que les enfants furent montés se coucher.

Lorsqu'ils étaient redescendus ensemble dans son bureau, elle était naturellement revenue s'asseoir près de lui sur le canapé, mais il l'avait attirée sur ses genoux.

— Est-ce cela que vous aimeriez de ma part ? lui demanda-t-elle. Davantage de retenue ?

— Jamais de la vie ! avait-il protesté en riant, avant de lui glisser une main dans le cou pour approcher son visage et l'embrasser.

— Mais alors, avait-elle dit un peu plus tard lorsqu'il avait détaché ses lèvres des siennes, vous trouvez-vous satisfait de ce… manque de retenue ?

— Si vous saviez à quel point, avait-il murmuré contre ses lèvres.

— Alors peut-être pourrions-nous convenir une bonne fois pour toutes, suggéra-t-elle d'une voix suave, qu'il existe un endroit dans lequel la « retenue » n'a pas sa place : notre chambre.

Il avait éclaté de rire, ravi une fois encore de constater le tempérament enjoué, séducteur et parfois si audacieux de son épouse. Il n'en revenait pas de la chance qu'il avait de l'avoir rencontrée. D'avoir trouvé en elle une épouse capable de montrer tant d'enthousiasme dans tous les domaines. Et tout particulièrement dans le domaine « privé ». Jamais au grand jamais il n'aurait cru qu'il puisse exister une telle relation entre un mari et sa femme.

Le dernier samedi de juin, Ella se montra d'une nervosité tout à fait inhabituelle. Elle recevait chez elle pour la première fois tous les amis de Nathan qui l'avaient invitée à dîner depuis son arrivée à Sweetwater.

Elle avait pourtant tout planifié avec un soin extrême, supervisant le nettoyage de tout le rez-de-chaussée et se chargeant elle-même de la décoration. Elle avait engagé une cuisinière supplémentaire pour l'occasion, ainsi que deux jeunes filles préposées au service. Et, malgré tout cela, elle continuait encore, quelques minutes à peine avant l'heure à laquelle ses invités devaient arriver, à s'agiter autour des tables avec un air préoccupé, craignant que quelque chose ne lui ait échappé.

— Ella, tout est parfait, je vous l'assure, lui dit Nathan pour la troisième fois. Je vous en prie, cessez de vous inquiéter et calmez-vous, sinon vous allez finir par transmettre votre nervosité au personnel.

Elle lui agrippa les deux mains.

— Je sais, Nathan, je sais. C'est juste que j'ai tellement peur de ne pas m'être montrée à la hauteur et de vous embarrasser.

— Allons donc ! Si vous ne voulez pas m'embarrasser, vous n'aurez qu'à faire — très exceptionnellement — preuve d'un peu de « retenue » devant nos amis. Si vous voyez ce que je veux dire…

Elle se mit à rire et son visage se détendit.

— Voyons, Nathan, n'ayez pas l'esprit mal tourné ! De toute façon, nous ne serons pas assis l'un à côté de l'autre : je vous ai placé entre Athéna et Phoebe et je serai moi-même entre Richard et le révérend Kane.

— Le révérend Kane ! répéta Nathan avec une mine horrifiée. Raison de plus pour vous supplier de faire preuve d'un peu de retenue !

— Vraiment, Nathan ! s'exclama-t-elle en riant de plus belle, vous êtes incorrigible ! En tout cas, les restrictions valent aussi pour vous : ne vous avisez pas de me faire un clin d'œil ou un sourire de connivence au cours du dîner. Si je deviens tout à coup cramoisie ou que je pouffe de rire, je me sentirai affreusement gênée. Et je vous préviens que je ne vous le pardonnerai pas !

— Bien sûr que si.

— Pas du tout. Je vous jure que je ne vous le pardonnerai jamais !

— Dans ce cas, je ne vois qu'une solution, suggéra-t-il en affectant un ton sentencieux : abstenez-vous de me regarder pendant toute la durée du dîner.

La sonnerie de la porte d'entrée la fit sursauter vivement.

— Tout va bien se passer, je vous le répète, lui assura son mari d'une voix douce. Vous avez tout organisé à merveille. Maintenant, allons accueillir nos invités.

Il lui prit la main et la conduisit vers le hall d'entrée.

Les Oliver furent les premiers à arriver, bientôt suivis par les Evans et les Iverson.

Lorsque les Bradbury firent leur rentrée, Lena s'arrêta sur le seuil du salon et balaya l'assemblée d'un œil froid, presque méprisant. Ella se hâta de venir à sa rencontre pour l'accueillir chaleureusement.

— Je suis heureuse que vous ayez pu venir tous les deux ce soir.

— Et pourquoi donc ? répondit Lena d'un ton sarcastique, pour bien me faire sentir que tu avais tiré un meilleur numéro que le mien ?

Désarçonnée par tant d'agressivité, Ella s'astreignit à garder un masque impassible. Elle jeta un coup d'œil à Tom et vit avec soulagement qu'il parlait avec Nathan et n'avait rien entendu.

— Pas du tout, je suis sincèrement heureuse que tu aies pu venir.

Les deux hommes entrèrent dans le salon pour aller rejoindre les autres invités et Ella fit signe à Lena de la suivre. Lorsqu'elle s'approcha, Ella perçut aussitôt une nette odeur de liqueur.

— Inutile de jouer les grandes dames avec moi, marmonna Lena à voix basse. Figure-toi que ça ne prend pas.

Voyant à cet instant Nathan s'approcher du meuble qui faisait office de bar pour servir un verre à Tom, Lena fonça droit sur eux.

Tout occupées à admirer la décoration du salon et à en faire compliment, les autres femmes ne s'étaient pas même aperçues de l'arrivée de Lena. Ella se hâta de les rejoindre comme si de rien n'était, jetant de temps en temps des coups d'œil inquiets en direction de Lena.

Les Crandall arrivèrent ensuite et Phoebe vint se joindre à leur petit groupe.

— Votre mari doit être fier de vous, ma chère ! s'exclama-t-elle en voyant le paravent qu'Ella avait décoré.

— Très fier, renchérit Betsy. Il doit remercier le ciel chaque jour d'avoir rencontré une épouse aussi accomplie en matière de décoration !

Ella jeta un coup d'œil en direction de Nathan qui, à l'autre bout de la pièce, était en grande conversation avec Richard et Carl. Il rencontra son regard et lui fit un petit signe de tête complice.

Il était heureux de l'avoir épousée, sans doute, pensa Ella pour elle-même. Mais elle doutait fort que cela ait un rapport avec ses talents de décoratrice.

Elle sourit à son mari et il répondit à son sourire avant de retourner à sa conversation.

A cet instant, la domestique apparut sur le seuil et lui fit signe que des invités venaient d'arriver. Elle s'excusa donc auprès de ses amies pour aller accueillir les nouveaux venus.

— Céleste ! Paul ! s'exclama-t-elle, ravie, quel bonheur de vous recevoir !

— Je suis désolée que nous soyons un peu en retard,

dit Céleste. En fait… je t'avoue que tu as bien failli ne pas me voir ce soir.

Ella fronça un sourcil surpris.

— Et pourquoi donc ? Tu n'avais pas envie de venir ?

— Oh si, elle avait envie, expliqua Paul. C'est juste qu'elle pensait ne pas avoir de robe assez élégante. Alors je lui ai dit que d'abord je ne lui laissais pas le choix, et qu'ensuite j'étais bien certain qu'elle serait tout aussi jolie que les autres invitées.

— Et ton mari a eu bien raison, Céleste : cette robe est très élégante et sa couleur te va à ravir.

Céleste lissa du plat de la main la jupe de sa robe en satin émeraude.

— Tu le penses vraiment ?

— Bien sûr que oui, voyons !

Ella entraîna son amie dans le salon, se reprochant de n'avoir pas réfléchi au fait que Céleste ne possédait sans doute pas de robes aussi élégantes que celles qu'elle-même possédait, en raison du statut très privilégié dont elle avait bénéficié chez Mme Fairchild.

En arrivant dans le salon plus éclairé, Ella s'aperçut tout à coup que Céleste avait cessé de se teindre les cheveux en noir et que ses racines, maintenant bien apparentes, étaient d'un roux flamboyant. Elle s'était coiffée de façon à ce que sa couleur naturelle ne soit visible qu'autour de son visage, dissimulant la quasi-totalité de son chignon sous une grande fleur de dentelle noire. Mais le contraste restait saisissant.

Tenant toujours Céleste par le bras, Ella l'amena jusqu'au petit groupe qui se tenait encore près du paravent.

— Vous connaissez bien sûr Paul Adams et sa femme Céleste, dit-elle en matière d'introduction.

Un peu réservées de prime abord, les dames se montrèrent plus chaleureuses lorsqu'elles virent qu'Ella ne quittait pas le bras de Céleste et que Nathan était en grande conversation avec Paul. Ella en fut ravie : Céleste méritait d'être accueillie comme elle au sein de cette société.

Le dîner se déroula sans la moindre anicroche et Ella reçut beaucoup de compliments sur son menu. Elle finissait enfin par se détendre lorsque, juste au moment où l'on servait le dessert, Lena se leva brusquement pour sortir de la pièce, sans un mot d'explication. Elle réapparut presque aussitôt, tenant à la main un verre plein d'un liquide ambré, et revint s'asseoir près de son mari comme si de rien n'était. Celui-ci fronça un sourcil réprobateur et voulut écarter le verre qu'elle venait de poser devant elle, mais elle le repoussa d'un geste sec, reprit son verre et l'avala d'un trait.

Les convives échangèrent des regards gênés, mais se hâtèrent de reprendre leurs conversations. Sans doute par égard pour Tom qu'ils devaient être navrés de voir en si mauvaise posture.

Après le café, les hommes suivirent Nathan dans son bureau, comme le voulait la coutume, tandis que les femmes se rendaient avec Ella dans le salon.

— Vous allez nous jouer quelque chose, n'est-ce pas ? s'enquit Athéna. Souvenez-vous que vous nous l'avez promis, l'autre jour !

— Bien sûr. Qu'aimeriez-vous que je vous joue ? demanda Ella en se dirigeant vers le piano.

— Trouve-nous donc quelque chose d'un peu joyeux, que diable ! s'exclama Lena depuis le canapé sur lequel elle venait de se laisser tomber. Ce n'est pas juste que les hommes soient les seuls à avoir le droit de s'amuser ! Ils nous plantent là, comme des cruches, pour aller fumer et boire dans leur coin. Tiens, d'ailleurs, à propos de boire…

Elle se releva et se dirigea d'un pas décidé vers le cabinet à liqueurs, bousculant Betsy au passage sans même s'excuser. Elle se servit un nouveau verre et revint s'affaler sur son canapé, regardant les autres femmes d'un air mauvais, comme pour les défier de faire le moindre commentaire. Céleste et Ella échangèrent un coup d'œil.

— J'ai une idée ! s'exclama soudain Ella pour faire diversion, nous allons demander à Céleste de nous chanter quelque chose et je vais l'accompagner au piano. Tu accepterais de nous faire ce plaisir, n'est-ce pas, Céleste ? Vous allez voir, ajouta-t-elle à l'intention des autres, sa voix est d'une pureté exquise.

Céleste voulut s'en défendre, toute rose de confusion, mais Lena ne lui en laissa pas le temps.

— Si c'est pas chou tout ça !… ricana-t-elle d'un ton sarcastique.

Ella fit mine de n'avoir pas entendu et plaqua les doigts sur les touches du piano pour jouer les premières mesures d'une chanson connue. Elle retint de justesse un soupir de soulagement lorsque Céleste se mit à chanter, captivant aussitôt l'attention des autres femmes par sa douce voix de contralto.

Phoebe et Athéna s'approchèrent du piano et vinrent se placer derrière Céleste. Puis, lisant la partition par-dessus son épaule, joignirent leur voix à la sienne. Lorsque la chanson s'acheva tout le monde applaudit.

A l'exception de Lena qui les apostropha depuis l'autre bout de la pièce.

— Joue-nous donc un morceau entraînant, cette fois-ci, qu'on puisse danser ! cria-t-elle en brandissant son verre vide comme un trophée.

Elle se releva et se dirigea de nouveau vers le cabinet à liqueurs, d'un pas devenu chancelant. Elle était en train de remplir son verre une fois de plus lorsque les hommes revinrent. Tom avait dû entendre crier sa femme car il se précipita vers elle et lui retira son verre des mains.

— Nous ferions mieux d'y aller, dit-il entre ses dents, n'est-ce pas, Lena ? Nathan, Ella, si vous voulez bien nous excuser… Et merci encore pour cette charmante soirée.

Il voulut entraîner sa femme vers la porte, mais celle-ci vint se plaquer contre lui, lui enroulant un bras autour du cou comme pour s'apprêter à danser.

— On ne va quand même pas partir sans avoir dansé ! protesta-t-elle d'une voix forte. Allez, Gabrielle, musique !

Les doigts d'Ella se figèrent sur le clavier. Elle vit du coin de l'œil Céleste attraper la main de son mari et la serrer convulsivement. Les visages de toutes les personnes présentes exprimaient à la fois le choc et le dégoût.

Tom agrippa fermement sa femme par le bras et l'entraîna sans ménagement hors de la pièce. Nathan les suivit et Ella se leva pour les rejoindre, préférant se trouver là au cas où Lena dirait encore quelque chose.

— Je vous prie d'excuser le comportement de ma femme, disait Tom à Nathan lorsqu'elle parvint dans le hall.

— Oh ! ça suffit comme ça, les excuses, protesta Lena d'une voix traînante.

Tom se tourna vers Ella.

— Merci encore, madame Lantry, de nous avoir conviés à cette charmante soirée.

Ella se sentait affreusement gênée pour le pauvre homme, ainsi humilié devant tous ses amis.

— S'il y a quoi que ce soit que nous puissions faire pour l'un de vous, je vous en prie, faites-le-nous savoir, lui dit-elle d'une voix douce.

— Merci infiniment, madame Lantry, lança Lena d'un ton mielleux.

Elle échappa soudain à l'étreinte de son mari pour

agripper brusquement Nathan par sa cravate et venir se coller contre lui.

— Et merci aussi à vous, monsieur Lantry. Si je peux vous rendre service en quoi que ce soit — et je dis bien quoi que ce soit, répéta-t-elle avec emphase — je vous en prie, faites-le-moi savoir.

Nathan lui extirpa sa cravate des mains et recula d'un pas.

— Désolé, vraiment, marmonna Tom avant d'agripper de nouveau sa femme par le bras.

Cette fois-ci il réussit à l'entraîner dehors et Nathan referma lentement la porte derrière eux.

Il se tourna ensuite vers Ella, l'air consterné.

— Pauvre Tom.

Ella hocha la tête sans rien ajouter.

— C'est étrange, reprit Nathan d'une voix sourde, elle vous a appelée Gabrielle.

— Peut-être que je lui rappelle quelqu'un.

— Y avait-il une Gabrielle chez Miss Haversham ?

— Je ne sais pas d'où elle sort ce nom, répondit Ella en affectant un ton détaché.

— Pauvre Tom, répéta Nathan. Cette femme semble vraiment perturbée.

— En effet.

Phoebe apparut alors dans l'embrasure de la porte. Elle s'approcha d'Ella et lui posa une main sur l'épaule en un geste de réconfort.

— Un regrettable incident, bien sûr, mais tout va bien : j'ai lancé la conversation sur la chronique satirique d'Ann Ascot parue dans *L'Indépendant* cette semaine. Vous n'avez qu'à revenir vous asseoir au piano comme si rien ne s'était passé.

— Je devrais peut-être…, proféra Ella d'une voix hésitante.

— Ne vous inquiétez pas, lui assura Nathan d'un ton ferme, je m'en charge.

Il repartit vers le salon et les deux femmes lui emboîtèrent le pas. Plusieurs des invités semblaient guetter leur retour.

— Tom Bradbury s'est excusé au nom de sa femme, expliqua Nathan. Rappelons-nous surtout qu'il est un membre éminent de notre communauté et qu'il a tout particulièrement besoin de notre amitié et de notre appui. Alors soyons là pour lui, je vous en prie.

Le révérend Kane exprima son approbation et tous les invités confirmèrent que Tom pourrait compter sur eux. Nathan encouragea Ella à se remettre au piano et le reste de la soirée se passa de façon plaisante.

Nathan ne reparla pas de l'incident, ce soir-là, lorsqu'ils se retrouvèrent tous les deux dans leur lit. Mais Ella trouva qu'il semblait encore préoccupé. Elle vint se blottir contre lui en l'entourant de ses bras. Il lui prit alors une des mains et la porta à ses lèvres pour en embrasser le bout des doigts.

— Je remercie le ciel de vous avoir, murmura-t-il d'une voix douce.

La scène d'éclat de Lena avait tout à coup réveillé les angoisses d'Ella. Et poussé à son paroxysme ce sentiment de vulnérabilité qui lui empoisonnait la vie depuis le jour de son mariage. Elle se sentait minée de l'intérieur par le mensonge dans lequel elle s'était elle-même enfermée.

— Moi aussi, je remercie le ciel, murmura-t-elle pourtant.

Elle leva son visage vers le sien et lui tendit ses lèvres.

Il la prit dans ses bras et l'incident désagréable se trouva vite oublié.

Ella jouait avec les enfants dans le salon, le lundi matin, lorsqu'elle entendit sonner le carillon de la porte d'entrée. Sachant que Charlotte était sortie mettre le linge à sécher et que Mme Shippen était occupée dans les chambres, elle posa la poupée de Grace qu'elle tenait à la main pour aller ouvrir. Elle fut très étonnée de trouver Céleste sous l'auvent du porche.

— J'espère que je ne te dérange pas ? s'enquit son amie.

— Bien sûr que non, entre donc !

Elle lui prit son ombrelle des mains et l'accrocha au portemanteau.

— Quel plaisir de te voir ! Tu prendras bien une tasse de thé, n'est-ce pas ? Viens d'abord une seconde avec moi jusque dans le salon, que je prévienne Grace et Robby. Les enfants, je vous laisse un instant, leur annonça-t-elle depuis le seuil du salon. Mon amie Mme Adams est venue me rendre visite, alors je vais nous préparer une tasse de thé dans la cuisine. On revient tout de suite.

Grace leva les yeux mais ne dit rien, comme d'habitude. Quant à Robby, il salua Céleste d'un bonjour rapide avant de retourner à la tour de cubes qu'il était en train de construire.

Une fois dans la cuisine, Ella alla prendre sur l'évier le pichet contenant l'eau que Charlotte avait pompée le matin même et en remplit une bouilloire. Elle posa ensuite la bouilloire sur le feu et rajouta du petit bois pour raviver la flamme.

— J'ai dit la vérité à Paul, dit tout à coup Céleste.

Ella s'essuya les mains sur une serviette tout en se retournant vers elle.

— A propos de quoi ?

— A propos de moi. Je lui ai dit pour Dodge City.

Ella écarquilla des yeux horrifiés.

— Tu... tu lui as dit ?

Chapitre 17

— Je n'en pouvais plus de mentir à Paul, gémit Céleste. J'ai pensé que si par hasard il l'apprenait par quelqu'un d'autre ça lui ferait un choc si terrible… Je n'ai pas voulu prendre ce risque. Je ne voulais pas qu'il souffre par ma faute. Et je ne voulais pas non plus passer le reste de ma vie à lui mentir. Alors je lui ai dit.

Ella fixait la fenêtre droit devant elle. Sans un mot, sans un geste, comme si elle venait brusquement d'être transformée en statue. Elle ne broncha même pas lorsque la bouilloire se mit à siffler et ce fut Céleste qui s'avança pour la retirer du feu.

Ella cligna des yeux, semblant se réveiller d'une transe.

— Comment a-t-il réagi ? demanda-t-elle d'une voix rauque.

Elle n'avait pas remarqué les bagages de Céleste sous le porche, tout à l'heure, mais ils devaient sûrement s'y trouver. Bien sûr. Céleste devrait chercher du travail, maintenant. Et un endroit où loger.

— Il a pleuré. Je n'avais jamais vu un homme pleurer avant et je t'assure que ça m'a déchiré le cœur.

Ella essaya d'imaginer la scène, mais sans y parvenir.

— Et puis il m'a remerciée de lui avoir dit la vérité. Il m'a dit que cela ne changeait rien pour lui, ce que j'avais pu faire avant de le connaître, du moment que j'avais pris la décision de devenir sa femme.

— Cela ne change rien pour lui, répéta Ella d'une voix sourde en se laissant tomber sur une chaise.

Paul Adams savait.

— Alors il sait… pour nous toutes.

— Je t'assure que je ne voulais pas entraîner tout le monde avec moi. Mais à partir du moment où je lui ai dit que l'institution de Miss Haversham n'avait jamais existé… il a compris que nous venions toutes du même endroit.

Ella sentait son cœur cogner à se rompre. Sa poitrine se soulevait de façon spasmodique et elle avait l'impression d'avoir soudain du mal à respirer. Elle imaginait Nathan en train d'apprendre la nouvelle et sentait soudain la tête lui tourner. Elle imaginait les réactions de Betsy, Minnie et Phoebe et sentait la panique la gagner peu à peu. Elle pensa aux nuits qu'elle avait passées dans les bras de Nathan et à la relation si merveilleuse qui avait commencé à s'instaurer entre eux et elle se mit à trembler de façon incontrôlable. Jamais de toute sa vie elle n'avait eu aussi peur.

— Mais s'il le disait à quelqu'un ? S'il le disait à Nathan ?

— Il ne le fera pas. Il m'a assuré qu'il ne se mêlerait pas de la vie des autres. Il m'a assuré que tout cela n'était que du passé et que nous devions laisser cette histoire derrière nous.

Ella luttait pour retrouver une respiration normale.

— Je me sens tellement mieux maintenant, poursuivit Céleste. Comme si je venais tout à coup d'être débarrassée d'un énorme poids.

Elle se sentait tellement mieux !

— Mais enfin, Céleste, comment as-tu pu ? Nous étions toutes embarquées dans le même bateau. Nous sommes venues jusqu'ici pour commencer une nouvelle vie et pour ne plus jamais avoir à nous rappeler ce que nous avions fait à Dodge City. Nous nous étions toutes engagées ensemble à garder ce secret.

— Je suis sincèrement désolée, Ella, mais je n'en pouvais plus de ce mensonge. J'ai compris qu'il ne suffisait pas de mentir pour changer. Que le mensonge ne pouvait être qu'une dissimulation, pas un changement. Et je t'assure que depuis que j'ai dit la vérité à Paul j'ai l'impression d'avoir changé. D'être devenue une personne nouvelle. Enfin.

Ella se sentait affreusement mal, mais elle aurait été incapable de dire ce qu'elle trouvait le pire : être la personne qu'elle était vraiment, ou bien mentir à propos de qui elle était vraiment. Elle aussi avait du mal à supporter le fait de vivre dans le mensonge. Et pourtant elle continuait à s'y astreindre, parce qu'elle savait que c'était pour elle la seule façon de se construire un nouvel avenir.

Elle n'arrivait pas un seul instant à imaginer Nathan acceptant son passé et décrétant ensuite calmement que cela ne changeait rien pour lui. Nathan était un homme fier, jouissant d'une position honorable dans la société, et rien n'avait jamais entaché sa réputation. Or cette réputation devait rester sans tache s'il voulait conserver la moindre chance de se présenter aux élections territoriales. Toutes ses ambitions seraient instantanément ruinées si l'on apprenait qu'il avait épousé une ancienne pensionnaire de maison close.

Elle repensa à cette longue période d'abstinence qu'il avait décidé de s'imposer parce qu'il avait cru que son épouse était vierge et pure. Et elle eut la certitude que, s'il apprenait la vérité, il n'éprouverait plus pour elle que dégoût et répulsion.

— Je t'assure pourtant que moi aussi j'ai changé, dit-elle à Céleste.

Mais elle perçut le manque de conviction dans sa propre voix. Et comment aurait-il pu en être autrement ? La seule chose qui avait vraiment changé en elle, c'était cette capacité — si nouvelle pour elle — à ressentir.

Hélas, ce n'était sans doute pas ce qui aurait pu lui arriver de mieux. Parce que c'était cela qui lui permettait de prendre la pleine mesure de ce que serait la souffrance de Nathan s'il apprenait un jour la vérité à son sujet.

Elle avait réussi à se persuader qu'elle finirait par devenir la femme qu'il croyait qu'elle était. Coûte que coûte. Parce que, depuis le jour même de sa rencontre avec cet homme exceptionnel, elle avait compris la chance inouïe que la vie lui avait offerte de prendre un nouveau départ.

Elle baissa la tête et se couvrit le visage de ses mains tremblantes.

— Je suis tellement désolée, lui dit Céleste d'une voix douce, je ne voulais pas te causer de tort.

Ella retira les mains de son visage et se redressa, déterminée à retrouver le contrôle de ses émotions.

— Je sais.

— Paul ne dira rien à personne.

— Très bien.

Elle se leva et prit une profonde inspiration pour recouvrer ses esprits et se donner du courage.

— Prenons donc ce thé. De toute façon, il vaut mieux que nous retournions dans le salon : je n'aime pas laisser les enfants seuls trop longtemps.

Lorsqu'elles arrivèrent toutes les deux dans le salon, elles virent que Grace avait approché de la table basse deux de ses chaises miniatures. Elle avait installé sa poupée sur l'une et s'était assise sur l'autre. Lorsque Ella entra avec le plateau du thé, la petite fille applaudit et lui sourit.

Ella posa le plateau sur la table, proposa à Céleste de s'asseoir sur le divan et prit place près d'elle.

Grace lui tendit alors sa poupée encore à moitié déshabillée. Ella passa les bras de la poupée dans les manches de la robe dont elle referma ensuite les minuscules boutons.

— Tu es la première personne à venir prendre le thé,

dit-elle à Céleste tout en rendant la poupée à Grace qui la rassit aussitôt sur sa petite chaise.

— On dirait pourtant que ces deux dames sont arrivées ici avant moi, répondit Céleste avec un sourire en désignant Grace et sa poupée.

La petite fille sourit à son tour et Ella comprit alors, un peu étonnée, qu'elle était tout à fait décidée à prendre le thé avec les grandes personnes.

— Bien sûr, où avais-je la tête ? fit-elle mine de s'excuser. Je vais tout de suite chercher deux autres tasses.

Elle repartit dans la cuisine et en revint avec deux tasses supplémentaires. Ainsi qu'avec un petit pichet de lait et une timbale. Elle versa du thé dans les quatre tasses, ne remplissant qu'au quart de leur contenance celles de Grace et de la poupée. Elle versa ensuite du lait dans la timbale de Robby.

Elle se rendit compte à cet instant que Grace regardait avec insistance l'assiette de petits gâteaux qu'elle avait apportée sur le plateau.

— Qu'est-ce qui te ferait plaisir, Grace ?

L'enfant désigna l'assiette du doigt.

— Vraiment ? Tu penses que ce sont des gâteaux à quoi ?

La petite fille continua à fixer les gâteaux sans répondre.

— Robby, voudrais-tu un petit gâteau et du lait ?

Robby laissa tomber le cube qu'il tenait et se leva d'un bond.

— Un gâteau, s'il vous plaît !

Elle attendit qu'il vienne s'asseoir à côté d'elle avant de lui tendre un petit gâteau et de poser sa timbale sur la table basse devant lui. Il mordit aussitôt dans le gâteau.

— Grace, voudrais-tu un gâteau toi aussi ?

La petite fille répondit d'un hochement de tête.

Après quelques secondes d'un silence frustrant, Ella lui tendit un gâteau.

— C'est toi qui as fait ces gâteaux ? demanda Céleste.

— Non, c'est Charlotte. J'ai vraiment beaucoup de chance : elle est aussi bonne cuisinière que pâtissière.

— Tu crois qu'elle accepterait de me donner la recette ?

— Je suis sûre que…

— Tu veux un gâteau, toi aussi, Dolly ? Pleure pas : je vais te donner un bout du mien.

Ella garda suspendue en l'air la tasse qu'elle s'apprêtait à porter à ses lèvres.

Grace venait de parler à sa poupée !

— C'est moi qui les ai faits ce matin avec Charlotte, reprit la petite fille en s'adressant toujours à sa poupée. Et c'est moi toute seule qui ai mis le sucre dans la pâte !

Ella fixait l'enfant, fascinée et le cœur battant d'excitation, lorsqu'elle s'aperçut que Céleste l'interrogeait du regard, l'air très intrigué. Elle se pencha discrètement vers elle pour lui murmurer à l'oreille.

— Elle ne parle jamais. Ou du moins pas à nous. Nathan m'avait bien dit qu'il l'avait entendue parler à ses poupées quand elle jouait seule dans sa chambre… mais c'est la première fois que j'entends le son de sa voix.

Elle indiqua ensuite d'un petit signe à Céleste qu'elles allaient reprendre la conversation comme si de rien n'était, pour ne pas que l'enfant se rende compte qu'elle était observée.

— Oui, reprit-elle à voix haute, je suis tout à fait certaine que Charlotte te confierait sa recette. Imagine-toi qu'elle a commencé à me donner quelques cours de cuisine, pour que je puisse me débrouiller quand elle n'est pas là.

Elles virent à cet instant Grace reprendre le morceau de gâteau qu'elle avait posé devant sa poupée et le grignoter à petites bouchées avec des mines gourmandes.

— Oh ! Dolly, je vois que tu as fini tout ton gâteau ! s'exclama Ella, s'adressant à la poupée du même ton naturel qu'elle aurait employé pour Céleste. N'en voudrais-tu pas un second ?

Grace releva la tête pour regarder Ella, ses petits sourcils relevés trahissant son étonnement qu'un adulte puisse parler à sa poupée. Ella coupa un gâteau en deux et le plaça devant la poupée, avant de reprendre, comme si de rien n'était, sa conversation avec Dolly.

— Charlotte en a fait plein, alors je t'en prie profites-en ! Et toi, Céleste ? ajouta-t-elle en se tournant vers son amie. N'en voudrais-tu pas un second ?

— Oh si, très volontiers. Ils sont absolument délicieux !

— Attention de ne pas te brûler la langue, Dolly, lança alors Grace à sa poupée. Le thé est très chaud !

Ella échangea avec Céleste un petit sourire complice. Elle n'était pas certaine que son irruption soudaine dans le monde de la petite fille soit bénéfique pour elle, mais elle se sentait si heureuse de cette première véritable communication avec elle !

Si heureuse qu'elle en aurait presque oublié le choc que lui avait causé la révélation de Céleste.

Et la terrible menace qui pesait désormais sur elle…

Elles venaient de terminer leur thé lorsque Charlotte arriva pour emporter le plateau. Ella présenta la cuisinière à Céleste et en profita pour lui demander si elle accepterait de confier quelques recettes à son amie. Charlotte accepta et promit d'en réunir quelques-unes par écrit pour la semaine suivante.

Ella raccompagna ensuite son amie à la porte.

— Il ne faut surtout pas que tu t'inquiètes, voulut la rassurer Céleste. Paul gardera notre secret, j'en suis certaine.

— Je l'espère…, murmura Ella.

— Je te répète que j'en suis certaine. Alors promets-moi de cesser de te faire du souci, d'accord ? On se voit jeudi.

— Jeudi ?

— Mais oui, voyons, c'est le jour de la fête de l'Indépendance. Ne me dis pas que tu avais oublié ?

— Non, bien sûr que non.

Cela faisait des semaines que la ville entière s'activait aux préparatifs. Et que Nathan préparait le discours qu'il allait prononcer en public ce jour-là. Ella n'avait jamais assisté à aucune célébration de ce genre. Elle savait qu'elle aurait dû attendre avec impatience les festivités annoncées, mais hélas son inquiétude croissait de minute en minute. Et elle avait l'impression que de gros nuages noirs s'amoncelaient au-dessus de sa tête.

Elle fit néanmoins de son mieux pour s'activer, afin de garder l'esprit occupé. Le soir même elle raconta à Nathan la façon dont Grace avait parlé avec sa poupée, et il en fut aussi heureux qu'elle-même l'avait été lorsque cela s'était produit.

Le lendemain elle commença par sélectionner les tenues que les enfants porteraient le jour de la fête, puis organisa des jeux à leur intention. A l'heure du goûter, elle les convia tous les trois — Grace, Robby… et Dolly — à venir prendre le thé avec elle dans le salon, espérant entendre une nouvelle fois Grace parler à sa poupée. De ce côté-là, son attente ne fut pas déçue. Elle comprit néanmoins qu'elle allait devoir s'armer de patience lorsqu'elle constata que l'enfant persistait dans son refus de répondre aux questions qu'on lui adressait directement.

L'heureux caractère de Robby contribuait, Dieu merci, à maintenir entre eux une atmosphère paisible et détendue. Voire même franchement gaie quand on en venait aux leçons de piano : le petit garçon n'aimait rien tant que cogner sur les touches en chantant à tue-tête et Ella avait alors le plus grand mal à garder son sérieux. Elle insista pourtant et sa persévérance fut récompensée lorsque Robby put enfin désigner, sans hésitation, les touches du *do* et du *la*.

Plus elle s'attachait aux enfants, plus elle s'angoissait à l'idée de se trouver démasquée. Elle restait éveillée pendant de longues heures, la nuit, à imaginer des scénarios dans lesquels Paul Adams rendait visite à Nathan pour tout lui raconter.

Comment Paul avait-il pu accepter la vérité sans chasser aussitôt Céleste de chez lui ?

La fréquentation des dames de Sweetwater avait enseigné à Ella les codes très stricts en vigueur pour les gens de la bonne société. Et il ne faisait hélas aucun doute que ses nouvelles amies seraient horrifiées d'apprendre le genre de vie qu'elle avait mené à Dodge City.

Ce qui angoissait Ella plus que tout, c'était de penser à l'impact catastrophique que cette révélation pourrait avoir sur la carrière de son mari.

A l'aube du 4 Juillet, elle s'éveilla recrue de fatigue, se demandant s'il ne vaudrait pas mieux qu'elle avoue elle-même la vérité à Nathan avant qu'il ne l'apprenne de Paul.

Des déflagrations éclatèrent à cet instant, sans qu'elle puisse savoir s'il s'agissait de pétards ou de coups de feu, et Nathan s'éveilla à son tour. Il tourna la tête dans sa direction, ouvrit les yeux et lui sourit.

— Bonjour, dit-il d'une voix encore rauque de sommeil.

— Bonjour, lui répondit-elle avec un sourire.

— Comment se fait-il que vous soyez si jolie depuis l'instant même où vous ouvrez les yeux ? Je vous avoue qu'il m'arrive encore parfois, à mon réveil, de me demander si je n'ai pas rêvé…

— Vous savez bien que je suis insensible à la flatterie.

— Alors quelle chance que j'ai appris le moyen de vous émouvoir.

Il se pencha pour embrasser son épaule nue et elle en frissonna de plaisir.

— Papa ! cria soudain Christopher depuis le couloir, avant de tambouriner impatiemment à la porte.

— Nous devrons attendre jusqu'à ce soir, lui murmura Nathan avec un sourire, avant de se retourner pour répondre à son fils.

— Que se passe-t-il, Christopher ? Entre !

La porte s'ouvrit à la volée.

— Tu as entendu les pétards ? s'écria le garçon, surexcité. La fête vient de commencer !

Nathan posa un baiser rapide sur le front d'Ella avant de se lever.

— Ça va durer comme ça toute la journée, tu le sais bien. Jusqu'au feu d'artifice ce soir.

— J'ai tellement hâte d'être à ce soir ! C'est le moment de la fête que je préfère !

— Moi aussi, Christopher, lui répondit son père avec un sourire amusé. Et vous, Ella ? Quel est le moment que vous préférez dans les célébrations du 4 Juillet ?

— Je ne sais pas encore, ça va être ma première fois.

Le petit garçon fronça les sourcils, l'air perplexe.

— Mais le 4 Juillet revient chaque année !

Ella se rendit compte qu'elle allait vraiment devoir faire davantage attention à la façon dont elle disait les choses.

— En effet mais, que veux-tu, j'étais toujours à l'école.

— Même le week-end ?

— Ella était pensionnaire dans une institution très stricte, expliqua Nathan.

— Vous allez voir que vous allez adorer la fête du 4 Juillet ! affirma Christopher d'un ton solennel. Bien sûr ça commence par un tas de discours ennuyeux qu'on est obligé d'écouter, mais après ça tout le reste est génial.

Nathan adressa à sa femme un petit sourire complice avant de reporter son attention sur son fils qui continuait à parler, sans se rendre compte qu'il venait d'insulter les talents d'orateur de son père.

— L'année dernière, on a même pu voir danser des guerriers cheyennes ! Ils portaient des coiffes avec d'immenses plumes, raconta-t-il avec de grands gestes des bras, des mocassins de peau et des jambières en fourrure. Ils avaient aussi des plumes de toutes les couleurs sur leurs tomahawks, c'était magnifique ! A part ça, vous verrez qu'il y a plein de jeux organisés pour tout le monde. Du croquet — mais c'est surtout pour les filles —, du base-ball, et les courses de brouettes. Et on gagne des prix, hein, papa ?

— C'est exact. N'oubliez surtout pas de mettre de vieux vêtements si vous voulez tenter de grimper au mât de cocagne, lança Nathan à Ella avec un sourire malicieux. Il y a un billet de cinq dollars à gagner, accroché en haut du mât.

— Et moi, papa, je pourrai essayer cette année ?

— Bien sûr que oui, mon garçon, maintenant que tu es assez grand. En attendant, nous ferions mieux d'aller nous habiller. Vous avez bien préparé vos différentes tenues, n'est-ce pas ?

— Oui, papa, à tout de suite !

Christopher sortit de la chambre en courant et Nathan se tourna vers Ella.

— Je sais que ça peut paraître fastidieux de devoir ainsi se changer deux fois dans la journée, mais je vous assure que c'est plus prudent : certains jeux mettent les vêtements des participants à rude épreuve. Et on est bien obligé de se changer, en fin de journée, pour le dîner et le feu d'artifice.

La journée promettait déjà d'être l'une des plus chaudes de l'été. Ella avait choisi pour elle-même une robe en coton rose pâle. Ornant de rubans de même couleur le chapeau de paille à larges bords qu'elle allait porter pour se protéger du soleil.

Elle avait choisi pour Grace une robe légère à rayures vertes, et pour Robby une culotte anglaise de toile grise et une chemise blanche.

Elle finissait d'attacher en un gros nœud bouffant les pans de la ceinture de Grace lorsque Nathan appela depuis le rez-de-chaussée.

— Qui veut venir avec moi pour la parade ?

Robby se précipita hors de la chambre et dévala les escaliers aussi vite que ses petites jambes le lui permettaient.

— Moi, papa, moi !

Grace attendit sagement qu'Ella lui eût fixé sur la tête son bonnet à volants avant de glisser sa main dans la sienne pour sortir de la chambre.

Un petit geste tout simple, mais qui la toucha profondément.

Elles retrouvèrent Nathan dans le hall, son plus jeune fils dans les bras.

— Quelque chose ne va pas ? s'enquit-il à voix basse lorsque Ella le rejoignit.

Elle le rassura aussitôt d'un sourire, ennuyée de se rendre compte que son visage trahissait son malaise au point que son mari le perçoive.

— Non, au contraire, tout va pour le mieux. Je prenais simplement garde à ce que Grace ne trébuche pas en descendant.

— En tout cas vous êtes toutes les deux jolies comme des cœurs : vous serez sans aucun doute les plus belles de la fête.

Grace leva vers elle un visage ravi et Ella répondit à son sourire. Au diable l'inquiétude qui lui tenaillait la conscience ! Elle allait profiter pleinement de la fête. Cette journée était très importante pour Nathan. Très importante pour ses enfants aussi.

Et Nathan et ses enfants étaient très importants pour elle.

C'était la fête de l'Indépendance, après tout. Et elle était déterminée à célébrer, elle aussi, cette liberté !

Chapitre 18

Vêtu d'une salopette en toile et d'une chemise à manches courtes, Christopher semblait prêt à s'embarquer pour l'aventure. Et Ella put bientôt se rendre compte que ce n'était pas loin d'être le cas.

Les rues grouillaient de gens qui convergeaient vers le centre par familles entières.

Nathan les conduisit jusqu'au bâtiment des pompiers, devant lequel une longue file de buggys et charrettes ouvertes attendaient les officiels. Lorsque tout le monde eut enfin pris place, la parade s'ébranla, fièrement conduite par la fanfare municipale en grande tenue : pantalon et chemise blanche, veste rouge et lavallière bleue.

Une foule compacte massée le long des trottoirs saluait son passage de cris joyeux, agitant frénétiquement de petits drapeaux de papier.

— Je n'aurais jamais soupçonné qu'il puisse y avoir tant de gens à Sweetwater, avoua Ella.

— Beaucoup d'entre eux vivent sur des ranchs et des fermes alentour. Et beaucoup d'autres sont venus des villes voisines pour l'occasion.

Lorsqu'ils atteignirent la grand-rue, Ella ne put retenir une exclamation admirative. Tous les bâtiments avaient été décorés de banderoles rouge, blanc et bleu accrochées aux toits et aux balcons, et des drapeaux américains ornaient chaque fenêtre. Une énorme tribune avait été construite à l'extrémité est de la ville, décorée elle aussi de banderoles et de drapeaux et recouverte par un grand toit de toile blanche. On voyait déjà des gens jouer des coudes pour se frayer une place jusqu'aux premiers rangs de la foule des spectateurs.

Nathan consulta sa montre.

— Il nous reste encore quinze minutes. Ella, vous allez monter sur la tribune avec moi. Quant aux enfants…

Il s'interrompit pour scruter la foule massée sur les trottoirs, puis fit un grand signe du bras.

— Voilà Mme Shippen. Elle va venir chercher les enfants qui resteront avec elle jusqu'à la fin des discours.

— Je pourrais tout à fait rester avec eux aussi, suggéra Ella.

— Non, votre place est près de moi, lui répondit-il avec un sourire empreint de fierté.

Mme Shippen arriva à leur hauteur, gaiement vêtue d'une robe rouge et blanc et d'un chapeau à plumes bleues. Elle prit les deux plus jeunes enfants par la main et les entraîna jusqu'au trottoir.

Plusieurs guerriers indiens en tenue d'apparat se tenaient déjà sur la tribune et saluèrent Nathan et Ella lorsqu'ils parvinrent en haut des marches. C'était la première fois qu'Ella voyait un Indien de près et elle les trouva très intimidants avec leurs yeux si noirs, leur air solennel, et leurs spectaculaires coiffes de plumes d'aigles.

Un grand homme aux cheveux blancs les rejoignit peu après et Nathan présenta Ella au maire et à son épouse.

La fanfare vint se ranger en formation sur le côté de la tribune. Le maire fit signe au chef des musiciens et tous les instruments entonnèrent avec enthousiasme un air patriotique, captant aussitôt l'attention de la foule.

Une fois le morceau achevé le maire s'avança pour saluer tout le monde et déclarer les festivités ouvertes. Il présenta ensuite Nathan et recula d'un pas pour lui laisser sa place sur le devant de la scène. Nathan sortit de sa poche les feuillets sur lesquels il avait rédigé son discours.

— Il y a très exactement cent neuf ans aujourd'hui, clama-t-il d'une voix forte, au matin du 4 juillet 1776, George III était roi d'Angleterre, d'Irlande, et des colonies britanniques de l'Amérique du Nord. Or ce même jour, avant le coucher du soleil, les délégués des colons des treize colonies britanniques d'Amérique du Nord abjuraient leur allégeance à la monarchie britannique et déclaraient leur indépendance.

Une grande clameur s'éleva de la foule et Nathan marqua une pause jusqu'à ce qu'elle s'apaise.

— Il nous appartient donc, en ce jour anniversaire d'un événement aussi mémorable, de célébrer les libertés acquises par nos aînés.

Nathan fut une nouvelle fois interrompu par les applaudissements et les cris de la foule.

Ella jeta un coup d'œil au nombre de feuillets qu'il tenait à la main et se demanda combien de temps il allait lui falloir pour venir à bout de son discours s'il devait être interrompu après chacune de ses phrases.

Cela lui laissait en tout cas amplement le temps de parcourir la foule du regard pour y repérer les gens qu'elle connaissait. Lorsqu'elle rencontra le regard de Céleste, son amie lui sourit avec un petit geste discret de la main. Ella répondit à son sourire et remarqua alors que Céleste et Paul se tenaient par la main. Au même instant Paul porta la main de sa femme à ses lèvres pour y poser un baiser, en un geste d'affection qui serra le cœur d'Ella.

L'intimité amoureuse que révélait ce simple geste lui remémora le jour où Nathan lui avait déclaré son amour. Elle avait entendu ses paroles, mais elle les avait écartées de son esprit et n'avait pas voulu y repenser. Pour quelle raison ? Parce qu'elle ne croyait pas Nathan ? Elle n'avait aucune raison de douter de sa parole. N'était-ce pas plutôt parce qu'elle doutait de sa propre valeur ? Si, sans doute.

Nathan croyait qu'il l'aimait mais ce n'était pas vraiment elle qu'il aimait. Il était tombé amoureux de l'image qu'elle s'était fabriquée. Pas de la véritable Ella.

Elle reporta son attention sur Céleste et Paul qui, dans la foule, se dévoraient des yeux comme s'ils avaient été seuls au monde. Elle repensa au choc qu'elle avait éprouvé quand Céleste lui avait rapporté son aveu à son mari. Elle lui en avait affreusement voulu, à ce moment-là, d'avoir trahi sa confiance. Mais depuis elle lui avait pardonné. Parce qu'elle avait compris que Céleste avait eu raison de mettre fin à son mensonge. De refuser que sa relation avec son mari soit basée sur un mirage.

Cette petite scène d'intimité conjugale qu'elle venait d'entrapercevoir prouvait que Céleste avait eu raison de tout avouer à son mari et que Paul l'aimait malgré tout. Quel qu'ait pu être son passé. Ce passé qu'elle avait partagé avec Ella et toutes les autres jeunes femmes qui s'étaient embarquées pour cette expédition.

Ella voulait bien croire que, comme Céleste le lui avait affirmé, Paul garderait le secret. Et pourtant elle ne pouvait se défaire de l'impression angoissante qu'une menace terrible planait sur elle.

Nathan adhérait à un code d'éthique extrêmement strict. C'était à son sens du devoir, à son idéalisme et à la droiture de son jugement qu'il devait de se trouver là aujourd'hui, sur cette tribune. Respecté par ses pairs, électeurs potentiels qui avaient le pouvoir de le nommer au poste de gouverneur.

Elle éprouva tout à coup un sentiment de honte qui lui parut assombrir le clair soleil matinal.

A quoi bon se voiler la face ? pensa-t-elle. Jamais elle ne se serait trouvée sur cette tribune si Nathan avait pu soupçonner un seul instant sa véritable identité. Jamais elle ne se serait trouvée sur cette tribune si les citoyens de Sweetwater avaient connu la vérité à son sujet.

En la choisissant pour épouse, Nathan avait mis en péril son propre avenir politique. Il l'ignorait encore mais Ella l'avait piégé.

Elle aurait voulu pouvoir se trouver des circonstances atténuantes. En se disant qu'elle avait tellement aspiré à la liberté et à une vie normale qu'à l'époque tous les moyens pour y parvenir lui avaient paru acceptables. Sur cette tribune hélas, debout face à la foule aux côtés de son mari, elle prenait enfin la pleine mesure des conséquences possibles de ses actes… sur la vie de l'homme qu'elle aimait.

— Et félicitons-nous aujourd'hui, déclama Nathan d'une voix forte qui la tira de ses pensées, de pouvoir fêter ensemble l'anniversaire d'événements qui nous rappellent que notre génération ne doit pas — et ne doit jamais — oublier les enseignements de nos pères.

Un tonnerre d'applaudissements salua sa conclusion. Nathan leva les bras et salua la foule, le visage épanoui en un large sourire, puis il annonça que le maire allait à présent lire la Déclaration d'indépendance comme le voulait la coutume à chaque 4 Juillet.

Le maire prit sa place sur le podium et commença à lire. Nathan vint alors rejoindre Ella et glissa sa main dans la sienne.

— Vous avez été brillant, murmura-t-elle.

Il lui répondit d'un sourire et d'une pression de la main et ils restèrent ainsi l'un près de l'autre tandis que le maire poursuivait sa lecture.

Lorsqu'il eut terminé, le révérend Kane s'adressa à la foule. Il acheva sa brève allocution par une prière de remerciement pour la liberté du peuple américain, demandant à Dieu de protéger leur assemblée pendant cette belle journée de fête.

Les officiels descendirent alors l'un après l'autre l'escalier de la tribune. Ils commençaient à se mélanger à la foule des spectateurs pour échanger des salutations lorsque Nathan se pencha vers Ella.

— Je file à la maison me changer, lui dit-il à l'oreille. Rejoignez Mme Shippen et les enfants et je vous retrouve tout à l'heure.

— Restez encore un peu, je vous en prie.

— Et pourquoi donc ?

— Vous allez voir. Ne bougez pas d'ici : je reviens.

Elle courut jusqu'à l'escalier et releva ses jupes pour monter les marches et rejoindre, au centre de la tribune, un petit groupe de femmes qui étaient en train de s'assembler autour de Mildred Evans. Mildred les fit s'aligner sur deux rangs puis elle donna un signal au chef de la fanfare qui entonna, en sourdine, les premières mesures de l'hymne américain. Les voix des femmes s'élevèrent alors, étonnamment claires et fortes, dans le silence absolu qui venait soudain de s'abattre sur la foule.

O-oh, say you can see by the dawn's early light.

Jamais Ella n'avait participé à quoi que ce soit d'aussi important, d'aussi solennel, et elle éprouva à cet instant l'impression grisante de faire partie intégrante de quelque chose de grand, de beau, et de digne.

Bless with victory and peace, may the heaven rescued land praise the power that hath made and preserved us a nation.

Les voix des femmes se turent en même temps que les instruments, mais le silence dura encore une bonne minute avant que, peu à peu, quelques personnes commencent à applaudir. Toute l'assistance s'y joignit alors et une grande clameur s'éleva de la foule tandis qu'Ella, la main sur le cœur et le souffle court, fixait la foule sans la voir, les yeux baignés de larmes.

Mildred les félicita et toutes les participantes échangèrent des accolades, heureuses d'avoir contribué à la fête par cette prestation si réussie.

Nathan attendait Ella en bas des marches lorsqu'elle descendit. Il lui ouvrit les bras et la serra fort contre lui.

— Je suis si fier de vous, lui dit-il d'une voix rauque d'émotion. C'était absolument magnifique. Merci pour cette merveilleuse surprise.

Elle s'abandonna à son étreinte avec un soupir de bonheur, résolue à oublier un instant la menace que faisaient désormais planer sur son avenir les révélations de Céleste à son mari. Déterminée à savourer chaque seconde de ce bonheur si nouveau pour elle, si intense, et pourtant si fragile.

Il fallait impérativement qu'elle réussisse à se concentrer sur ces certitudes : Nathan et elle s'aimaient. Ils étaient tous les deux en bonne santé. Et ils étaient libres.

Il s'écarta et lui sourit.

— Je vous retrouve devant la banque dans vingt minutes.

— J'y serai.

Elle venait de rejoindre Mme Shippen et les enfants lorsque Betsy s'approcha d'elle avec des mines de conspiratrice.

— Vous avez entendu la nouvelle ? lui demanda-t-elle à voix basse, pour ne pas que les enfants entendent.

— Non, laquelle ?

— Tom Bradbury en a eu assez du comportement choquant de sa nouvelle épouse. A tel point qu'elle réside à l'hôtel depuis plusieurs nuits déjà. Mais ce n'est pas le pire, ajouta-t-elle avec un soupir mélodramatique, figurez-vous que le concierge de l'hôtel a dit à James Evans qu'elle avait reçu quelqu'un dans sa chambre hier soir. Un homme.

Ella sentit soudain son anxiété ravivée. Le comportement de Lena risquait de mettre en péril le sort de toutes ses compagnes de voyage.

— Je suis vraiment navrée d'apprendre cela.

— C'est proprement scandaleux, oui !

Ella hocha la tête. Bien sûr, tous les gens convenables de la ville devaient être scandalisés par le comportement de Lena. Et comment aurait-on pu le leur reprocher ?

— Elle a couvert de ridicule ce pauvre Tom qui voulait simplement épouser une honnête femme. Je ne l'ai pas encore vu ce matin, mais il doit être mort de honte.

Ella sentit son estomac se contracter douloureusement.

— Il n'a pourtant aucune raison de se sentir honteux.

— Bien sûr que si, voyons ! Le comportement scandaleux de sa femme rejaillit sur lui. Comment a-t-il pu se laisser entraîner dans une situation aussi choquante !

A cet instant, Ella aperçut Nathan qui se frayait un chemin dans la foule pour les rejoindre, ralenti dans sa progression chaque fois que quelqu'un l'arrêtait pour lui serrer la main.

— Oh, Betsy, excusez-moi mais voici Nathan.

— Papa ! s'écria Christopher en courant à sa rencontre. La course à dos de mule va bientôt commencer, il ne faut pas qu'on manque le départ !

— Bien sûr que non ! Alors dépêchons-nous !

Il souleva Robby de terre pour le jucher sur ses épaules et conduisit leur petit groupe jusqu'au terrain sur lequel se déroulaient les différentes attractions.

Ella n'avait jamais rien vu d'aussi drôle que la course à dos de mule. Elle se surprit bientôt à rire aussi fort que les enfants, tandis que Nathan la couvait du regard. De toute évidence, il éprouvait au moins autant de plaisir à la regarder rire qu'à suivre les caprices des mules et les vociférations de leurs cavaliers.

Le vainqueur gagna une bourse de cinq dollars et sa mule fut décorée d'une couronne de feuilles et de fleurs.

A la grande joie de Christopher, Nathan prit part à la course du 200 mètres à pied. Ella et les enfants vinrent l'attendre près de la ligne d'arrivée et l'acclamèrent follement lorsqu'il finit troisième. Il accepta son prix — là encore, une bourse de cinq dollars — avec un sourire aussi triomphant que s'il avait remporté une élection décisive.

Il les emmena ensuite acheter des sandwichs et des boissons à l'un des nombreux stands ambulants qui bordaient le terrain, puis ils allèrent s'asseoir pour déjeuner à l'ombre d'un bosquet d'arbres.

Ils passèrent un moment délicieux, assis dans l'herbe fraîche et odorante, mais Christopher ne tarda pas à montrer des signes d'impatience. Il sortit un prospectus de sa poche et le déplia.

— Quelle heure est-il, papa ? Le défilé militaire est à 2 heures pile.

— Ne t'inquiète pas, mon fils, nous sommes largement dans les temps. J'ai l'impression, ajouta-t-il en adressant à Ella une petite grimace d'excuse, que nous allons devoir suivre toutes les attractions.

— Je ne voudrais surtout pas en manquer une seule, lui répondit-elle avec un sourire.

Elle n'avait jamais assisté à aucun événement de ce genre et elle s'émerveillait de l'esprit bon enfant qui régnait ainsi que de la joie si contagieuse de tous, participants ou simples spectateurs.

Des explosions raisonnaient à intervalles réguliers et l'on voyait par endroits dans l'herbe des restes de pétards.

— Les chiens des environs se terrent partout où ils peuvent, lança Nathan en riant.

— Allez, papa, insista Christopher. On y va maintenant, s'il te plaît !

Le défilé des militaires déchaîna l'enthousiasme des foules. Alors que les danses des guerriers cheyennes se déroulèrent dans un silence respectueux. Enfants et adultes étaient manifestement impressionnés par ce témoignage de la vaillance d'un peuple avec lequel ils avaient appris à cohabiter, après des années de peur et d'affrontements.

Christopher tenta ensuite l'ascension du mât de cocagne. Mais hélas ! sans y parvenir. Nathan le félicita néanmoins pour ses efforts et l'enjoignit à retenter l'exploit l'année suivante avant de le récompenser par une belle grosse pièce d'un dollar qui ramena aussitôt le sourire sur le visage du garçon.

Nathan demanda ensuite à Grace d'être sa partenaire pour la course en sac. Ils se firent très rapidement distancer par les autres participants et finirent bien sûr bons derniers. Mais le bonheur des deux équipiers faisait plaisir à voir, surtout leurs crises de rire chaque fois qu'ils tombaient par terre.

— Vous voulez essayer ? proposa Nathan à Ella lorsque Grace et lui vinrent la rejoindre, encore tout rouges et essoufflés.

— Certainement pas ! s'exclama-t-elle en riant.

— Mais si, il faut essayer ! insista Nathan. Vous n'allez tout de même pas me dire que vous refusez de faire équipe avec votre mari ! fit-il semblant de s'indigner. Vous savez quoi, je vais chercher un sac de jute pour qu'on puisse s'entraîner un peu à l'écart. Vous verrez que c'est juste un coup à prendre : il faut que je m'oblige à faire des enjambées plus petites pour que vous puissiez suivre mon rythme. Vous conviendrez tout de même qu'il y a moins de différence de taille entre nous deux qu'entre Grace et moi, n'est-ce pas ? Oh ! regardez ! Céleste et Paul viennent justement de prendre le départ !

Céleste courait en effet à côté de son grand mari, et la vision de son amie si rayonnante de bonheur fit tout à coup prendre conscience à Ella que Céleste avait eu raison de tout avouer à son mari. Oui, elle aussi allait dire la vérité à Nathan. Toute la vérité. Elle ne pouvait pas passer le reste de sa vie à craindre que tout s'écroule si, par hasard, il l'apprenait par lui-même. Elle ne pouvait pas continuer à mentir à l'homme qu'elle aimait.

Elle se tourna de nouveau vers lui et vit qu'il attendait toujours sa réponse, les yeux brillants de gaieté et aussi d'une lueur de défi. Elle plongea son regard dans le sien et mesura à quel point Nathan avait bouleversé et mis sens dessus dessous toutes les certitudes qu'elle avait eues jusqu'alors sur la nature humaine — et tout particulièrement sur les hommes. Il était sincère, honorable, solide et honnête. Et elle l'aimait de tout son être.

Jusqu'au jour de son arrivée chez lui elle ne s'était jamais autorisée à ressentir quoi que ce soit. Oh ! bien sûr, elle avait sans doute éprouvé un sentiment d'attachement à quelques personnes, à sa mère, par exemple, et à son professeur de piano. Mais elle avait appris dès son plus jeune âge à réprimer ses émotions. Elle avait appris que se laisser aller à ses émotions rendait une personne vulnérable. Alors elle avait toujours fait le nécessaire pour ne jamais s'exposer à ce risque.

Nathan, en revanche, avait été assez brave pour prendre ce risque. Peut-être était-il temps pour elle de baisser sa garde et de s'autoriser, enfin, à céder à ses émotions.

— D'accord, lui dit-elle simplement.

Elle retira son chapeau, amusée de voir la surprise et la joie se peindre sur le visage de son mari.

Après avoir demandé à Rowena Templeton de surveiller les enfants, Nathan fit comme promis et alla chercher un sac de jute avant d'entraîner Ella à l'écart. Il lui montra patiemment la façon dont ils devaient tous les deux courir pour ne pas se faire mutuellement trébucher. Lorsqu'ils eurent effectué plusieurs essais satisfaisants, ils retournèrent ensemble attendre le départ de la prochaine course.

Enfin ce fut leur tour et ils prirent place sur la ligne de départ.

— Nathan, murmura Ella d'une voix douce.

Il baissa les yeux vers elle et lui sourit pour la rassurer.

— Ne vous en faites pas, tout va bien se passer.

— Nathan, je vous aime.

Chapitre 19

Nathan dévisagea son épouse, abasourdi, ayant tout à coup l'impression que tout tanguait autour de lui.

Elle le regardait avec un sourire plein d'une telle tendresse qu'il aurait voulu pouvoir la prendre dans ses bras et l'embrasser à perdre haleine, ici même, sur la ligne de départ. Hélas ce n'était ni le lieu ni l'instant.

La femme la plus exquise qu'il ait jamais rencontrée, cette femme douce et généreuse, capable d'apprécier la moindre petite chose, cette femme qui avait pris son cœur… cette femme l'aimait en retour.

Son amour était le plus beau cadeau qu'il ait jamais reçu.

— Cinq ! cria le starter. Quatre !

Il se rappela la promesse qu'il lui avait faite le matin même.

— Ce soir, madame Lantry.

Elle lui sourit.

— Deux ! Un !

Le coup de feu claqua dans l'air et ils prirent le départ, focalisant désormais toute leur attention sur leurs pieds et leurs jambes, pour éviter de trébucher et d'entraîner l'autre dans sa chute.

Nathan la maintenait fermement serrée contre lui et quand par hasard elle perdait le rythme il la portait jusqu'à ce qu'elle recouvre l'équilibre.

Ils finirent en tête, sous les applaudissements des spectateurs et les cris enthousiastes de Robby et Christopher.

Ella dut rester un bon moment agrippée à la taille de son mari, haletante et riant de bonheur, avant de réussir à retrouver son souffle.

— Qu'avons-nous gagné ? demanda-t-elle quant elle put enfin parler.

— Les prix sont exposés sur les tables, là-bas, leur annonça le juge après les avoir chaleureusement félicités. Choisissez ce qui vous plaît.

Lorsque Ella vit qu'il s'agissait de tout un assortiment de gâteaux, tourtes et tartes, elle écarquilla des yeux gourmands.

— Que préférez-vous ? lui demanda Nathan.

— Je ne sais pas au juste…, répondit-elle, perplexe, examinant la rangée de gâteaux avec la gravité qu'elle aurait mise à choisir une bague en diamant. Je n'ai jamais goûté de tourte aux pêches, expliqua-t-elle en lisant l'étiquette apposée devant l'un des gâteaux. Et celle-ci me paraît vraiment très appétissante.

— Excellent choix, approuva-t-il. C'est la spécialité de Betsy Iverson. Ses tourtes aux pêches sont renommées dans toute la région. Allons donc la partager avec les enfants.

Il déplia une des serviettes empilées en bout de table et y posa la tourte pour l'emporter jusqu'au bosquet de caroubiers à l'ombre duquel ils s'installèrent de nouveau. Les enfants les rejoignirent aussitôt, encore tout excités d'avoir vu leur père gagner la course avec Ella. Ils se régalèrent de la tourte, effectivement délicieuse, et Nathan décréta même qu'Ella avait droit à une seconde part, parce que c'était la première course à laquelle elle participait.

— Alors, lui demanda-t-il un peu plus tard lorsque les enfants furent repartis jouer, n'avez-vous pas trouvé cette tourte aux pêches absolument exquise ?

— Absolument exquise, c'est vrai. En fait…, reprit-elle

avec un sourire malicieux, je ne vois qu'une seule chose qui me plaise encore davantage.

— Je vous aime, Ella.

— Je vous aime, Nathan.

Nathan se sentit délicieusement troublé, comme toujours, par la sensualité mélodieuse de sa voix et des images lui vinrent aussitôt à l'esprit de la nuit qui les attendait. Il y aurait d'abord le feu d'artifice et la danse, bien sûr, mais après cela… Il avait hâte de la ramener à la maison ce soir.

Il n'en revenait toujours pas de sa chance inouïe d'avoir trouvé une épouse telle qu'Ella.

Le coucher du soleil donna le signal d'une pause dans les festivités. Le temps pour chacun de rentrer chez lui faire un brin de toilette et se changer : il fallait retirer les tenues portées pour participer aux jeux — souvent fripées, maculées de terre et parfois même déchirées — pour mettre des vêtements propres… et surtout plus chauds, en prévision de la fraîcheur du soir qui n'allait pas tarder à tomber.

Les enfants titubaient de fatigue sur le chemin de la maison et pourtant ils discutaient encore avec animation, très excités à la perspective du feu d'artifice.

Robby s'endormit à peine sorti de son bain, et Nathan réussit à l'habiller sans même le réveiller, pendant qu'Ella aidait Grace à enfiler la jolie robe bleue qu'elle avait choisi de porter ce soir-là.

Christopher s'habilla seul, ne demandant l'aide de son père que pour qu'il lui peigne les cheveux.

Robby n'ouvrit même pas les yeux lorsque Nathan le prit dans ses bras pour repartir vers la colline d'où le feu d'artifice allait être tiré. Ella marchait à côté de lui, tenant Grace par la main, et Christopher suivait en portant une vieille couverture qu'ils étendirent au sol lorsqu'ils arrivèrent sur place.

Robby se réveilla à l'instant même où Nathan l'allongeait

sur la couverture. Il se redressa aussitôt en position assise pour regarder tout autour de lui, ses yeux brillants dans la pénombre d'excitation et d'impatience. Ses cheveux se dressaient de façon comique du côté où sa tête avait appuyé contre l'épaule de son père. Ella se pencha vers lui pour tenter de les remettre en place et Nathan se sentit tout ému lorsqu'il surprit ce geste plein de tendresse.

Il demanda aux trois enfants de s'allonger sur la couverture pour se reposer un peu avant que le feu d'artifice ne commence. Ils acceptèrent sans se faire prier et lorsqu'ils eurent tous les trois fermé les yeux Nathan vint s'asseoir tout contre Ella et lui prit la main.

— Je ne me rappelle pas avoir jamais passé de journée aussi agréable que celle-ci, lui dit-il à voix basse en plongeant son regard dans le sien. Et c'est grâce à vous.

Elle aimait la sensation de sa grande main forte autour de la sienne. Et la dévotion absolue qu'exprimait son regard. Elle non plus ne se rappelait pas avoir jamais passé de journée aussi merveilleuse. Et elle se sentait délicieusement bien, serrée contre Nathan, assise dans la pénombre auprès des enfants endormis.

Pourtant, elle savait qu'un danger planait sur ce bonheur parfait et si nouveau pour elle. Elle savait que son aveu à Nathan risquait de détruire ce tableau idyllique, aussi violemment que si elle le transperçait d'un coup de poignard.

— Moi non plus, lui répondit-elle d'une voix très douce, pour n'être entendue que de lui seul, je n'ai jamais passé de journée aussi agréable que celle-ci.

Elle baissa les yeux sur les enfants et les regarda un instant en silence avant de relever la tête de nouveau.

— Je n'ai jamais eu de famille, vous le savez. Alors vous ne pouvez pas soupçonner à quel point je vous suis reconnaissante de m'avoir permis de prendre part à cette journée avec vous.

— Vous êtes ma femme, maintenant. Vous êtes désormais une part essentielle de ma vie et de celle des enfants.

Il l'attira tout contre lui et lui posa un baiser sur les cheveux.

— C'est moi qui devrais vous remercier, Ella.

Elle posa une main à plat sur son torse et ne répondit rien, savourant la magie de l'instant. Et ce bonheur si pur.

— Peut-être que l'an prochain, lui murmura-t-il à l'oreille, nous aurons un autre petit Lantry allongé près de nous sur cette couverture.

Elle sentit son cœur tressaillir dans sa poitrine, à la fois de frayeur et d'excitation.

Ils restèrent ainsi enlacés, tandis que les étoiles s'allumaient une à une dans le ciel et que les gens s'installaient tout autour d'eux sur leurs couvertures respectives. Jusqu'au moment où la colline donna l'impression d'être un immense patchwork éclairé par la lune.

Ella se souvenait d'avoir plusieurs fois regardé les feux d'artifice de la fête de l'Indépendance depuis le balcon de chez Mme Fairchild. Elle se remémora à cet instant le calme tout particulier qui avait toujours régné dans la maison les soirs de 4 Juillet. Et elle pensa qu'Ansel Murdoch… Lui aussi avait dû passer ces soirs-là avec sa famille, pour assister à des festivités similaires à celles-ci.

Cette période de sa vie lui semblait si lointaine maintenant qu'elle avait du mal à la rattacher à ce qu'elle vivait en ce moment, à Sweetwater. Si seulement Gabrielle n'avait jamais existé. Ni Mme Fairchild, ni rien ni personne de cet environnement sordide. Si seulement elle avait vécu une enfance normale, une enfance préservée des dures réalités de la vie.

Comme elle était née et avait grandi chez Mme Fairchild, elle n'avait jamais rien connu d'autre et cette vie lui avait paru normale… jusqu'au jour où elle avait entendu les autres filles parler des familles dans lesquelles elles avaient grandi et évoquer leur envie de s'enfuir pour prendre un nouveau départ.

Les premières fusées s'élevèrent, des explosions retentirent, et des gerbes de couleurs firent soudain flamboyer le ciel, saluées par les exclamations admiratives de toute l'assemblée, enfants comme adultes. Ella tourna la tête vers Nathan pour observer l'élégant profil de son visage levé vers le ciel.

Oui, c'était décidé, elle allait lui dire la vérité.

S'il l'aimait vraiment, comme elle l'espérait, alors apprendre le genre de vie qu'elle avait vécu ne changerait rien pour lui. Ils passeraient ensemble le reste de leurs jours, élèveraient leurs enfants et assisteraient chaque année aux célébrations du 4 Juillet, jusqu'à un âge très avancé.

Au moment du bouquet final les cris redoublèrent, les sifflements fusèrent, et les applaudissements crépitèrent de toutes parts. Et alors un étrange silence se fit. Les gens restèrent un moment immobiles, encore sonnés par cette débauche de bruits et de couleurs. Puis, peu à peu, ils se relevèrent, replièrent les couvertures, et prirent les enfants par la main pour les entraîner vers la piste de danse aménagée plus loin.

Nathan montra à Ella que des tentes avaient été dressées, un peu à l'écart, pour que les enfants puissent y dormir. Il lui expliqua que des femmes allaient se relayer tout au long de la soirée pour pouvoir les surveiller.

Ella proposa aussitôt de participer et Nathan la conduisit vers Sarah Pickering qui, assise à l'entrée d'une tente, organisait les tours de garde. Ella se vit assigner la première tranche horaire. Nathan et elle allongèrent Grace et Robby sur la couverture puis Nathan sortit rejoindre Christopher — autorisé cette année pour la première fois à veiller en raison de son grand âge. Et Ella s'installa dans le rocking-chair réservé à la garde en faction.

Elle devait surveiller une quinzaine d'enfants, de trois à huit ans pour la plupart, ainsi qu'un tout jeune bébé, couché dans un couffin d'osier. Elle constata très rapidement que les enfants, épuisés, s'étaient tous endormis à la seconde même où leurs parents les avaient installés. A l'exception du bébé qui pleurait et gigotait dans son couffin sans parvenir à se calmer. Après un temps d'hésitation, elle finit par se résoudre à le sortir de son petit lit pour le prendre dans ses bras et revint s'asseoir avec lui dans le rocking-chair. Elle se mit à le bercer en chantonnant à voix basse, étonnée de se sentir si émue par le contact de ce petit corps tiède contre le sien. C'était la première fois qu'elle tenait un bébé dans ses bras et elle avait très peur de mal faire, mais elle vit à son grand soulagement ses petites paupières se fermer. Sa respiration apaisée lui prouva bientôt qu'il dormait paisiblement.

Les paroles de Nathan lui revinrent alors à l'esprit.

« Peut-être que l'an prochain nous aurons un autre petit Lantry allongé près de nous sur cette couverture. »

C'était vraiment son souhait le plus cher.

Une heure plus tard une jeune femme, qui se présenta comme étant Donetta Jones, arriva pour prendre la relève. Ella lui confia le bébé à regret et sortit de la tente pour aller rejoindre Nathan et Christopher. Elle les trouva assis sur l'un des bancs alignés le long de la piste de danse.

— Ah, vous voilà, lui dit Nathan avec un sourire.

— J'ai tenu un bébé dans mes bras pendant tout le temps, lui annonça-t-elle d'une voix douce.

— Et comment était-ce ?

— Délicieux…

Christopher la surprit alors en venant s'incliner cérémonieusement devant elle.

— M'accorderez-vous cette danse ? lui demanda-t-il d'un ton solennel.

Lorsque Nathan lui adressa un petit clin d'œil complice, elle se leva et remercia Christopher de son plus beau sourire.

— Très volontiers, lui dit-elle.

Il lui tendit le bras et l'entraîna sur la piste au milieu des danseurs.

Elle s'amusa de bon cœur, attendrie de remarquer qu'autour d'elle plusieurs parents faisaient danser leurs jeunes enfants. Comme elle-même le faisait avec le fils de Nathan.

Un peu plus tard dans la soirée, Nathan emmena Christopher rejoindre son petit frère et sa sœur sous la tente, pour qu'il puisse dormir lui aussi. Puis il revint vers Ella et l'entraîna à son tour sur la piste de danse.

Ils dansaient l'un contre l'autre, au son d'une musique douce, lorsqu'il se pencha pour lui parler à l'oreille.

— Tout à l'heure, après avoir mis les enfants au lit, on pourrait emporter votre phonographe près de la rivière et danser sous les étoiles, qu'en pensez-vous ?

Elle releva la tête et lui sourit.

— Quelle idée merveilleusement romantique !

— En ce moment, j'ai en tête des tas d'idées romantiques, murmura-t-il avec un petit rire.

Elle se serra plus étroitement contre lui et ils continuèrent à danser pendant plusieurs morceaux, jusqu'au moment où l'orchestre changea de tempo pour passer à un rythme beaucoup plus rapide.

— Si nous en profitions pour aller nous rafraîchir en buvant quelque chose ? suggéra Nathan. Je sais qu'ils servent de la bière sous la tente installée derrière l'orchestre. Voulez-vous que je vous rapporte quelque chose ?

— Allez-y, je vais passer voir Minnie Oliver qui tient le stand de jus de fruits. On se retrouve tout à l'heure.

Nathan venait de contourner l'orchestre et s'éloignait en

direction de la tente faisant office de bar lorsqu'une voix féminine l'apostropha dans l'obscurité.

— Nathan Lantry ! Je me demandais justement où vous étiez passé.

Il se tourna et plissa les yeux pour chercher à voir de qui il s'agissait.

Il vit alors Lena Bradbury s'avancer vers lui en roulant des hanches de façon provocante.

Il fut d'autant plus surpris qu'il ne l'avait pas vue de la journée. Tom lui-même n'avait fait son apparition qu'après le feu d'artifice, et Nathan était d'ailleurs allé bavarder un moment avec lui pendant qu'Ella était retenue sous la tente où dormaient les enfants. Il éprouvait beaucoup de compassion pour Tom, qu'il avait toujours apprécié. Il lui avait donc témoigné son amitié dans les moments difficiles qu'il semblait traverser à cause de son épouse.

— Si c'est Tom que vous cherchez, il est assis là-bas sur le banc, près de l'orchestre.

— C'est vous que je cherchais.

— Et pourquoi donc ?

Elle vint se planter devant lui, les poings sur les hanches.

— Eh bien, disons… pour nous changer les idées.

Nathan recula d'un pas, mais elle fit un pas en avant. Il jeta un rapide coup d'œil alentour. N'importe qui pouvait arriver sur ce chemin et tomber sur eux.

Lena tendit une main et la lui posa sur le torse avec un petit sourire langoureux.

— Que se passe-t-il, monsieur Lantry, vous vous sentez nerveux ?

Il lui saisit le poignet pour lui écarter la main.

— Tout ceci est inconvenant, madame Bradbury.

— Allons donc, personne n'a besoin de le savoir. Nous pourrions nous écarter encore un peu et… apprendre à faire davantage connaissance ?

— Vous êtes l'épouse de mon ami. Et, même si vous ne l'étiez pas, je vous rappelle que je suis moi aussi marié.

— Vous me semblez bien pudibond, monsieur Lantry…

Elle releva brusquement le menton d'un air belliqueux.

— Vous vous croyez trop bien pour moi, c'est ça ?

— Bien sûr que non. Mais Tom est un garçon bien. Et je suis sûr qu'il pourrait vous rendre heureuse si vous lui en laissiez la chance.

Elle eut un rire sarcastique.

— Eh bien, moi, je trouve qu'il y a bien trop de « garçons bien » dans cette ville. On s'amuse beaucoup plus avec les mauvais garçons, croyez-moi !

— Dans ce cas pourquoi l'avoir épousé ? Pourquoi avoir fait le voyage jusqu'ici si vous ne vouliez pas fonder une famille ?

Nathan renonça soudain à son envie de bière.

— Maintenant, si vous voulez bien m'excuser, ma femme attend.

— Vous êtes vraiment le parfait gentleman, n'est-ce pas ? ironisa-t-elle d'un ton méprisant. Dépêchez-vous donc de rejoindre cette fleur si délicate avant qu'elle ne se fane. Ou avant qu'elle ne dirige ses attentions vers un homme plus riche ! cria-t-elle plus fort en le voyant s'éloigner. Parce qu'elle les aime très riches, vous savez, poursuivit-elle en le suivant sur le sentier. Oh oui, il lui faut toujours ce qu'il y a de mieux, à cette chère Gabrielle !

L'orchestre venait de s'arrêter lorsque Nathan rejoignit la clairière où se trouvait la piste de danse. Les paroles de Lena résonnèrent donc avec force dans le silence soudain.

— Vous croyez tous que vous valez mieux que moi, avec vos belles maisons, vos calèches et vos réceptions ridicules !

Les gens qui se tenaient autour de la piste commencèrent à se tourner dans leur direction pour voir qui criait. Nathan

258

s'arrêta en atteignant les premiers bancs. Il vit alors Tom se lever lentement. Pauvre garçon, pensa-t-il, n'avait-il pas déjà assez souffert d'humiliations à cause de cette femme ?

— Lena, entendit-il une femme dire derrière lui, pourquoi ne viens-tu pas avec moi bavarder un peu ?

Il se tourna et reconnut alors Rita Thomas, l'une des candidates au mariage venues de l'Illinois.

— Et de quoi voudrais-tu qu'on parle ? Du bon vieux temps ?

Nathan chercha Ella du regard et la trouva non loin de l'endroit où il l'avait laissée, le visage figé en un masque de détresse.

Il se tourna pour tenter une dernière fois de raisonner Lena Bradbury.

— Si vous acceptiez seulement d'écouter vos amies, vous vous rendriez compte qu'elles ne veulent que votre bien.

— Mes amies ! répéta-t-elle d'une voix suraiguë. Aucune de ces femmes n'est une amie pour moi. Là d'où on vient, les femmes étaient des rivales, et elles sont des rivales ici aussi. Rien n'a changé. A part les hommes dans nos lits !

On entendit dans la foule plusieurs exclamations choquées.

Rita posa une main sur le bras de Lena, sans qu'on sache si c'était pour la réconforter ou pour la faire taire, mais celle-ci se libéra d'un geste brusque.

— Lâche-moi, Rita ! Vous croyez toutes que vous valez mieux que moi, hein ? Eh bien, c'est faux !

Elle revint se planter devant Nathan et se trouva alors dans le halo de lumière d'une lanterne qui éclaira son visage déformé par la rage.

— Et vous, monsieur le tout-puissant candidat aux élections territoriales, eh bien, vous vous êtes laissé berner par son allure altière, son parfum raffiné, sa garde-robe élégante, son talent au piano. Par cette voix sensuelle qu'elle a si longtemps travaillée, avec cette pointe d'accent français complètement artificiel. Vous avez une idée de ce que ça coûte, de fabriquer de toutes pièces une telle créature ? Mais rien n'a jamais été épargné pour elle, parce qu'elle était spéciale.

Céleste arriva d'un pas vif et tenta elle aussi de la réduire au silence.

— Maintenant ça suffit, Lena, viens avec moi !

— Quant à celle-ci, reprit Lena en pointant sur Céleste un doigt vengeur, elle se faisait battre comme plâtre chaque vendredi soir, alors vous pensez bien qu'elle est ravie de se retrouver ici, avec tous ces gens « comme il faut ».

— Lena, tais-toi ! gronda Céleste.

— Ce n'est pas Gabrielle qui aurait risqué de se faire cogner, oh non. Pas notre exquise Gabrielle. Notre rose parmi les broussailles. Notre pianiste accomplie. Notre lady. Celle que l'on réservait exclusivement au plus riche client. Notre sublime putain de luxe !

Tout le monde se taisait, atterré, et dans ce silence lourd le rire de Lena parut plus horrible encore.

— Vous vous êtes bien fait avoir, reprit-elle en balayant l'assistance d'un regard mauvais. Vous avez fait venir dans votre petite ville bien convenable toute une cargaison de putains ! Et vous nous avez épousées !

Elle fit une brusque volte-face pour attaquer Nathan de nouveau.

— Eh oui, monsieur le futur gouverneur, votre chère épouse est une putain ! conclut-elle dans un éclat de rire hystérique.

Nathan resta parfaitement immobile, comme statufié, tandis que Rita et Céleste parvenaient enfin à entraîner Lena avec elles. Il chercha Ella du regard et vit qu'elle s'était approchée, mais se tenait encore à une dizaine de mètres de lui, le fixant avec un regard plein d'effroi qui le glaça littéralement.

Il eut tout à coup l'impression que des centaines de petites pièces d'un immense puzzle venaient soudain de se mettre en place. Elle ne connaissait strictement rien à la gestion d'une maison. Elle ne savait ni cuisiner ni coudre. En revanche, elle jouait du piano à ravir et parlait français couramment, ce qui l'avait d'ailleurs beaucoup impressionné.

Au lit, elle s'était montrée une partenaire enthousiaste. Et lui qui s'en était tellement réjoui ! Quel naïf il avait fait !

Il prit alors conscience que tous les regards convergeaient maintenant vers lui et que les gens se parlaient à voix basse, guettant sans doute sa réaction.

Il se dirigea d'un pas ferme vers Ella qui le dévisageait toujours, ses grands yeux bleus écarquillés de crainte. Il concentra toute son attention sur ce seul regard. Cela seul comptait.

Elle allait lui dire que rien de tout cela n'était vrai. Il le fallait. Il ne pouvait pas supporter l'idée qu'elle ait pu lui mentir. L'idée que tout en elle n'ait été que mensonge.

Parvenu enfin devant elle, il la défia d'un regard dur.

— Est-ce vrai ?

Chapitre 20

Ella releva la tête et soutint son regard, malgré la peur qui lui nouait le ventre et sa crainte de sentir tout à coup ses jambes se dérober sous elle.

— Oui, répondit-elle d'une voix blanche. Je m'apprêtais à vous le dire.

Il la dévisagea un long moment sans répondre, comme sonné.

— Que vous apprêtiez-vous à me dire ?

— La vérité. Toute la vérité.

— Et quelle est-elle exactement, cette vérité ?

Il se rendit tout à coup compte que les gens s'étaient dispersés sans bruit, les laissant tous les deux seuls face à face, et qu'on n'entendait plus, dans la pénombre, que les musiciens en train de ranger leurs instruments et quelques parents rappeler leurs enfants à voix basse en leur demandant de presser le pas pour rentrer plus vite chez eux.

— Je m'apprêtais à vous dire que l'institution pour jeunes filles de Miss Haversham n'avait jamais existé. Que nous l'avions inventée de toutes pièces après avoir vu l'annonce dans le journal et décidé de nous enfuir. Céleste avait déjà répondu à cette annonce, ce n'est qu'ensuite que nous avons décidé de nous joindre à elle.

— Vous ne venez pas de l'Illinois non plus ?

— Non. Je suis née et j'ai grandi à Dodge City. Dans une maison de tolérance tenue par une certaine Mme Fairchild.

— Donc la première fois que nous… donc vous n'étiez pas vierge.

Elle marqua une pause qui parut interminable à Nathan. Il sentit sa poitrine se contracter douloureusement et dut se forcer à inspirer plusieurs fois à fond afin de pouvoir desserrer l'étau qui lui écrasait les côtes.

— Non.

Il tourna les talons et se dirigea vers la tente dans laquelle dormaient les enfants, vaguement conscient du fait qu'Ella le suivait. Il réveilla les trois enfants, souleva Robby dans ses bras, donna la main à Grace, et prit le chemin de la maison. Christopher marchait à ses côtés, marmonnant d'une voix ensommeillée des paroles qu'il n'entendait pas vraiment.

Des centaines de questions se bousculaient dans son esprit en tumulte et les accusations terribles de Lena résonnaient dans sa tête, encore et encore. Ces accusations qu'il aurait tant voulu que sa femme réfute. Que n'importe qui réfute. Hélas personne ne l'avait détrompé.

Mme Shippen devait guetter leur retour car elle vint leur ouvrir la porte et aida Nathan à conduire les enfants dans leur chambre.

— Voulez-vous bien vous charger de les coucher ? lui demanda-t-il.

— Oui, bien sûr.

Sans un mot de plus, il redescendit dans le hall et sortit, claquant la porte derrière lui.

Debout dans la pénombre Ella regarda Nathan s'éloigner. Elle suivit sa silhouette jusqu'au moment où il disparut au bout de la rue et serra convulsivement ses mains l'une contre l'autre. Elle se sentait si oppressée qu'elle craignait de défaillir d'un instant à l'autre.

Qu'avait-elle fait ? Non seulement elle avait menti à Nathan, non seulement elle l'avait blessé, mais elle avait aussi annihilé toutes ses chances de parvenir un jour à se faire élire gouverneur.

Elle se demandait où il avait bien pu aller, mais elle savait en même temps qu'il reviendrait. Parce que c'était sa maison. Là où habitaient ses enfants. Là où était sa vie.

Et c'était donc elle qui allait devoir partir.

Elle avança d'un pas chancelant jusqu'à l'un des fauteuils et s'y assit très lentement, craignant à chaque seconde de perdre connaissance.

Elle avait tout perdu...

Elle s'était forcée, depuis son plus jeune âge, à ne jamais rien ressentir. Elle savait que c'était pour elle la seule manière de survivre dans ce monde impitoyable où on la tenait enfermée. Et soudain, le jour où Ansel lui avait donné ce livret bancaire, elle avait entraperçu l'espoir d'une tout autre vie. Et elle avait pris le risque de s'enfuir. De laisser Dodge City derrière elle et de se construire elle-même une vie nouvelle.

Elle avait goûté à la liberté. Elle avait découvert les joies de la famille. Elle s'était fait des amies. Elle avait même pu marcher dans les rues de cette ville sans se sentir méprisée ou haïe.

Et elle était tombée amoureuse.

Quelle folie !

Ce sentiment de liberté qui l'avait enivrée, cette merveilleuse impression de sécurité qu'elle avait ressentie pour la première fois, tout cela n'avait été qu'illusion. Et comment aurait-il pu en être autrement ? Comment avait-elle pu espérer un seul instant que personne ne découvrirait jamais cette supercherie ?

Peut-être Nathan aurait-il pu accepter la vérité si elle la lui avait elle-même apprise. Et beaucoup plus tôt.

Au lieu d'attendre que Lena s'en charge en lui crachant ces horreurs au visage devant tous ses amis. Et tous ses électeurs potentiels.

Soudain prise d'une violente nausée, elle se leva vivement, dévala les marches du porche et courut derrière la maison vomir dans un massif de roses. Puis elle se coucha par terre et resta un long moment allongée, comme inerte, les yeux grands ouverts dans le noir.

Elle revoyait les visages des gens tout autour d'elle, tout à l'heure, dans la clairière. Elle revoyait le choc et le dégoût qu'avaient exprimés ces visages.

Elle avait trahi toutes les personnes qu'elle avait rencontrées à Sweetwater. Toutes les personnes qui lui avaient témoigné de la gentillesse et même de l'amitié.

Elle se rappela à cet instant sa brève rencontre avec Bess Duncan, dans un des magasins de la ville, et la façon méprisante dont les autres femmes avaient traité cette malheureuse, la jugeant indigne de faire ses courses dans les mêmes magasins qu'elles.

Lorsqu'elle se sentit capable de se relever, elle rentra dans la maison. Elle alla dans la cuisine se remplir un pichet d'eau fraîche et le porta au premier étage. Cela faisait plusieurs nuits maintenant qu'elle partageait le lit de Nathan, mais la plupart de ses affaires étaient encore restées dans la chambre qu'elle avait occupée au début.

Elle retourna donc dans cette chambre. Elle se déshabilla et fit sa toilette avant d'enfiler sa chemise de nuit.

Puis elle alla s'asseoir sur le bord de son lit, croisant frileusement ses bras sur sa poitrine, et se mit à réfléchir au nombre de personnes qui risquaient d'être affectées par ce que Lena avait révélé ce soir. Comment allaient réagir les maris de Rita et des autres femmes de leur groupe ?

La seule relation qui allait échapper à la tourmente

était celle de Paul et Céleste. Parce qu'elle lui avait dit la vérité. Il était pratiquement certain, par contre, que Céleste ne serait plus accueillie dans la chorale.

Ella pensa à Betsy, à Mildred, et à toutes les autres amies qu'elle s'était faites.

Elle pensa qu'elle non plus ne serait plus accueillie dans la chorale. Ni à la paroisse. Ni dans les boutiques. Elle ne serait plus accueillie nulle part, point.

Et Nathan ? Qu'allait-il se passer pour lui ? Tous les habitants de la ville allaient-ils lui tourner le dos ? Ou bien comprendraient-ils qu'il avait été dupé, comme tous les autres ?

Elle se coucha sur le côté et se roula en boule.

Elle se sentait si désespérée et si honteuse qu'elle aurait voulu disparaître.

Mais elle n'avait nulle part où aller...

Elle serra les poings, transformant son désespoir en colère contre cette catastrophe que Lena venait de déclencher. Et qui allait toutes les conduire à leur perte.

Elle mesura soudain à quel point elle s'était bercée d'illusions. A quel point les espoirs qu'elle avait nourris avaient été ridicules. Comment avait-elle osé croire pouvoir un jour devenir digne de Nathan ? Et, plus utopique encore, représenter pour lui le moindre atout dans sa carrière ?

Des centaines d'images et de sons se mirent alors à défiler dans sa tête. Des fragments de conversations qu'elle avait eues avec Nathan ou les enfants, des petits instants de bonheur partagés. Toutes ces choses qui lui restaient si précieuses et si chères.

Et toutes procédaient pourtant de cette même grande illusion qu'elle avait elle-même fabriquée, à partir de dissimulation et de mensonges.

Un coup frappé à sa porte la fit sursauter et elle se redressa vivement, comprenant qu'elle avait dû s'endormir.

— Entrez.

Nathan entra, referma la porte derrière lui et s'avança jusqu'au pied du lit où il s'arrêta, l'air grave.

Chapitre 21

Un instant désorientée, elle cligna des paupières pour tenter de reprendre contact avec la réalité, malgré l'étau douloureux qui lui enserrait encore les tempes.

Elle se surprit à bénir l'obscurité : elle n'aurait pu supporter que Nathan voie dans ses yeux l'intensité de sa douleur.

— Est-ce que quelqu'un vous recherche ?

Elle tourna un instant la question dans sa tête sans comprendre.

— Que voulez-vous dire ?

— Vous m'avez expliqué tout à l'heure que vous et les autres femmes aviez décidé de vous enfuir. Ce qui signifierait donc que quelqu'un voulait vous garder à Dodge City. Et par conséquent que cette même personne pourrait ne pas avoir été ravie de vous voir partir.

Elle resserra frileusement sa chemise de nuit autour de ses épaules pour se donner le temps de recouvrer un semblant de calme. Elle avait appris à contrôler ses émotions. C'est ce qui lui avait permis de survivre. Jusqu'à présent du moins. Ce n'était qu'ici, à Sweetwater, avec cet homme et ses enfants, qu'elle s'était enfin autorisée à laisser libre cours à ses sentiments. Et cette erreur de jugement lui revenait maintenant en pleine face.

— Mme Fairchild nous tenait recluses, en effet. Les rares fois où nous étions autorisées à sortir pour faire des courses, nous devions toujours être escortées.

Elle prit une profonde inspiration pour se donner du courage et résolut de lui dire ce qu'il avait besoin de savoir.

— On nous expliquait que les barreaux aux fenêtres avaient été posés là pour notre protection, mais de toute façon nous n'avions pratiquement aucune possibilité de sortir. Nous représentions en quelque sorte le cheptel de Mme Fairchild et lui assurions des revenus plus que confortables. Sans jamais voir la couleur de l'argent, bien sûr. C'est Mme Fairchild, seule, qui s'occupait de toutes les transactions financières.

Elle sentit sa gorge se nouer de nervosité et marqua une courte pause.

— En revanche, il n'y a absolument aucun risque qu'elle découvre où nous nous trouvons. C'est Céleste qui s'est procuré les billets de train, secrètement. Par l'intermédiaire d'une femme médecin qui avait dû la soigner un jour où elle avait souffert de contusions particulièrement sévères. C'est Rita, quant à elle, qui a drogué Mme Fairchild avec un puissant somnifère, obtenu lui aussi par un médecin. Elle lui a dérobé ses clés et nous avons ainsi pu nous enfuir au beau milieu de la nuit. Lorsqu'elle a repris connaissance, le lendemain, nous étions déjà loin. Il y a un trafic ferroviaire important à Dodge City et nous avions pris la précaution de voyager séparément, pour ne pas attirer l'attention.

Il se tenait toujours immobile, sans prononcer le moindre mot.

— Alors non, reprit-elle, pour répondre à votre question, personne ne nous recherche. Personne ne me recherche. Si je craignais qu'il y ait une possibilité d'attirer un danger quelconque sur votre maison ou vos enfants, je ne me trouverais pas ici.

— Vous ne réfutez rien de tout ce que Lena a dit ce soir ?

Bien sûr qu'il aurait voulu qu'elle réfute. Ça ne le réjouissait sans doute pas de penser qu'il avait épousé une femme venant d'une maison de tolérance.

— Je m'apprêtais à vous dire la vérité, lui répéta-t-elle. Cela faisait déjà un certain temps que j'y réfléchissais. Mais hier j'étais déterminée à le faire. J'attendais juste que se présente une occasion... la plus favorable possible.

— Et pourquoi donc hier particulièrement ?

— Eh bien... parce que Céleste était venue me dire, quelques jours auparavant, qu'elle avait tout raconté à son mari. J'ai d'abord été catastrophée, puis terrifiée, puis hantée par les remords. Je me suis dit que vous étiez un homme honorable et que vous méritiez la vérité.

— Et ça ne vous était jamais venu à l'esprit avant qu'on ne se marie ? Vous n'aviez jamais envisagé qu'un mensonge de cette taille détruirait tout ce que nous construirions ensemble ?

— Je... Non.

— Non ? C'est tout ?

— Répondez-moi franchement, Nathan, dit-elle d'une voix grave, m'auriez-vous épousée si vous aviez su ?

Elle ne pouvait distinguer les traits de son visage dans la semi-obscurité, mais son maintien rigide ne laissait rien présager de bon.

Nathan repensa à la nuit où il avait rencontré Ella. A la fascination extraordinaire qu'elle avait aussitôt exercée sur lui. C'était les membres du conseil municipal qui l'avaient encouragé à se trouver une épouse pour accroître ses chances d'être élu au poste de gouverneur. Quelle cruelle ironie...

— Non, répondit-il. Je ne vous aurais pas épousée.

— Eh bien, voilà, vous avez la réponse à votre question. C'est précisément pour augmenter nos chances de réussir à nous marier que nous avons inventé cette « institution pour jeunes filles » dans laquelle nous étions toutes censées avoir été pensionnaires. Ce mensonge nous avait semblé être le plus crédible à l'époque. Et c'était en fait la seule façon pour nous d'éviter trop de questions sur nos passés respectifs.

Nathan aurait tellement voulu pouvoir croire qu'elle s'apprêtait à lui dire la vérité...

Hélas, pour le moment il avait l'esprit perturbé par des images d'Ella dans les bras d'autres hommes. Un nombre incalculable d'autres hommes. De toute évidence, elle s'était moquée de lui. Elle l'avait pris pour un pauvre fou, trop aveuglé par sa beauté et son charme pour penser à se poser les bonnes questions. Les questions qui auraient pourtant dû s'imposer.

— Vous avez dû bien rire à mes dépens, s'exclama-t-il d'un ton qui laissait enfin paraître son amertume. Quand je pense à la façon dont je me suis comporté avec vous, ça me rend malade. Quand je pense à la façon dont je voulais préserver votre pudeur. A ma décision de m'imposer cette longue période d'abstinence, par crainte que vous ne vous trouviez rebutée par l'aspect physique du mariage. Et vous m'avez laissé faire. Alors que vous aviez déjà couché avec des centaines d'hommes !

— Non, Nathan. Je ne peux pas vous laisser dire cela. Il n'y a jamais eu de centaines d'hommes.

— Je doute que vous ayez tenu des comptes.

— Cela n'aurait pas été nécessaire.

Il se sentait aussi épuisé physiquement que nerveusement. Il n'avait pas pu fermer l'œil depuis qu'il était rentré avec les enfants. Comment avait-elle pu, de son côté, s'endormir si facilement, la conscience tranquille ? Il se sentait trop furieux pour pouvoir continuer cette conversation sans risquer de s'emporter. Et il ne voulait pas réveiller les enfants.

— Nous poursuivrons cette conversation demain. Plus tard dans la journée, en fait, puisque nous sommes déjà dimanche matin.

En tout cas une chose était certaine : il n'assisterait pas à l'office aujourd'hui. Il ne se sentait pas capable d'affronter les réactions de ses pairs après l'humiliation terrible qu'il avait déjà dû essuyer la veille.

— Je vais partir, dit alors Ella d'une voix blanche. Laissez-moi juste le temps de réunir mes affaires.

Cette perspective déclencha tout à coup en lui un sentiment de panique qui le laissa pantois.

— Et où irez-vous ?

— Je ne sais pas. Mais j'ai des moyens de subsistance. Je peux demeurer à l'hôtel pendant un certain temps. Puis j'achèterai un billet de train et je partirai.

— Où ? Vous repartirez à Dodge City ?

— Non. Jamais je ne retournerai à Dodge City.

— Dans une autre ville, alors ? Quel genre de travail pourriez-vous trouver ? Mais voyons, suis-je bête ! Sans doute vous mettriez-vous tout simplement à la recherche d'un autre mari qui puisse vous entretenir, n'est-ce pas ?

Il la vit se redresser vivement, piquée au vif.

Il l'avait blessée mais cela ne lui procurait aucun plaisir. Au contraire, il s'en voulait de s'être laissé emporter par la colère. Voilà pourquoi il préférait remettre leur conversation à plus tard. Pour laisser le temps à sa colère de s'apaiser.

— Vous n'avez nulle part où aller. Vous resterez donc ici jusqu'à ce que nous réglions ce problème.

Régler ce problème ? Elle devait se demander ce que cela signifiait. Lui, en tout cas, n'en avait pas la moindre idée.

Elle ne répondit rien. Mais qu'aurait-elle pu trouver à répondre ? De toute façon, c'était lui qui avait été berné. Il s'était laissé manipuler comme un pantin. Et il avait désormais la ferme intention de reprendre les rênes de la situation.

— Je vais demander à Mme Shippen de s'occuper des

enfants pour la matinée. Cela nous permettra de parler, vous et moi.

— Bien sûr, comme vous voudrez.

Il tourna les talons, sortit de la pièce et referma la porte derrière lui. Puis il alla jusqu'à la chambre des enfants et y entra sur la pointe des pieds.

Il resta un moment sur le seuil, immobile, observant ses enfants qui dormaient, inconscients du drame qui venait de se jouer et qui menaçait maintenant leur univers.

Il alla remonter les draps autour du cou de Grace, se remémorant la façon dont elle regardait Ella chaque fois qu'ils se trouvaient tous ensemble. Il repensa à l'excitation de sa femme lorsqu'elle lui avait raconté la conversation de la petite fille avec la poupée.

Ella était peut-être bien une menteuse et… — il s'arrêta, choqué par l'évocation même de ce mot — une prostituée, mais elle avait apporté du soleil dans la vie de ses enfants.

Il sentit sa colère se ranimer en lui, cette fois-ci parce qu'elle avait laissé des enfants vulnérables s'attacher à elle. Eux qui avaient déjà subi une épreuve si terrible au moment du départ de leur mère.

Il passa ensuite embrasser Christopher, puis Robby, avant de ressortir.

Une fois dans sa chambre, il alluma une lampe, se déshabilla et se lava avec des gestes d'automate.

Même après s'être allongé dans son lit, il ne parvint pas à trouver le sommeil. Il repensait à la façon dont Ella avait toujours détesté qu'on lui parle de son physique. Et ce trait si particulier prit tout à coup pour lui une toute nouvelle signification.

Il se rappela les bijoux qu'elle avait portés lors des différentes soirées auxquelles ils avaient assisté. Il se rappela s'être un peu étonné, au début, qu'une pensionnaire d'institution pour jeunes filles possède de si beaux bijoux.

Cela n'avait rien que de très normal, en revanche, pour le genre de femme qu'Ella avait été auparavant.

Il repensa alors aux autres femmes : Céleste, Rita, Lena... Toutes étaient séduisantes, bien sûr, mais aucune d'elles ne possédait la beauté spectaculaire d'Ella.

De Gabrielle, se reprit-il. Il avait entendu ce nom à plusieurs reprises.

Elle avait sans doute été la femme la plus désirable de cet établissement. Et de toute la ville, probablement.

Les yeux rivés au plafond, il essaya de repenser à Deborah. Elle avait été assez jolie, avec de beaux cheveux brillants et un sourire doux. Il se rendit compte que les souvenirs qu'il gardait d'elle évoquaient pour lui les notions d'innocence et de pureté.

Il se rappela alors, un peu mal à l'aise, qu'il avait souvent éprouvé l'impression que le désir qu'il ressentait pour elle était quelque chose de honteux. Et qu'en fait elle n'avait jamais apprécié leurs moments d'intimité. Tout en refusant toujours obstinément de discuter de son aversion évidente pour les choses de la chair.

Ella, au contraire, avait été une partenaire enthousiaste, allant jusqu'à lui indiquer ses préférences et à s'enquérir des siennes. Quel homme n'aurait-il pas été ravi d'avoir épousé une femme non seulement exquisément belle, mais aussi ardente et passionnée ?

Il finit par s'endormir d'un sommeil agité dont il se réveilla peu avant l'aube, la tête encore douloureuse. Il se leva, s'habilla et sortit de sa chambre. En passant devant celle que Mme Shippen occupait lorsqu'elle restait pour la nuit, il vit la porte ouverte et son lit déjà refait. Il la trouva dans la cuisine en train de boire une tasse de café.

— J'ai une faveur à vous demander pour ce matin, lui annonça-t-il, avant d'expliquer que son épouse et lui-même n'assisteraient pas à la messe et qu'il lui serait donc reconnaissant d'y emmener les enfants avec elle.

Mme Shippen accepta bien volontiers et ils remontèrent ensemble au premier étage réveiller et habiller les trois enfants. Nathan les accompagna ensuite jusqu'au pas de la porte où il les embrassa et leur souhaita une belle matinée.

Ella avait ouvert les yeux en entendant des bruits et des voix lui signalant que la maisonnée était réveillée. Ne sachant trop quelle attitude adopter, elle avait choisi de rester dans sa chambre. En entendant, plus tard, les voix joyeuses des enfants saluer leur père au moment de partir pour la messe, elle avait compris que Nathan avait dû charger Mme Shippen de les y conduire.

Peu après le départ des enfants, un coup bref fut frappé à sa porte. Comme personne ne répondit lorsqu'elle invita à entrer, elle se leva pour aller ouvrir et trouva alors, posée par terre, une cruche d'eau chaude pour sa toilette.

Elle se lava donc et s'habilla, d'une jupe bleu marine et d'une blouse blanche nouée au cou, puis attacha ses cheveux en chignon sur la nuque.

Elle vit dans le miroir que son teint était plus pâle que d'habitude, et ses yeux creusés de cernes. Elle appliqua de la poudre de riz pour tenter de masquer ses marques de fatigue mais ne trouva pas le résultat aussi efficace qu'elle l'aurait aimé. Quelle importance, après tout, pensa-t-elle avec un haussement d'épaules désabusé, puisque ses jours dans cette maison étaient désormais comptés.

Elle sursauta en entendant une nouvelle fois frapper à la porte et se rendit compte qu'elle était restée plantée devant son miroir, le regard vague. Elle plaqua ses mains à plat sur sa jupe et prit une profonde inspiration pour s'exhorter au calme.

— Entrez.

La porte s'ouvrit et la haute silhouette de Nathan s'encadra dans l'embrasure. Elle sentit aussitôt s'accélérer les battements de son cœur.

— Les enfants sont partis pour la matinée. Descendez avec moi prendre un petit déjeuner et ensuite nous parlerons. Prenez un chapeau.

Où allait-il l'emmener ? Elle n'avait pas encore fait ses bagages. Il lui avait bien dit qu'elle resterait ici pour le moment, n'est-ce pas ?

Elle le rejoignit dans le couloir et descendit avec lui au rez-de-chaussée. En entrant dans la cuisine, elle vit qu'un porridge avait été préparé et servi dans deux assiettes. Nathan lui signifia d'un geste de prendre place.

Il remplit leurs deux tasses de café avant de venir s'asseoir à côté d'elle.

Ella prit sa cuiller d'une main tremblante et goûta au porridge. Sa gorge était tellement nouée par la nervosité qu'elle eut beaucoup de peine à avaler. Elle se força néanmoins à prendre une seconde cuillerée, puis une troisième. Ensuite elle reposa sa cuiller et se tapota les lèvres avec sa serviette, avant de tendre la main vers sa tasse de café. Il était chaud et fort et elle constata que Nathan l'avait sucré exactement comme elle l'aimait.

Elle avait l'impression que son cœur résonnait si fort dans sa poitrine qu'elle se demanda même si Nathan ne pouvait pas l'entendre.

Lorsqu'elle trouva enfin le courage de tourner la tête vers lui, elle vit qu'il l'observait avec les sourcils foncés. Il ne semblait ni furieux ni même dégoûté, comme elle aurait pu s'y attendre. Non, son regard exprimait de la souffrance. Sa souffrance d'avoir été trahi.

Et elle comprit à cet instant qu'aucune des excuses qu'elle pourrait lui présenter ne changerait rien à présent.

Chapitre 22

— Avez-vous terminé ?

— Oui. Merci.

Il se leva et alla prendre le chapeau qu'elle avait posé sur le buffet pour venir le lui apporter. Elle se leva à son tour, prit le chapeau qu'il lui tendait et le suivit jusqu'à la porte de derrière. Il l'ouvrit et s'effaça pour la laisser passer, avant de sortir lui aussi et de refermer la porte derrière eux.

Ils descendirent l'un après l'autre les quelques marches de bois et se retrouvèrent en plein soleil. Ella marqua un temps d'arrêt, émerveillée comme toujours par la beauté du paysage qui s'étendait devant eux. Cette prairie qui descendait en pente douce jusqu'à la rivière et, au-delà, les collines verdoyantes qui s'étendaient à perte de vue, parsemées par endroits de bosquets d'arbres formant des tâches plus sombres.

Comment se pouvait-il, pensa-t-elle pour elle-même, que cette beauté soit restée intacte, si pure et si paisible à la fois, alors qu'elle avait l'impression qu'autour d'elle tout avait été bouleversé, souillé et détruit ?

Elle suivit Nathan qui descendait vers la rivière d'un pas calme, sans trahir ni colère ni nervosité, comme s'ils étaient simplement sortis se promener pour profiter du beau temps et de la compagnie l'un de l'autre.

Lorsqu'ils atteignirent les berges, maintenant tapissées d'une myriade de minuscules fleurs bleues, il s'arrêta et resta debout à contempler l'eau, sans prononcer un seul mot.

Elle se rappela la première fois où ils étaient venus ensemble à cet endroit. Il l'avait encouragée à entrer dans l'eau et, voyant qu'elle hésitait, y était entré le premier pour la convaincre de le suivre. Elle avait perdu l'équilibre, s'était rattrapée à lui, et ils étaient tous les deux tombés dans l'eau glacée en riant comme des gamins. Jusqu'au moment où, prise d'une impulsion subite, elle l'avait embrassé pour la première fois.

Etait-il lui aussi en train de repenser à cette scène ? Elle mourait d'envie de le lui demander, mais n'osait pas se tourner vers lui et affronter son regard. Alors, comme lui, elle resta debout immobile, à fixer l'eau de la rivière. Au bout d'un moment, Nathan s'assit sur l'herbe et elle l'imita.

Le silence se prolongea entre eux jusqu'au moment où un oiseau l'interrompit par un petit trille aigu, auquel un second oiseau répondit aussitôt.

— Je sais qu'il est bien tard, proféra Ella d'une voix rauque, tout en lissant nerveusement sa jupe du plat de la main. Et que vous avez toutes les raisons d'être en colère... et déçu.

Il émit un grondement de gorge qui la fit se tourner vers lui.

— Déçu n'est pas un mot assez fort, bien sûr, se reprit-elle vivement. Vous avez toutes les raisons d'être furieux contre moi. Je vous ai trompé, vous comme tous les autres. J'ai prétendu être une femme susceptible de devenir pour vous une excellente épouse, correspondant à vos attentes et à votre mode de vie.

Il détourna les yeux et regarda au loin un court instant, avant de se tourner de nouveau vers elle.

— Je voudrais simplement, si vous m'en laissez le temps, tenter de vous décrire les circonstances qui m'ont poussée à faire ce choix. Je voudrais que vous acceptiez de comprendre qu'en fait... je n'avais pas d'autre choix possible. Je n'avais jamais vécu seule, ni non plus dans une famille. On ne m'avait jamais rien enseigné qui aurait pu me permettre de gagner ma vie. Ou du moins pas de façon honorable…

Elle laissa sa phrase en suspens, se rendant compte à cet instant qu'il pensait sans doute à la même chose qu'elle, c'est-à-dire à la seule chose qu'on lui ait vraiment « enseignée ».

— Et un soir Céleste est venue dans ma chambre. Tout un côté de son visage était resté tuméfié depuis le week-end précédent.

Nathan réagit enfin.

— Que s'était-il passé le week-end précédent ?

— L'un des jeunes cow-boys qui préféraient sa compagnie buvait toujours beaucoup le samedi soir. Avant — et aussi pendant — les visites qu'il lui rendait. Mais, lorsqu'il se présentait devant Mme Fairchild, il faisait en sorte d'être encore suffisamment sobre pour être présentable. Alors elle l'autorisait à accompagner Céleste dans sa chambre. Hélas, le même scénario se renouvelait chaque semaine : il sortait de sa poche une ou deux flasques d'alcool qu'il y cachait toujours et, bien sûr, devenait de plus en plus violent au fur et à mesure que la soirée progressait. Parfois, lorsqu'il criait trop fort, Mme Fairchild finissait tout de même par le faire expulser. Mais elle l'autorisait toujours à revenir.

— Parce qu'il était un bon client.

— Oui. Très assidu. Céleste m'a dit qu'il s'était plusieurs fois vanté auprès d'elle de consacrer tout son salaire à ces visites hebdomadaires.

— Donc, le soir où Céleste est venue dans votre chambre…

— Elle avait découpé une annonce dans le journal. Celle qu'avait fait paraître le conseil municipal de Sweetwater, concernant votre recherche de jeunes femmes candidates au mariage, « sérieuses, travailleuses et affectueuses », cita-t-elle de mémoire.

— Avec du recul, en effet, je pense qu'on aurait dû se montrer plus spécifiques.

Blessée par le cynisme de sa remarque, Ella baissa les yeux un instant sur ses mains, le temps de reprendre contenance.

— Continuez, reprit-il sans s'excuser.

Elle leva la tête pour chercher du regard, dans le feuillage, les oiseaux qu'on entendait se répondre de branche en branche. L'un d'eux sortit de sa cachette et atterrit en voletant sur la berge, où il se mit à picorer la terre à la recherche de vers.

— Je venais d'être prévenue par mon… visiteur habituel qu'il allait repartir habiter sur la côte Est.

Elle marqua une pause, hésitant à mentionner que c'était son épouse qui l'avait souhaité. Puis se rendit compte qu'il valait mieux ne plus rien omettre de la vérité.

— Ses fils venaient de partir pour l'université, reprit-elle, et sa femme souhaitait retourner vivre dans la ville dont sa famille était originaire.

Elle tourna de nouveau les yeux vers Nathan. Il continuait à l'observer mais ne fit aucun commentaire.

— Il faut que vous compreniez qu'aucun argent n'était jamais échangé entre les pensionnaires de notre établissement et les messieurs qui le fréquentaient. Mme Fairchild insistait pour maintenir toutes les apparences d'une vie sociale raffinée et nous devions pour cela respecter des règles très strictes. Mais, ce soir-là, mon visiteur…

— A vous entendre on pourrait croire qu'il vous faisait la cour.

— C'est la façon dont Mme Fairchild souhaitait que l'on s'exprime. Ce soir-là, donc, il m'a donné un livret de banque dont le montant m'a littéralement coupé le souffle. C'était un homme très bon et très attentionné.

Elle vit la mâchoire de Nathan se crisper mais il ne dit toujours rien.

— Il m'a conseillé de quitter Dodge City pendant que je le pouvais encore. Et ses mises en garde n'ont fait que renforcer mes inquiétudes à la perspective de vieillir dans cet endroit.

Elle s'arrêta, la gorge nouée, parce que c'était la première fois de sa vie qu'elle exprimait à voix haute cette angoisse qui l'avait toujours tenaillée.

— C'est… C'est ce qui est arrivé à ma mère. Elle n'était pas encore vieille quand elle est morte. Elle n'avait sans doute plus la force de continuer à vivre dans de telles conditions.

— Que lui est-il arrivé ?

— Les femmes qui vieillissent et perdent leurs atouts se trouvent condamnées aux tâches les plus… déplaisantes.

— Mais comment vous êtes-vous retrouvée dans cet établissement au départ ?

— Je présume que j'y suis née, répondit-elle. Je n'ai gardé aucun souvenir d'aucun autre endroit.

Nathan garda le silence un instant. Elle était née dans une maison de tolérance ? Ses pensées revinrent aussitôt à ses enfants et à la façon dont eux avaient été choyés, protégés de toutes les choses désagréables de l'existence.

Il se rappela la réaction d'Ella lorsqu'elle les avait rencontrés et avait découvert la façon dont se déroulaient leurs journées. Et il se rendit alors compte à quel point cela avait dû lui paraître étrange et déroutant. Il repensa, par exemple, au jour où elle l'avait convaincu d'emmener ses enfants voir les acrobates. Et il se souvint qu'il s'était étonné de la voir exprimer une joie aussi exubérante, presque enfantine.

Il essaya d'imaginer son enfance, son éducation.

— Comment se déroulaient vos journées lorsque vous étiez enfant ? demanda-t-il enfin.

— J'ai toujours eu ma propre chambre. J'ai été éduquée par un précepteur qui venait me voir plusieurs fois par semaine. Il m'apportait toujours des livres. Beaucoup de livres. J'ai énormément lu pendant mon enfance.

— Et… Aviez-vous des amis de votre âge ?

— Non. Il n'y avait aucun autre enfant. J'étais autorisée à passer la journée du dimanche avec ma mère. Je devais avoir à peu près neuf ans quand elle est morte.

Nathan garda le silence un instant, atterré par ce qu'il venait de comprendre : dès son plus jeune âge Ella avait été condamnée. Condamnée par la cupidité, le cynisme et le manque de cœur d'une femme qui avait décidé d'élever cette petite fille — sans doute déjà ravissante à l'époque — pour en faire une courtisane. Son écœurement se mua tout à coup en peur à l'idée de ce qui avait pu se passer par la suite.

— Et… pour ce qui concerne les hommes ?

— Je n'ai reçu mon premier visiteur qu'à l'âge de dix-sept ans.

Nathan ne put se retenir d'éprouver un sentiment de soulagement : il y avait tout de même des degrés dans l'horreur et l'on aurait pu craindre le pire d'une femme aussi inhumaine.

— Bien sûr, auparavant j'avais été… formée, en quelque sorte, à pouvoir satisfaire les… demandes des visiteurs de Mme Fairchild.

Nathan serra les dents à s'en briser les mâchoires.

— J'ai appris qu'Ansel Murdoch m'avait attendue. Longtemps. C'était un homme dont la fortune l'autorisait à obtenir de Mme Fairchild qu'il soit… mon premier visiteur. C'était un homme bon et attentionné. J'ai eu beaucoup de chance.

Nathan sentit son estomac se contracter douloureusement.

— C'est ce même homme qui vous a donné votre livret bancaire, n'est-ce pas ?

— Oui. Et, même cela, il l'a fait avec beaucoup d'élégance.

Une fois encore, Nathan garda le silence un instant.

— En fait, vous étiez prisonnière, dit-il enfin.

— Indubitablement, oui.

Elle tourna la tête, l'attention attirée par le pépiement joyeux de petits oiseaux dans un buisson voisin.

— Vous voyez, reprit-elle avec un sourire un peu triste, quand je suis arrivée ici, je me suis tout à coup sentie aussi libre que ces oiseaux. C'était une sensation merveilleuse.

— J'imagine, oui, dit-il d'une voix sourde.

Il tourna de nouveau les yeux vers la rivière, trop bouleversé par la candeur poignante de cet aveu pour continuer à soutenir son regard.

Il comprenait enfin cette fraîcheur attendrissante avec laquelle elle s'enthousiasmait toujours pour la moindre petite chose. Il comprenait aussi et surtout que, si tout ce qu'elle venait de lui raconter était vrai, alors elle avait eu raison de s'enfuir. Mille fois raison.

Ce qui ne changeait toutefois rien au fait qu'elle l'avait berné pour le pousser à l'épouser.

Il se rappela ses paroles lorsqu'elle lui avait expliqué qu'elle avait prétendu être quelqu'un qu'elle n'était pas pour pouvoir s'intégrer à sa vie. Et ainsi pouvoir devenir pour lui une bonne épouse. Et une seconde mère pour ses enfants.

L'honnêteté obligeait Nathan à reconnaître qu'elle avait réussi au-delà de tous ses espoirs : elle s'était parfaitement intégrée à sa vie et elle était devenue pour lui une excellente épouse. Et, pour ses enfants, une seconde mère aimante, enthousiaste et attentionnée.

Il se rendit alors compte que c'était précisément cette réussite qui lui rendait l'imbroglio terrible dans lequel il se trouvait maintenant plus difficile à démêler.

Dans l'immédiat, en tout cas, il se sentait déchiré. Il avait beau reconnaître à Ella toutes les circonstances atténuantes possibles, il n'en souffrait pas moins de l'entendre parler de ce fameux Ansel. Et pourtant, c'était plus fort que lui, il voulait savoir. Même s'il était bien conscient qu'il s'apprêtait à remuer le fer dans la plaie.

— Vous m'avez dit hier soir qu'il n'y avait pas eu de centaines d'hommes.

— C'est exact.

— Vous m'avez aussi dit, si je me souviens bien, qu'il « ne vous aurait pas été nécessaire de tenir de comptes ».

— En effet.

Il prit une profonde inspiration avant de se résoudre à poser sa question.

— Et vous pensez avoir… une idée approximative du nombre d'hommes que vous avez connus ?

— Non, Nathan, je n'ai pas d'« idée approximative », comme vous le dites. J'ai un chiffre précis.

Il se tourna de nouveau vers elle et comprit, à l'intensité de son regard, qu'elle attendait précisément qu'il se tourne vers elle.

Elle était aussi ravissante qu'elle l'avait toujours été, et il se surprit à penser que sa chaste blouse blanche et son teint pâle lui donnaient l'apparence d'une jeune fille pure et innocente.

— Vous avez été le second, Nathan. Il n'y en a eu qu'un seul avant vous.

— Mais… comment est-ce possible ?

— Je vous ai dit tout à l'heure qu'Ansel était un homme extrêmement fortuné. Ce qui lui a permis non seulement… d'être le premier pour moi, mais aussi de s'assurer l'exclusivité de mes attentions. Je vous ai dit aussi, et je vous le répète, que j'avais eu beaucoup de chance d'avoir été choisie par Ansel. Pendant toutes ces années, j'aurais presque pu prétendre avoir une vie semblable à celle des personnages des livres que je lisais. A part, bien sûr, qu'il ne m'avait pas été donné de choisir mon... partenaire.

Qu'Ella puisse considérer avoir eu beaucoup de chance prouvait, s'il en était besoin, à quel point tout était relatif selon la vie que l'on avait menée et le genre d'expériences que l'on avait vécu. Et cela prouvait aussi combien sa situation aurait pu être pire. Comme avait dû l'être celle des autres pensionnaires de cet établissement.

Il n'en restait pas moins qu'elle l'avait dupé une première fois. Et qu'il n'avait aucune raison de croire qu'elle ne puisse pas le faire une fois encore, pour assurer son avenir.

— Comment pourrais-je encore vous croire... ?

Ella inclina la tête en guise de réponse. Comment aurait-elle pu lui en vouloir de se montrer sceptique ?

Elle serra ses deux mains l'une contre l'autre et baissa les yeux pour regarder l'eau qui courait à ses pieds.

Voilà, c'était fini. Il allait sans doute divorcer.

Elle ne pourrait jamais trouver de travail dans cette ville. Personne ne l'engagerait. Et, même si, par extraordinaire, quelqu'un osait le faire, elle serait incapable d'affronter la réprobation et le mépris de tous les habitants.

— Je regrette très sincèrement de vous avoir fait souffrir, dit-elle enfin. Et d'avoir fait souffrir les enfants.

— Ils ne savent rien.

— Ils sauront. Christopher va à l'école. Les parents parleront et il finira bien par entendre quelque chose.

A la pensée de ce que les enfants allaient souffrir par sa faute, elle se ferma brusquement, comme elle avait appris à le faire, pour s'interdire de ressentir quoi que ce soit. C'était ce qui lui avait permis de survivre dans le passé. Et elle allait sans doute devoir, hélas, recourir de nouveau à cette méthode pour pouvoir affronter l'avenir qui l'attendait.

Il ne fallait pas qu'elle s'attriste à la perspective de

devoir quitter les enfants. Il fallait qu'elle cesse de penser à ce qu'elle allait laisser derrière elle. Cette famille. Cette maison. Cette vie si agréable à laquelle elle avait goûté.

Il fallait désormais qu'elle se préoccupe de son avenir. Elle allait passer à la banque pour évaluer sa situation financière, faire ses bagages et se louer une chambre d'hôtel. Et, dès qu'elle serait installée, elle achèterait le journal pour voir si elle trouvait un emploi quelconque dans une ville voisine. Ou même une ville lointaine, d'ailleurs. A ce stade, cela lui importait peu de savoir où elle allait devoir se rendre.

Elle se rendit compte que Nathan avait parlé, mais sans qu'elle ait entendu un seul mot de ce qu'il avait dit. Elle se leva et remonta la pente herbeuse jusqu'à la maison.

Plus vite elle se couperait de lui et de cet endroit, mieux ce serait pour tout le monde.

Chapitre 23

Il faisait grand soleil le lendemain matin. Nathan avait revêtu un pantalon de toile et une chemise en coton dont il avait roulé les manches et ouvert le col. Puis il avait sellé son cheval, l'avait enfourché et avait pris le chemin de la ferme Adams.

Après leur conversation de la veille, Ella était remontée dans sa chambre et n'en était pas ressortie de toute la journée. Pas même lorsque les enfants étaient revenus de la messe. Alors ce matin, avant de quitter la maison, il avait demandé à Mme Shippen de lui monter un plateau pour son petit déjeuner.

En arrivant devant chez les Adams, il descendit de cheval et attacha les rênes de l'animal à la barrière de bois.

Il s'avançait vers la maison lorsque la porte s'ouvrit et que Céleste apparut. Il vit tout de suite qu'elle s'était coupé les cheveux très court. Les quelques centimètres restants étaient d'un roux flamboyant qu'il s'étonna tout d'abord de trouver séduisant. Avant de se rendre compte que cette séduction tenait surtout à l'assurance et à la sérénité que Céleste semblait avoir développées au cours des dernières semaines.

— Monsieur Lantry, lança-t-elle en s'essuyant les mains sur son tablier. Comment se fait-il que vous soyez venu seul jusqu'ici ?

— J'aurais aimé parler à Paul.

— Il est en train de réparer la clôture ouest de la

propriété, expliqua-t-elle avec un signe du menton dans cette direction. Je ne pense pas le revoir avant le déjeuner, mais vous pouvez aller le rejoindre.

— C'est ce que je vais faire, merci.

Il tendait les mains vers les rênes pour détacher son cheval lorsqu'elle l'interpella.

— Comment va Ella ?

— Elle n'est pas sortie de sa chambre depuis hier matin.

— Pourrais-je lui rendre visite ?

— Oui, bien sûr.

Il effleura le bord de son chapeau en matière de salut et remonta en selle. Il suivit la ligne de clôture et ne tarda pas à retrouver Paul.

Celui-ci était penché sur un poteau autour duquel il enroulait du fil de fer. Lorsqu'il entendit Nathan approcher, il se redressa et releva le bord de son chapeau. Puis il sortit un grand mouchoir rouge de la poche de sa salopette et s'en essuya le visage.

— Salut, Nathan ! Quel bon vent ?

Nathan mit pied à terre et le rejoignit en tenant son cheval par les rênes.

— J'aurais aimé te parler.

Paul fronça les sourcils avant de désigner un bosquet de saules.

— On serait mieux à l'ombre.

Nathan conduisit son cheval jusqu'au bosquet et l'attacha à une branche basse pour qu'il puisse brouter l'herbe. Une sacoche de selle posée au pied d'un arbre indiquait que Paul utilisait cet endroit pour ses pauses.

Ils s'assirent tous les deux dans l'herbe. Paul retira son chapeau et croisa les bras sur ses genoux repliés, attendant visiblement que Nathan commence.

Celui-ci s'éclaircit la gorge.

— Ella m'a dit que tu étais déjà au courant à propos de Dodge City avant que Lena ne fasse son esclandre.

Paul hocha la tête.

— En effet, Céleste m'a tout raconté.

— Et pour quelle raison penses-tu qu'elle se soit décidée à tout te raconter ?

Le rancher réfléchit à la question avant de répondre.

— Sans doute parce qu'un mensonge est un lourd fardeau et qu'elle en avait assez de le porter.

— Comment as-tu… Comment as-tu pu accepter la vérité ? Est-ce que ça a changé quelque chose pour toi ? Est-ce que ça… t'a fait souffrir ?

Paul détourna les yeux pour fixer l'horizon un moment.

— Tu sais, Nathan, dit-il enfin en se retournant vers son ami, je pense qu'avant cette discussion avec Céleste je ne m'étais jamais rendu compte à quel point on avait de la chance, toi ou moi, d'être confortablement installés dans notre petite vie bien tranquille. On a beau le savoir, on oublie vite à quel point les choses peuvent être différentes ailleurs. Les conditions plus rudes. En tout cas, avant que Céleste ne me raconte son histoire, je n'aurais jamais imaginé que la vie puisse être si dure pour des femmes seules, sans père ni mari.

« Figure-toi que son père l'a pratiquement vendue à un type, alors qu'elle n'avait pas seize ans, sous prétexte que le type en question avait dit qu'il allait l'épouser. Au lieu de quoi, il l'a embarquée, avec deux autres filles, dans l'un des campements installés sur le trajet de construction du chemin de fer. Là, elles ont vécu dans des tentes où elles passaient leurs journées à cuisiner, faire la lessive et à se prostituer pour les ouvriers du chantier.

« Quand Céleste a réussi à s'extirper des griffes de cet homme — un contremaître du chantier l'avait prise en pitié, lui avait parlé de la maison de Dodge City, et l'avait aidée à s'enfuir pour s'y rendre — elle a eu l'impression de se retrouver dans un véritable paradis pour prostituées.

Cette fois-ci, Paul regarda Nathan droit dans les yeux.

— Alors, tu vois, je me fiche de savoir ce qu'elle a fait avant. Parce que ce n'est pas elle qui avait choisi cette vie. Elle n'a pas eu d'autre choix que de survivre comme elle le pouvait. Elle a survécu, et elle est arrivée jusqu'ici. C'est une brave fille, avec un cœur gros comme ça, et pour moi c'est la seule chose qui compte.

Nathan laissa un instant le temps à son esprit d'assimiler pleinement ce que Paul venait de dire. De toute évidence, son ami était amoureux de Céleste. Et, parce qu'il l'aimait, il avait délibérément choisi de fermer les yeux sur son passé.

Nathan était bien obligé de reconnaître que lui aussi était tombé amoureux d'Ella. Et c'était précisément parce qu'il lui avait fait confiance qu'il souffrait à ce point d'avoir été trahi.

— Et le fait qu'elle t'ait menti ? demanda-t-il à Paul. Ça ne te dérange pas qu'elle t'ait berné pour se faire épouser ?

— Au début si, bien sûr. Mais après j'ai réfléchi. Réfléchi à ce que j'aurais fait *moi* si je m'étais trouvé dans une situation aussi épouvantable. A ce que j'aurais été capable de faire pour échapper à une vie aussi sordide. Et je me suis alors rendu compte que c'était exactement ce que signifiait ce concept même de « frontière » dont on nous rebat les oreilles depuis notre enfance : le droit à une seconde chance. A un nouveau départ dans la vie.

« Si on prend mon père, par exemple. Eh bien, imagine-toi qu'il a vécu une jeunesse très « aventureuse », comme on dit. C'est la façon polie de dire qu'il cumulait les mauvais coups. Il m'a même raconté qu'un jour, quand il était jeune, lui et d'autres garçons de son âge avaient attaqué un convoi de marchandises pour le voler. Et pourtant ça ne l'a pas empêché, plus tard, de décider de se poser pour se marier et fonder une famille. Et alors là, crois-moi, il a appris à ses fils à marcher droit et à respecter la loi. Tu vois, Nathan, les gens changent.

Nathan hocha la tête d'un air songeur.

— Je ne savais pas pour ton père.

— Qu'est-ce que tu crois? Tous les gens ont un passé, à Sweetwater comme ailleurs. Certains ont eu de la chance de ce côté-là, d'autres moins. En tout cas, s'il y a une chose dont je suis bien certain, c'est que ce qui compte — quand on rencontre une personne adulte — c'est de voir ce qu'elle est devenue. Pas ce qu'elle était avant.

Nathan retira son chapeau et se mit à en triturer le bord, sans regarder Paul.

— Comment arrives-tu à supporter l'idée de l'imaginer avec ces autres hommes?

Paul alla prendre une gourde dans sa sacoche de selle. Il en dévissa le bouchon et la proposa à Nathan.

— Un peu d'eau?

Après le refus poli de Nathan, il but longuement, puis revissa le bouchon et remit la gourde dans la sacoche.

— Si Céleste est avec moi maintenant, c'est parce qu'elle l'a décidé. Parce qu'elle l'a choisi. Parce qu'elle m'a choisi, *moi*.

Nathan se passa une main dans les cheveux.

— Tout le reste, c'est du passé, Nathan. Si tu aimes vraiment Ella, et si tu veux encore d'elle comme épouse… alors c'est à toi de jouer. Ne laisse pas une fierté ridicule te priver de tes chances de bonheur.

Une fierté ridicule?

Tout d'abord piqué au vif, Nathan se reprit bien vite: Paul avait subi le même choc que lui et pourtant il s'en était remis, non? Et plutôt bien, même: il semblait à présent très satisfait de son sort.

Bien sûr, à la différence d'Ella, Céleste avait elle-même pris l'initiative de raconter la vérité à son mari.

Nathan se surprit à se demander quelle différence cela aurait vraiment fait si Ella était venue lui parler avant que Lena ne déclenche ce scandale.

Ils continuèrent à discuter encore un peu, et la conversation ne tarda pas à bifurquer sur les conditions climatiques et les récoltes qui s'annonçaient. Nathan finit par se lever, serrer la main de Paul et repartir.

Il passa le reste de la journée et celle du lendemain avec l'esprit en tumulte. Lorsqu'il se rendit à son bureau, il vit bien qu'il attirait un peu plus l'attention que d'habitude, mais ne croisa aucun regard moqueur ni malveillant. L'employé qui l'assistait dans son travail lui posa des questions relatives aux affaires courantes, mais ne fit pas la moindre allusion à l'incident du 4 Juillet.

De toute évidence, tout le monde savait qu'il avait été berné mais personne ne jugeait utile d'en parler. Du moins jusqu'à présent.

Ella était descendue dîner, mais elle était restée silencieuse, comme si elle s'était attendue à ce que quelque chose se produise. Peut-être s'attendait-elle à ce qu'il aborde le sujet ou bien à ce qu'il lui demande de faire ses bagages et de quitter la maison.

Dieu merci, les enfants n'avaient apparemment été exposés à aucun désagrément particulier. Nathan se comporta donc comme si rien ne s'était passé.

— Vous nous ferez la lecture, ce soir ? demanda Christopher tandis qu'ils finissaient le repas.

Nathan leva les yeux et vit que c'était à lui que son fils s'était adressé.

— Bien sûr, répondit-il avec un hochement de tête.

Ils se rendirent dans le bureau et les trois enfants s'installèrent autour de leur père sur le canapé. Grace tendit alors les bras vers Ella, lui montrant qu'elle voulait qu'elle vienne s'asseoir elle aussi et la prenne sur ses genoux. La jeune femme consulta Nathan du regard — qui lui signifia son accord d'un imperceptible signe de tête — avant de prendre la petite fille dans ses bras et de venir s'asseoir sur le canapé à son tour, veillant toutefois à ce que son bras ne touche pas celui de Nathan.

Il commença la lecture à voix haute et les enfants s'apaisèrent bientôt. A un moment il jeta un coup d'œil sur le côté et vit sa fille pelotonnée dans les bras d'Ella. Il s'aperçut alors que même Robby, pourtant assis sur ses genoux à lui, avait glissé une petite main dans l'une des mains de la jeune femme.

Il sentit son cœur se contracter douloureusement, tant il était bouleversé de voir à quel point ses enfants s'étaient attachés à Ella.

Il ressentit la même sensation peu après, alors qu'ils étaient en train de border les enfants dans leur lit. Ella venait de remonter les couvertures autour du cou de Grace lorsque celle-ci s'adressa à la poupée qu'elle venait d'allonger près d'elle sur l'oreiller.

— Qu'est-ce qu'il y a, Dolly ? Tu veux que maman te fasse un baiser à toi aussi ? D'accord.

Et, le plus naturellement du monde, elle tendit la poupée de chiffon vers Ella

Nathan n'aurait pu dire lequel des deux fut le plus surpris, de lui ou d'Ella. La jeune femme n'en laissa en tout cas rien paraître et se pencha très calmement pour embrasser la poupée sur le front.

— Bonne nuit, Dolly, dit-elle d'une voix douce. Tu es une petite poupée très spéciale et je t'aime très fort.

Tout à coup, Nathan eut comme une révélation : il

comprit le parallèle qu'Ella avait dû faire entre elle-même et les enfants. Elle n'avait jamais connu ni l'amour ni la sécurité qu'ils tenaient pour acquis — et comment aurait-il pu en être autrement ? — et pourtant elle n'en éprouvait ni jalousie ni ressentiment. Elle se montrait au contraire tendre et protectrice envers eux.

Au moment où il embrassait sa fille pour lui souhaiter bonne nuit, il se surprit à se demander ce qui se serait passé si sa précieuse petite fille avait connu, au lieu du cocon douillet dans lequel elle avait grandi, l'environnement sordide dans lequel Ella avait été élevée. Serait-elle pour autant devenue mauvaise ou immorale ? Et l'aurait-il jugée et condamnée sans appel ? Sans même lui accorder la moindre circonstance atténuante ?

A cet instant précis il prit enfin conscience du fait qu'Ella ne portait aucune part de responsabilité dans le sort qu'elle avait subi depuis sa naissance. Elle était innocente.

Elle n'avait rien fait pour mériter de naître dans une maison close et se trouver ainsi condamnée à vivre enfermée dans cet établissement. Elevée et formée par une tenancière sans scrupules, jusqu'au jour où cette femme avait pu vendre sa virginité à un homme fortuné. Un homme à qui sa fortune avait ensuite permis de s'assurer l'usage exclusif du corps de la jeune fille. A intervalles réguliers, comme il l'aurait fait d'un buggy raffiné réservé à ses sorties du week-end.

Nathan éteignit la dernière lampe avant de quitter la pièce derrière Ella. Il refermait doucement la porte lorsqu'il s'aperçut, à la lumière de l'applique murale qui éclairait le couloir, que les yeux de la jeune femme étaient brillants de larmes.

— Vous pleurez ? s'étonna-t-il.

— Vous avez entendu Grace ? répondit-elle dans un murmure. Elle m'a appelée maman.

Elle sortit du poignet de sa manche un mouchoir en dentelle dont elle se tamponna les yeux.

— Je ne voulais pas leur faire de mal, Nathan. Il faut me croire.

— Je vous crois, lui répondit-il, attendri malgré lui par sa détresse évidente. Je ne crois pas que vous ayez voulu faire de mal à qui que ce soit.

Elle lui posa sur le torse sa main qui serrait encore son mouchoir et fit un petit pas en avant. Il fit un pas en avant lui aussi et elle se retrouva dans ses bras. Aussi douce et chaude que dans son souvenir, avec son parfum envoûtant de cannelle et de musc. Il sentit son corps réagir comme il le faisait toujours à sa présence et eut soudain l'impression que tout autour d'eux s'estompait comme dans un brouillard.

Il inclina la tête et prit possession de ses lèvres, en un baiser passionné auquel elle répondit avec fougue, écrasant ses seins sur son torse dans un gémissement sourd.

Il la souleva de terre et elle lui enroula les bras autour du cou pour s'agripper à lui. En quelques enjambées, il atteignit la porte de sa chambre, l'ouvrit d'un coup de pied, et traversa la pièce jusqu'au lit sur lequel il posa la jeune femme.

Il se débarrassa à la hâte de sa veste et de sa chemise, avant de s'attaquer fébrilement aux vêtements d'Ella. En quelques secondes à peine, ils se retrouvèrent enlacés, débarrassés de leurs vêtements et éperdus de désir.

Il lui fit l'amour avec une passion désespérée, presque douloureuse dans son intensité. Et lorsque Ella se cabra soudain sous lui, le corps traversé par un spasme d'une violence inouïe, il écrasa ses lèvres pour étouffer son cri, avant de s'écrouler enfin sur elle avec un grondement rauque.

Puis il roula sur le côté et lui emprisonna le visage entre ses deux mains jointes pour la regarder dans les yeux. Il l'embrassa et la serra fort contre lui tandis que leurs respirations haletantes s'apaisaient peu à peu.

Il aimait cette femme de tout son être. C'était désormais pour lui une certitude absolue, fondamentale, qui avait bouleversé à jamais ses échelles de valeur et ses priorités. Il ignorait encore comment, mais il savait qu'il allait suivre le conseil de Paul : il allait prendre lui-même l'initiative de leur réconciliation. Parce qu'il avait enfin compris que son orgueil et son inflexibilité causeraient sa perte s'il n'apprenait pas à aimer sans conditions.

Il allait apprendre le pardon. Il allait apprendre la générosité. Il allait apprendre à aimer en Ella la personne qu'elle était vraiment. Et non plus seulement, comme au début, l'accessoire indispensable à sa carrière politique qu'avait représenté pour lui cette jeune femme si belle et si raffinée.

— Ella ? dit-il d'une voix douce.

Elle ne répondit pas.

— J'ai toujours été habitué à être seul responsable, poursuivit-il. La seule chose que je sache faire parfaitement, c'est de respecter un ordre strict et d'adhérer à un code d'éthique. Je sais que je suis trop exigeant. Trop inflexible.

Il posa sur son front un baiser léger.

— C'est fatigant de vouloir toujours tout contrôler, bien sûr. Mais je suis bien obligé de reconnaître que je n'aime pas avoir l'impression que les circonstances échappent à mon contrôle. Et que je ne sais pas toujours comment réagir dans ce cas.

Il se rendit compte qu'elle s'était endormie et pourtant il continua à parler, pour exprimer à voix haute ce qu'il ressentait.

— Je sens qu'avec vous je perds le contrôle. Et je vous avoue que ça m'effraie un peu. Mais en même temps... cela me plaît aussi.

Il lui écarta du front une mèche soyeuse.

— Si vous saviez combien je suis triste pour l'enfant que vous n'avez jamais pu être…, murmura-t-il dans un soupir.

Quelques minutes plus tard il sombra dans le sommeil à son tour.

Nathan s'éveilla et ouvrit les yeux.

La maison était silencieuse. Le lit près de lui était vide.

Il se leva pour prendre sa montre de gousset dans sa veste. Il ne se rappelait pas s'être jamais réveillé aussi tard. Comment se faisait-il qu'Ella l'ait laissé dormir si longtemps ?

Il fit sa toilette et s'habilla en hâte avant de sortir dans le couloir. Il se dirigeait vers l'escalier lorsqu'il vit que la porte de l'ancienne chambre d'Ella était entrebâillée. Il jeta machinalement un coup d'œil en passant et s'arrêta net.

Il revint en arrière, poussa le battant de la porte et resta un instant figé. Incrédule.

La pièce semblait entièrement vide.

Il entra pour aller ouvrir les tiroirs de la coiffeuse, de la commode. Et enfin l'armoire.

Rien.

Ella était partie.

Chapitre 24

Il vérifia encore. Conscient de l'inutilité de la chose, mais voulant au moins se raccrocher à un infime espoir. Peut-être avait-elle décidé de transporter ses affaires dans la pièce attenante à sa chambre à lui, dans laquelle il entreposait ses vêtements ?

Non, bien sûr que non.

Elle avait fait ses valises.

Il descendit les marches quatre à quatre et fit au pas de course le tour du rez-de-chaussée. Grace et Robby faisaient des coloriages sur la table de la cuisine, tandis que Charlotte épluchait les pommes de terre.

— Où sont les autres ? lui demanda Nathan.

— Mme Shippen est allée conduire Christopher à l'école. Elle m'a prévenu qu'elle passerait au marché avant de rentrer.

— Et ma femme ?

— Mme Lantry est partie tôt ce matin.

— Comment a-t-elle pu réunir toutes ses affaires sans même que je ne m'en rende compte ?

— Quelqu'un est venu chercher ses bagages hier.

— Qui ?

— Je ne sais pas, monsieur, répondit la cuisinière d'un air embarrassé. Sans doute Pete Driscoll.

Ella était partie !

Pouvait-elle avoir pris un train ce matin même ?

Il embrassa brièvement ses enfants et sortit de la maison en courant. Il s'arrêta en arrivant à l'écurie de louage où Pete Driscoll, assis sur un tabouret, était en train de nettoyer un harnais.

— Bonjour, monsieur Lantry, vous avez besoin que je vous conduise quelque part ?

— Pas dans l'immédiat, non. Est-ce vous qui êtes venu chercher les bagages de ma femme hier ?

— Oui, monsieur. Elle était passée la veille prévenir qu'elle aurait beaucoup de malles, alors je me suis fait aider par le fils Parker, vu qu'il me fallait quelqu'un de costaud.

— Où avez-vous emporté ses affaires ? A la gare ?

— Non, monsieur. A l'hôtel. Au troisième étage, c'était bien ma veine !

— A l'hôtel ?

Nathan tourna les talons et repartit en courant jusqu'au grand bâtiment de brique qui se trouvait en bas de la rue.

Le concierge de l'hôtel le reconnut aussitôt.

— Bonjour, monsieur Lantry, en quoi puis-je vous aider ?

— Dans quelle chambre se trouve ma femme ?

Il consulta son registre avant de répondre.

— La chambre 32.

Nathan se dirigeait vers l'escalier lorsque l'homme l'arrêta.

— Mais elle ne se trouve pas dans sa chambre en ce moment.

Etait-il arrivé trop tard ?

Il revint vers le comptoir avec un air impatient.

— Elle se trouve en ce moment dans la salle à manger, expliqua l'homme d'un ton posé, tout en désignant un couloir qui partait du grand hall.

— Par là, monsieur Lantry.

— Merci.

Nathan traversa le hall d'un pas vif et s'arrêta un bref instant dans l'embrasure de la porte, juste le temps de balayer du regard la vaste salle à manger.

Plusieurs personnes étaient attablées, en couple ou en

famille. Mais c'était à une table seule, près d'une fenêtre, qu'Ella était assise. A l'instant même où il l'aperçut, il sentit son cœur bondir dans sa poitrine.

Elle dut l'entendre approcher car elle leva la tête. Ses yeux s'agrandirent de surprise et elle reposa un peu vivement sa tasse qui heurta la soucoupe avec un tintement bref.

— Nathan !

Il resta un court instant debout avant de se glisser sur une chaise en face d'elle.

— Que faites-vous ici ? lui demanda-t-il.

Son visage s'empourpra et elle baissa les yeux, affectant d'être fascinée par la tasse posée devant elle.

— J'ai envoyé une lettre d'excuses au comité responsable des élections territoriales, annonça-t-elle d'une voix sourde, sans lever les yeux pour rencontrer son regard. Je leur ai d'abord demandé de m'excuser pour vous avoir tous induits en erreur. Et ensuite je les ai suppliés de vous dégager de toute responsabilité dans cette affaire. Je leur ai demandé de considérer le fait que ni vous ni les autres membres du conseil municipal ne saviez d'où je venais — et d'où venaient les jeunes femmes ayant voyagé avec moi. Qu'ils ne devaient par conséquent en aucun cas vous tenir pour responsable, ni non plus vous juger défavorablement lorsqu'ils envisageraient de vous accorder leur soutien pour cette élection.

Elle leva enfin vers lui des yeux pleins de regrets.

— Je souhaite plus que tout autre chose qu'ils me fassent porter le blâme à moi et non à vous. Je ne pourrais supporter d'être la raison pour laquelle vous perdriez vos chances d'être élu au...

— Cessez donc de me parler politique et répondez-moi

plutôt : vous n'accordez aucune importance à ce qui s'est passé entre nous hier soir ?

— Mais si, bien sûr, au contraire ! Rien pour moi n'a plus d'importance que vous et vos enfants. Et c'est précisément pour cette raison que je ne veux pas risquer de leur causer du tort. Tout comme je refuse de mettre votre carrière en péril.

— Si vous ne voulez pas nous causer du tort, alors restez. Je vous demande d'accepter mes excuses et je vous supplie de rester.

— Mais pourquoi diable voudriez-vous me présenter vos excuses ? Vous n'avez rien à vous faire pardonner, c'est moi qui vous ai trompé.

— Non, Ella, je porte aussi ma part de responsabilité. J'ai laissé mon orgueil prendre le pas sur l'amour et le pardon. J'ai été mortifié que mes concitoyens apprennent que j'avais été dupé, mais je me rends compte maintenant que c'était une réaction superficielle. Peu importe ce que les gens pensent de moi. Ou de vous, d'ailleurs. Ce qui compte, c'est ce que vous pensez de moi. C'est pourquoi je vous demande instamment de pardonner mon égoïsme et mon orgueil ridicule.

— Voyons, Nathan, vous n'avez jamais été ni égoïste ni orgueilleux. Vous êtes au contraire un homme bon et généreux.

— C'est exactement ce que vous avez dit à propos de votre… visiteur. Et cela m'a rendu fou de jalousie.

— Il était effectivement bon et généreux. Mais je ne l'ai jamais aimé.

Son menton se mit à trembler et c'est d'une voix altérée qu'elle poursuivit.

— Vous, je vous aime, Nathan.

— Moi aussi, Ella, je vous aime. De tout mon cœur et de toute mon âme. Je vous en conjure, dites-moi que vous allez rester. Dites-moi que vous serez ma femme aussi longtemps que nous vivrons.

— Mais votre statut, votre carrière…

— Je vais retirer ma candidature. Rendez-vous compte à quel point devenir gouverneur serait une victoire vaine si cela impliquait de l'être sans vous !

— Vous envisagez sérieusement d'abandonner votre carrière politique ?

— Mais oui. Je suis juriste, ne l'oubliez pas. Cela ne changera pas. Je possède par ailleurs une scierie et une fabrique de meubles. Vous voyez donc que je pourrais en un clin d'œil concentrer mes intérêts sur autre chose.

— Vous possédez une fabrique de meubles ?

— Oui. Et un magasin dans lequel sont vendus les meubles que nous fabriquons.

— Vous possédez un magasin de meubles ?

— Oui.

— Est-ce… celui dans lequel j'ai fait mes achats ?

Lorsqu'il remua la tête en signe de négation, elle porta la main à ses lèvres.

— J'en suis confuse, croyez-le bien.

— Ne le soyez surtout pas : le fait que vous ayez acheté ailleurs les meubles et objets de décoration que vous destiniez à votre maison prouve que nous allons devoir évoluer. Vous avez fait vos achats dans ce magasin parce qu'il y avait davantage de choix ?

— Et une meilleure qualité.

— Je vois, reprit-il avec une petite grimace d'autodérision. Dans ce cas… peut-être accepterez-vous de nous aider à apporter les améliorations nécessaires pour nous permettre de faire face à la concurrence ?

Entendre parler du futur redonna soudain espoir à Ella, tout en la submergeant d'un terrible sentiment de regret : elle ne voulait pas que Nathan abandonne ses rêves pour elle.

Elle comprenait la vraie nature des gens et elle savait bien qu'elle aurait beau faire tout ce qui était en son pouvoir pour s'améliorer, cela ne suffirait jamais à obtenir que tout le monde lui pardonne. Et qu'en tout cas personne ne pourrait jamais oublier vraiment.

Nathan lui prit les mains, serrant fort entre ses paumes les doigts glacés et tremblants de la jeune femme.

— Vous n'avez jamais eu de famille. Jamais non plus quelqu'un qui vous aime, qui puisse vous protéger des rudesses de la vie, dit-il d'une voix rauque d'émotion. Et vous n'avez surtout jamais eu la possibilité de choisir. De décider vous-même de quel serait votre avenir.

« Aujourd'hui, Ella, vous pouvez choisir. Il faut me croire si je vous dis que je ne chercherai jamais à vous manipuler, ni à vous maintenir de force dans une situation qui ne vous convienne pas. Si vous choisissez de rester à Sweetwater et d'être ma femme, je veux que ce soit parce que vous m'aimez. Parce que vous désirez vraiment vivre ici avec moi.

Ella cligna des yeux pour tenter de dissiper les larmes qui lui brouillaient la vue.

— Je ne mérite pas votre amour, murmura-t-elle.

Nathan détourna la tête pour balayer la salle du regard, comme s'il avait voulu vérifier ce que faisaient les autres personnes présentes. Lorsque Ella fit de même, elle vit que les tables les plus proches étaient vides et qu'aucune des personnes assises aux autres tables ne leur portait la moindre attention.

— C'est là que vous avez tort, dit-il en se tournant vers elle de nouveau. Vous méritez d'être aimée. Vous considérez que Grace mérite tout l'amour et l'attention qu'elle reçoit, n'est-ce pas ? Eh bien, moi je considère que vous méritez d'être aimée tout autant qu'elle. Vous méritez une nouvelle chance. Vous méritez une famille.

— Mais tout le monde sait…

— Ella, l'interrompit-il d'une voix ferme, peu importe ce que peuvent savoir ou penser les gens. Je vous l'ai dit et je vous le répète : j'abandonnerai toute velléité de carrière politique s'il le faut. Mais je pense que cela ne sera même pas nécessaire. De toute façon, il faut que vous compreniez que je préférerais quitter cette ville si c'était la condition nécessaire pour que nous puissions vivre ensemble. Vous ne pouvez pas changer votre passé, Ella, aucun de nous ne le peut. Mais nous pouvons construire un futur… ensemble.

Ella renonça à tenter de contenir ses larmes pour leur laisser enfin libre cours. Les paroles que Nathan venait de prononcer lui redonnaient tout à coup le goût de vivre. Parce qu'elles lui permettaient de croire de nouveau en l'avenir.

Un avenir commun avec Nathan.

— Alors ? demanda-t-il, les yeux brillants d'espoir. Voulez-vous rester et être ma femme ?

Il n'y avait rien au monde qu'elle désirait davantage.

— Oui, répondit-elle d'une voix rauque, je le veux.

Quelques jours plus tard, à l'hôtel de ville, alors que venait de se tenir l'assemblée des membres du conseil territorial, Nathan fut prié de sortir un instant dans le couloir pendant que les autres membres délibéraient.

Il se plia de bonne grâce à cette requête, sachant que de toute façon la décision lui conviendrait quelle qu'elle soit. Comme il l'avait déjà expliqué à Ella, il avait amplement de quoi s'occuper si, par hasard, il devait mettre un terme à ses ambitions politiques.

La lourde porte de chêne s'ouvrit finalement et Carl Lawrence parut sur le seuil.

— Tu peux nous rejoindre, maintenant ? lui demanda-t-il en s'effaçant pour le laisser entrer.

Nathan aurait été incapable de deviner le verdict sur les visages des membres présents.

Ce fut le maire Simson qui se leva pour prendre la parole.

— Nathan, déclara-t-il, les membres du conseil et moi-même sommes convenus, après délibération, de notre grande part de responsabilité dans ce regrettable malentendu qui nous a tous affectés.

Nathan garda un visage impassible pour ne rien laisser paraître de son étonnement.

— Puisque enfin, poursuivit le maire, c'est ce conseil lui-même qui avait émis le projet de faire passer une annonce pour faire venir jusqu'à nous des jeunes femmes à marier. Particulièrement dans l'espoir qu'une épouse puisse améliorer votre image de candidat pour la campagne qui s'annonçait. Nous n'avons agi qu'avec les meilleures intentions du monde.

Le maire consulta du regard ses collègues qui confirmèrent d'un hochement de tête.

— Plusieurs de nos amis et concitoyens — vous en faites partie — se sont mariés à la suite de ce projet.

Cette fois-ci Nathan ne put s'empêcher de tourner son regard vers Henri Thomas, qui avait épousé Rita. Henri soutint son regard sans flancher.

— Nous avons donc examiné la situation en connaissance de cause. Et vous pouvez me croire si je vous dis que nous sommes rapidement parvenus à une décision qui nous a paru à tous évidente. Nous avons considéré, proféra le maire d'un ton grave, que ces femmes étaient venues jusqu'ici pour prendre un nouveau départ. Et que c'était le principe même de la notion de « frontière » telle que nous l'entendons depuis la constitution des Etats-Unis d'Amérique.

Nathan repensa à la conversation qu'il avait eue avec

Paul. Lorsque celui-ci lui avait parlé de son père, avant de conclure en remarquant que tout le monde avait un passé.

— En accord avec les membres de ce conseil, avec les représentants des différentes associations locales, et même avec le révérend Kane, nous sommes convenus que le passé de ces femmes ne serait plus jamais évoqué. Et qu'aucune mention n'en serait jamais faite en dehors des limites de notre ville.

« En conséquence de quoi, nous avons décidé, à l'unanimité, de soutenir votre candidature pour le poste de gouverneur du territoire du Wyoming.

Nathan se leva à son tour. Il commença par regarder l'un après l'autre chacun des membres assis autour de lui, ému et heureux de voir sur leur visage la compréhension et l'amitié qu'ils éprouvaient pour lui.

— Merci, leur dit-il. Pour tout vous avouer, j'étais prêt à diriger mon attention et mon énergie vers d'autres points d'intérêt. Mais, à partir du moment où vous m'accordez votre confiance, je déclare solennellement que je serai fier de vous représenter.

Une brève réunion suivit, consacrée à des détails matériels de l'organisation de l'élection. Nathan y participa, bien sûr, mais tout en bouillant d'impatience à l'idée de rentrer chez lui annoncer la nouvelle à Ella.

Elle l'attendait sous la véranda, vêtue d'une robe de couleur pervenche. Elle se leva pour venir à sa rencontre, les yeux brillants.

— J'ai reçu leur investiture, annonça-t-il avec un large sourire.

Il lui expliqua ensuite les décisions que le conseil avait prises de ne plus jamais mentionner quoi que ce soit concernant le passé d'Ella ni des autres femmes qui étaient venues avec elle. Et leur conviction absolue qu'elles seraient désormais toutes acceptées au même titre que n'importe quel autre membre de leur communauté.

— Les enfants pourraient néanmoins en entendre parler un jour, objecta Ella.

— Eh bien, si c'est le cas, ce sera alors pour eux l'occasion de comprendre les notions d'acceptation, de pardon et d'amour.

Elle le prit par la main et l'entraîna jusqu'à un petit canapé en rotin qu'il voyait pour la première fois à cet endroit.

— D'où vient ce meuble ? demanda-t-il en affectant un froncement de sourcils sévère, mais sans pouvoir tout à fait dissimuler son envie de rire.

Elle le poussa à s'asseoir et vint se blottir contre lui.

— De votre magasin. Il propose désormais toute une sélection de mobilier de véranda.

La porte de la maison s'ouvrit à cet instant et Grace apparut, tenant Robby par la main.

— Ne pleure pas, Robby, dit-elle en l'entraînant jusqu'à Ella. Maman va te faire un baiser sur le doigt et tu verras que tu n'auras plus mal du tout.

Le petit garçon tendit son index à Ella, les yeux brillants de larmes.

Ella jeta à Nathan un regard surpris. C'était la première fois que Grace parlait à son petit frère.

Elle tendit les bras pour prendre le petit garçon sur ses genoux, lui embrassa le bout du doigt et le serra contre elle.

Nathan fit de même avec sa fille.

— Alors, mademoiselle Grace, vous parlez à votre poupée et vous parlez à Robby. Est-ce que cela signifie que maintenant vous allez nous parler à nous aussi ?

Grace lui jeta un petit coup d'œil timide avant de hocher la tête.

— Et qu'allez-vous nous dire quand vous allez nous parler ? lui demanda Nathan.

Grace mit son pouce dans la bouche et haussa les épaules.

— Peut-être qu'elle va demander du foie de veau et des endives pour le dîner ? suggéra Ella.

Grace remua vivement la tête avec une grimace dégoûtée.

— Peut-être qu'elle va nous demander si elle peut aider Charlotte à nettoyer le four ? suggéra Nathan à son tour.

Grace pouffa de rire et sortit enfin son pouce de sa bouche.

— Pas du tout, déclara-t-elle d'une voix décidée. Je vais dire que je veux jouer du piano avec maman.

Nathan la serra fort contre lui et lui embrassa le front, avant de glisser un bras autour des épaules d'Ella pour pouvoir les enserrer tous dans la même étreinte.

La porte s'ouvrit de nouveau et Christopher apparut.

— Pourquoi est-ce que tout le monde à l'air si content ?

— Nous sommes juste heureux d'être une famille, répondit Nathan.

— Alors allons donc jouer du piano, proposa Ella avec un sourire, puisque Grace nous a dit qu'elle avait envie de jouer.

Les deux jeunes enfants sautèrent à terre et coururent vers la porte, suivis par leur grand frère.

Nathan retint Ella par la main avant qu'elle ne franchisse la porte. Elle se retourna pour lui faire face et leva son visage vers lui. Alors il posa ses lèvres sur les siennes avec lenteur, en un baiser d'une infinie tendresse qui la chavira de bonheur.

— Merci, murmura-t-il d'une voix rauque.

— De quoi ? s'étonna-t-elle avec un doux sourire, plongeant son regard dans le sien tout en lui effleurant la joue d'une caresse légère.

— De m'avoir épousé.

— Ce fut un plaisir, monsieur Lantry. Merci à vous de m'aimer.

— C'est mon plaisir de vous aimer, Ella.

— Pas possible ! s'écria Christopher depuis la porte, apparemment revenu voir pourquoi ils n'avaient pas suivi. Vous êtes encore en train de vous embrasser ?

Ella et Nathan éclatèrent de rire en même temps puis suivirent Christopher jusque dans le salon. Quelques instants plus tard, on entendit résonner les notes pures d'un concerto de Bach, auxquelles se joignirent bientôt les grincements discordants d'un harmonica et le rire cristallin d'une petite fille.

6 nouveaux romans dans la collection

Les Historiques

LA PROMESSE DU HIGHLANDER
de *Marguerite Kaye* - n°572
Ecosse, 1748. Et si, après toutes ces années, il était de retour pour la reconquérir ?... Alors qu'elle observe Alasdhair, son séduisant Highlander, au milieu du groupe de convives, Ailsa se sent défaillir. Combien de fois a-t-elle rêvé de ces retrouvailles depuis la disparition d'Alasdhair, six ans plus tôt ? Combien de fois a-t-elle imaginé qu'il reviendrait lui expliquer les raisons de son départ ? Aujourd'hui, Ailsa croyait avoir renoncé à ses rêves de jeune fille. Trop d'années se sont écoulées, trop de mensonges ont été prononcés. Et puis, elle est promise à un laird, un homme de son rang. Pourtant, elle ne peut ignorer la lueur d'espoir qui s'allume en elle lorsqu'elle croise le regard de feu de l'irrésistible Alasdhair...

AMOUREUSE D'UN VIKING
de *Joanna Fulford* - n°573
Angleterre, 995. Depuis la disparition de son époux, Anwyn ne cesse de repousser les avances du cruel Ingvar, qui rêve de mettre la main sur ses terres. Pour elle, il n'est pas question de subir un autre mariage forcé ni d'imposer l'autorité d'un tyran à son fils ! Hélas, comment résister à l'assaut d'Ingvar avec si peu d'hommes au château ? Il faut trouver des renforts... Aussi Anwyn voit comme un signe l'arrivée d'une bande de Vikings sur son domaine : si elle parvient à faire de ces barbares ses alliés, alors – enfin ! – elle pourra vivre en paix avec son enfant. Et qu'importe le prix que ce pacte lui coûtera ! Du moins le croit-elle. Jusqu'à ce qu'elle se retrouve face au chef des Vikings, un homme ténébreux au captivant regard azur...

UNION SOUS CONTRAT
de Deborah Hale - n°574

Angleterre, 1824. Pour protéger son neveu orphelin, Artemis est prête à tout, y compris à affronter le puissant Hadrian Northmore, qui réclame la garde de l'enfant. Il a beau être l'oncle du petit, Artemis refuse de lui abandonner son neveu bien-aimé. Car les Northmore ont prouvé qu'ils étaient indignes de confiance ! N'est-ce pas le frère débauché de Hadrian qui a séduit sa sœur cadette ? Mais alors qu'Artemis se prépare à une violente confrontation, l'arrogant Hadrian lui propose une troublante solution : si elle veut élever son neveu, elle devra accepter de l'épouser...

UN ÉPOUX POUR ELLA
de Cheryl St John - n°575

Wyoming, 1783. Jamais Ella n'aurait dû répondre à cette petite annonce ! Certes, dans sa situation, cette offre était l'occasion rêvée de prendre un nouveau départ, le genre d'opportunité qui se présente une seule fois dans une vie. Et puis, en acceptant de se marier avec un parfait inconnu, elle n'avait pas imaginé qu'elle tomberait sous le charme de son époux dès leur première rencontre... ni même qu'elle éprouverait pour lui un désir aussi immédiat qu'incontrôlable. A présent, déchirée entre ses sentiments pour Nathan et la nécessité de dissimuler sa véritable identité, Ella est complètement désemparée. Car, elle le sait, s'il vient à découvrir son sulfureux passé, Nathan ne lui pardonnera jamais de lui avoir menti...

LE BAL DE L'HIVER
de Annie Burrows - n°576

Angleterre, Régence. Depuis son arrivée à Alvanley Hall, où le comte de Bridgemere donne son traditionnel bal de Noël, Helen ne décolère pas. Pour qui se prend le comte, à traiter si mal ses invités ? Et comment ose-t-il loger sa propre tante dans une tour glaciale du château, sans se soucier de la santé de cette vieille dame ? Helen savait son hôte austère, mais pas à ce point de grossièreté !. Aussi, déterminée à expliquer à ce rustre sa façon de voir les choses, Helen n'hésite pas : elle exige un rendez-vous avec Sa Seigneurie. Mais alors qu'elle se préparait à rencontrer un homme aigri et méprisant, elle a la surprise de découvrir un gentleman infiniment séduisant...

FILLE DE ROI
de Tori Phillips - n°577

Angleterre, 1497. En secret, sir Brampton, tuteur de la jeune Alicia Broom, vient demander à sir Cavendish d'accepter un mariage entre sa pupille et l'un de ses trois fils. Alicia, lui explique-t-il, a besoin de protection, car elle n'est autre que la fille naturelle du roi déchu et serait menacée de mort si le nouveau roi découvrait son existence. Aussitôt, le pacte est conclu : sir Cavendish porte son choix sur son benjamin, Thomas, un adolescent taciturne et solitaire. Puis dix longues années s'écoulent, durant lesquelles Thomas, devenu comte de Thornbury, oublie jusqu'à l'existence d'Alicia. Jusqu'à ce jour où une jeune femme se présente au château et affirme être sa promise...

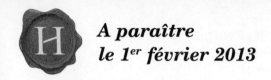

A paraître
le 1er février 2013

SCANDALEUSE NUIT D'HIVER
de Sophia James - n°578

Angleterre, 1826. Alors qu'une terrible tempête fait rage, la diligence qui emporte Bea loin de sa campagne natale se renverse, la laissant à la merci des éléments déchaînés. Effrayée, elle cède bientôt à la panique. Sur cette route isolée, à cette heure avancée, elle n'a, hélas, aucune chance d'être secourue. Elle se croit perdue quand le troublant inconnu qui voyageait avec elle lui propose de l'accompagner jusqu'au prochain village pour demander de l'aide. Mais à peine ont-ils pris la route que la tempête les oblige à se réfugier dans une ferme abandonnée. Et voilà Bea en tête à tête pour toute la nuit avec ce séduisant étranger qui, dès le premier regard, a fait battre son cœur beaucoup plus fort que de raison...

LA MAÎTRESSE INTERDITE
de Margaret Moore - n°579

Angleterre, 1222. Madeline de Montmorency est morte de peur : le convoi qui la conduisait chez son fiancé vient d'être attaqué par des voleurs. Certes, cet incident est peut-être son unique chance d'échapper à l'union que son frère voudrait lui imposer, mais qui sait quel sort ces hommes vont lui réserver ? Soudain, alors qu'elle craint pour sa vie, un ténébreux guerrier surgit de nulle part, et met les voleurs en fuite, avant de disparaître sans un mot. Trop intriguée, Madeline s'élance à sa poursuite et exige qu'il l'escorte jusque chez elle. Loin d'imaginer qu'elle vient ainsi, bien involontairement, de placer sa vie entre les mains d'un ennemi de son peuple...

FIANCÉE À UN INCONNU
de Deborah Hale - n°580

Singapour 1825. Alors que son voyage touche à sa fin, Bethan Conway est soudain assaillie par le doute. Comment a-t-elle pu partir pour l'autre bout du monde sur un tel coup de tête ? Même si épouser Simon Grimshaw, richissime homme d'affaires de Singapour, lui semblait être son unique chance de se rendre en Asie, où son frère a disparu depuis des mois ! A présent, Bethan appréhende la rencontre avec son futur époux. Et bientôt, à ses craintes s'ajoute un trouble immense : car loin d'être le vieil homme bedonnant et influençable qu'elle imaginait, Grimshaw est un gentleman, et respire la séduction et la virilité. Un homme, un vrai, auquel elle ne pourra ni dissimuler bien longtemps les véritables raisons de son voyage à Singapour... ni imposer une union platonique...

LE SECRET DE CARINA
de Pam Crooks - n°581

TEXAS, 1885. Rebelle et indépendante, Carina Lockett a pris la tête du ranch familial. Une audace très mal vue dans le monde où elle vit, un monde d'hommes. Et Carina s'en moque ! De toute façon, elle n'a pas vraiment eu le choix : le ranch était son unique moyen de subvenir seule aux besoins de sa fille, Callie, et de lui assurer un avenir. Mais alors qu'elle croit avoir surmonté le pire, elle doit affronter une terrible épreuve, dont elle ne peut se sortir seule : sa fille est enlevée sous ses yeux. Prête à tout pour sauver la chair de sa chair, Carina cherche qui elle peut supplier de l'escorter jusqu'à Dodge city afin qu'elle réunisse l'argent de la rançon... Tout de même pas le ténébreux Penn McLure ?

LE RETOUR DE L'ECOSSAIS
de Joanne Rock - n°582

Ecosse, 1072. Lui ? Cristiana n'en revient pas. Par cette pluie battante, elle accorderait l'hospitalité à n'importe qui, même à un parfait étranger – mais à Duncan de Culcanon ? Que revient-il faire au château de Domhnaill après avoir trahi et rompu leurs fiançailles cinq ans plus tôt ? Ouvrir les portes de la forteresse à l'ombrageux guerrier, franchement, elle hésite... Non, bien sûr, que son hésitation ait quoi que ce soit à voir avec ses sentiments pour lui : il y a bien longtemps que Cristiana a chassé de ses pensées cet arrogant Ecossais. Ce qu'elle redoute, croit-elle, c'est d'exposer le précieux secret des Domhnaill et de mettre en péril toute sa famille...

LA SAGA DES O'NEIL
de Ruth Langan - n°583

Ecosse, 1560. Depuis que les Anglais ont bafoué son honneur, Rory ne vit que pour se venger. Aussi est-il devenu le chef incontesté des rebelles irlandais, ennemis jurés de la couronne. Désormais, il n'a qu'un seul but : affaiblir les troupes de la reine Elizabeth, même s'il doit pour cela affronter toutes les polices du royaume. Mais après des mois de cavale, Rory finit par tomber sur le champ de bataille lors d'un violent assaut. Gravement blessé, il doit prendre le risque immense de trouver refuge en terre ennemie... et de cacher sa véritable identité à la dame du château, une ravissante et jeune Anglaise...

Best-Sellers n°549 • historique

La rebelle irlandaise - Susan Wiggs

Irlande, 1658.

Lorsque John Wesley s'éveille sous un soleil brûlant, sur le pont d'un bateau voguant au beau milieu de la mer, il peine à croire qu'il est vivant. Autour de son cou, il sent encore la brûlure de la corde… Il aurait dû être exécuté pour trahison, pourquoi l'a-t-on épargné ? C'est alors qu'une voix s'élève au-dessus du vacarme des flots : Cromwell, l'homme qui a ordonné son exécution avant de lui offrir un sursis inespéré… Aussitôt, John comprend que son salut ne lui a pas été accordé sans conditions : s'il veut rester en vie et récupérer sa fille de trois ans que Cromwell retient en otage, il doit se rendre en Irlande et infiltrer un clan de rebelles pour livrer leur chef aux Anglais. Une mission simple en apparence, à condition de ne pas tomber sous le charme de la maîtresse des rebelles, la ravissante Catlin MacBride…

Best-Sellers n°550 • historique

Les amants ennemis - Brenda Joyce

Cornouailles, 1793

Fervente opposante à la monarchie, Julianne suit avec passion la tempête révolutionnaire qui s'est abattue sur la France. Et de son Angleterre natale, où les privilèges font loi, elle désespère de voir la société évoluer un jour. Aussi se réjouit-elle quand, au beau milieu de la nuit, un Français blessé débarque au manoir familial de Greystone et lui demande son aide. Julianne ne tient-elle pas là l'occasion rêvée d'apporter sa modeste contribution au mouvement qu'elle soutient ? Et puis, elle rêve d'en apprendre davantage sur le fascinant étranger qui l'a envoûtée dès le premier regard. Mais Julianne est loin de se douter que l'arrivée du mystérieux Français à Greystone ne doit rien au hasard…

GRATUITS !

1 roman
et 2 cadeaux surprise !

Pour vous remercier de votre fidélité, nous vous offrons 1 merveilleux roman **Les Historiques** entièrement GRATUIT et 2 cadeaux surprise ! Bénéficiez également de tous les avantages du Service Lectrices :

- **Vos romans en avant-première**
- **5% de réduction**
- **Livraison à domicile**
- **Cadeaux gratuits**

En acceptant cette offre GRATUITE, vous n'avez aucune obligation d'achat et vous pouvez retourner les romans, frais de port à votre charge, sans rien nous devoir, ou annuler tout envoi futur, à tout moment. Complétez le bulletin et retournez-le nous rapidement !

☐ **OUI !** Envoyez-moi mon roman Les Historiques et mes 2 cadeaux surprise gratuitement. Les frais de port me sont offerts. Sauf contrordre de ma part, j'accepte ensuite de recevoir chaque mois 2 livres Les Historiques inédits au prix exceptionnel de 6,27€ le volume (au lieu de 6,60€), auxquels viennent s'ajouter 2,95€ de participation aux frais de port. Dans tous les cas, je conserverai mes cadeaux.

N° d'abonnée (si vous en avez un) ⊔⊔⊔⊔⊔⊔⊔⊔⊔⊔ | HZ2F09 |

Nom : .... Prénom : ....

Adresse : ....

CP : ⊔⊔⊔⊔⊔   Ville : ....

Téléphone : ⊔⊔⊔⊔⊔⊔⊔⊔⊔⊔

E-mail : ....

☐ Oui, je souhaite être tenue informée par e-mail de l'actualité des éditions Harlequin.
☐ Oui, je souhaite bénéficier par e-mail des offres promotionnelles des partenaires des éditions Harlequin.

Renvoyez cette page à : Service Lectrices Harlequin – BP 20008 – 59718 Lille Cedex 9

Composé et édité par les

éditions ✛ **HARLEQUIN**

Achevé d'imprimer en France (Malesherbes)
par Maury-Imprimeur
en novembre 2012

Dépôt légal en décembre 2012
N° d'imprimeur : 176650